◆薬学教育モデル・コアカリキュラム対応一覧◆

D 衛生薬学

D1 健康

一般目標：人々の健康増進，公衆衛生の向上に貢献できるようになるために，現代社会における疾病とその予防，栄養と健康に関する基本的知識，技能，態度を修得する．

(3) 栄養と健康

一般目標：食生活が健康に与える影響を科学的に理解するために，栄養と食品機能，食品衛生に関する基本的事項を修得する．

【①栄養】

1. 五大栄養素を列挙し，それぞれの役割について説明できる．	1章1項
2. 各栄養素の消化，吸収，代謝のプロセスを概説できる．	1章1項
3. 食品中の三大栄養素の栄養的な価値を説明できる．	1章1項
4. 五大栄養素以外の食品成分（食物繊維，抗酸化物質など）の機能について説明できる．	1章1項
5. エネルギー代謝に関わる基礎代謝量，呼吸商，推定エネルギー必要量の意味を説明できる．	1章2項
6. 日本人の食事摂取基準について説明できる．	1章2項
7. 栄養素の過不足による主な疾病を列挙し，説明できる．	1章2項
8. 疾病治療における栄養の重要性を説明できる．	1章1-3項

【②食品機能と食品衛生】

1. 炭水化物・タンパク質が変質する機構について説明できる．	1章4項
2. 油脂が変敗する機構を説明し，油脂の変質試験を実施できる．（知識・技能）	1章4項
3. 食品の変質を防ぐ方法（保存法）を説明できる．	1章4項
4. 食品成分由来の発がん性物質を列挙し，その生成機構を説明できる．	1章4項
5. 代表的な食品添加物を用途別に列挙し，それらの働きを説明できる．	2章6項
6. 特別用途食品と保健機能食品について説明できる．	2章4項
7. 食品衛生に関する法的規制について説明できる．	2章1-3,5項

【③食中毒と食品汚染】

1. 代表的な細菌性・ウイルス性食中毒を列挙し，それらの原因となる微生物の性質，症状，原因食品および予防方法について説明できる．	3章1,2項
2. 食中毒の原因となる代表的な自然毒を列挙し，その原因物質，作用機構，症状の特徴を説明できる．	3章3項
3. 化学物質（重金属，残留農薬など）やカビによる食品汚染の具体例を挙げ，ヒトの健康に及ぼす影響を説明できる．	4章1-5項

薬学領域の
食品衛生化学
［第 3 版］

京都薬科大学教授
長 澤 一 樹

近畿大学薬学部教授
川 崎 直 人

編 集

東 京 廣 川 書 店 発 行

執筆者一覧（五十音順）

甲 斐 久 博	九州保健福祉大学薬学部准教授
川 﨑 直 人	近畿大学薬学部教授
田 村 悦 臣	慶應義塾大学薬学部教授
長 岡 寛 明	長崎国際大学薬学部教授
長 澤 一 樹	京都薬科大学教授
渡 辺 　 渡	九州保健福祉大学保健科学部教授

薬学領域の食品衛生化学［第3版］

編 者　長澤一樹（ながさわ かずき）　川﨑直人（かわさき なおひと）

2013年3月 1日　初版発行

2015年3月 1日　第2版発行
2020年3月10日　第3版1刷発行

発行所　株式会社　**廣川書店**

〒113-0033　東京都文京区本郷3丁目27番14号
電話 03(3815)3651　FAX 03(3815)3650

第3版　まえがき

本書の初版は2013年に，衛生薬学における栄養化学と食品衛生化学に特化し，それらの基礎的知識を実践的能力に繋げられるように構成した教科書として出版された．今回「日本人の食事摂取基準」の改定，薬機法（医薬品，医療機器等の品質・有効性及び安全性の確保等に関する法律）の改正などに伴い第3版を出版することとなった．

「日本人の食事摂取基準」は，国民の健康の保持・増進を図る上で摂取することが望ましいエネルギーおよび栄養素の量の基準を示すものであり，5年ごとに改訂される．今回その2020年度版が示され，2024（令和6）年度までの5年間使用される．今回の改訂では，2015年版をベースとして，「社会生活を営むために必要な機能の維持および向上」を策定方針とし，これまでの生活習慣病（高血圧，脂質異常症，糖尿病，慢性腎臓病）の重症化予防に加え，高齢者の低栄養・フレイル（加齢に伴う様々な機能変化や予備能力低下によって健康障害に対する脆弱性が増加した状態）防止を視野に入れて検討がなされた．これら目標を達成するためには，個人または集団の食事摂取状況の評価，それに基づいた食事計画（plan），その実施（do），検証（check），そして改善（act）のPDCAサイクルを適切に行う必要があり，それに食事摂取基準を活用することが求められる．

最近，ある栄養素が不足している被験者に対し，その栄養素を豊富に含む食品に関する情報提供だけでも，被験者の栄養状態が改善されるという興味深い報告がなされた．また別の調査では，国民の多くが食習慣の改善のために必要なこととして，食に関する専門化による適切な情報の提供を求めていることが明らかにされている．これらのことは，科学的根拠に基づいた適切な栄養指導、すなわち「食育」の実践が，国民の健康の保持・増進に不可欠であり，それに対する薬剤師のこれまで以上の貢献が必要であることを指摘しており，改正薬機法にも示されている．

「薬学教育モデル・コアカリキュラム」で示されている「薬剤師として求められる基本的な資質」10項目の中で衛生薬学には，将来，医療現場において役に立つことを想定して，医療人養成教育において必要な健康に関する事項，環境に関する事項が取り入れられており，これに対応する到達目標（SBO）として，「疾病治療における栄養の重要性を説明できる」が挙げられる．これは「基礎的な科学力」に基づき，「地域の保健・医療における実践的能力」の修得へと展開されることで達成できるものである．このような薬剤師に求められる栄養化学および食品衛生化学の能力の変化に対応できるように構成された本書が，国民の健康の保持・増進に貢献できる薬剤師の養成に寄与できれば幸いである．

最後に，本書の改訂にあたり，多くの注文や提案を寛容に受け入れ，その出版にご尽力戴いた廣川書店の諸氏に感謝の意を表したい．

2020年1月

編者を代表して
長澤　一樹

第2版　まえがき

本書の初版は2013年に，衛生薬学における栄養化学と食品衛生化学に特化した教科書として出版された．その後2年で今回の改訂となったが，これは「薬学教育モデル・コアカリキュラム」の改訂と「日本人の食事摂取基準」の改定に伴ったものである．

「薬学教育モデル・コアカリキュラム」(コアカリ) は6年制薬学部・薬学科の卒業時までに学生が身に付けておくべき必須の能力（知識・技能・態度）の到達目標を提示したものである．今回のコアカリの改訂（2015（平成27）年度入学生より適用）では，コアカリの基本理念や医療全体を取り巻く情勢の変化などを踏まえ，「薬剤師として求められる基本的な資質」10項目が示された．そのなかで衛生薬学には，将来，医療現場において役に立つことを想定して，医療人養成教育において必要な健康に関する事項，環境に関する事項が取り入れられた．この改訂意図を明確に示す新たな到達目標（SBO）として，「疾病治療における栄養の重要性を説明できる」が挙げられる．これは「基礎的な科学力」に基づき，「地域の保健・医療における実践的能力」の修得へと展開されることで達成できるものである．本書は初版から栄養化学および食品衛生化学の基礎的知識を実践的能力に繋げられるように配慮して構成しており，このコンセプトが医療環境の変化に十分に対応しているものであることが，今回のコアカリの改訂により裏づけされた．

一方，「日本人の食事摂取基準」は，国民の健康の保持・増進を図る上で摂取することが望ましいエネルギーおよび栄養素の量の基準を示すものであり，5年ごとに改定される．今回その2015年度版が策定され，2019（平成31）年度までの5年間使用される．今回の改定では，国民の栄養評価・栄養管理の標準化と質の向上を目指して，その策定目的に，生活習慣病の発症予防とともに，重症化予防が加えられた．また，対象者には健康な個人ならびに集団に加え，高血圧，脂質異常，高血糖，腎機能低下に関して保健指導レベルにある者までが含まれるようになった．これらの目標を達成するためには，個人または集団の食事摂取状況の評価，それに基づいた食事計画（plan），その実施（do），検証（check），そして改善（act）のPDCAサイクルを適切に行う必要があり，それに食事摂取基準を活用することが求められる．最近，ある栄養素が不足している被験者に対し，その栄養素を豊富に含む食品に関する情報提供だけでも，栄養状態が改善されるという興味深い報告がなされた．また別の調査では，国民の多くが食習慣の改善のために必要なこととして，食に関する専門化による適切な情報の提供を求めていることが明らかにされている．これらのことは，科学的根拠に基づいた適切な「食育」，そしてその実践が，国民の健康の保持・増進に不可欠であることを明確に示しており，これまで以上に薬剤師の貢献が期待される．

このような薬剤師に求められる栄養化学および食品衛生化学の能力の変化に対応すべく本書の改訂を行った．本書が，国民の健康の保持・増進に貢献できる薬剤師の養成に寄与できれば幸いである．

最後に，本書の改訂にあたり，多くの注文や提案を寛容に受け入れ，その出版にご尽力戴いた廣川書店の諸氏に感謝の意を表したい．

2015年1月

編者を代表して
長澤　一樹

まえがき

『食品衛生化学』とは，“疾患を防ぎ，生命を衛（まも）る”の観点から，食品の栄養および安全性，ならびに環境中の毒性評価などの問題に化学的にアプローチし，理解を深める学問である．

薬学領域における食品衛生化学は，五大栄養素，国民の栄養摂取状況，食品中に含まれるまたは混入する有害物質などについての化学的知識を扱う領域であり，さらにそれを医療領域に繋げることにより，疾患の予防と治癒，そしてQuality of Lifeの向上に貢献することを目指す．

超高齢化社会に突入した現代社会において，正しい食生活を維持することが，疾患の発症を抑制し高齢者の健康を維持することに繋がり，国民全体の負担を軽減することになると考えられる．この予防薬学を実現するには，地域医療を担う薬剤師が，科学的根拠に基づいた食生活の指導を中心とした適切なセルフメディケーションを推進することが重要となる．

現代は飽食の時代といわれるが，単なる過剰摂取のみならず，偏食，さらには欠食や孤食などの食習慣の乱れも社会問題となっている．なかでも，生活習慣の欧米化は，食文化・食生活に大きく影響しており，生活習慣病の増加，またその発症の低年齢化などが生じる要因の一つと考えられている．

生活習慣がより大きく欧米化していると考えられる米国に移住した日本人の糖尿病有病率・罹患率は，わが国で生活する日本人の場合と比較して，遺伝的背景は同じであるにもかかわらず2～3倍高いことが報告されている．このことは日本国民の将来の健康状況を表している可能性が考えられる．

また，食料自給率の低下に伴い，自国だけでなく関係各国の環境問題などとあいまって，食の正しい理解とその安全への関心が高まり，健康を維持するための予防的手段として，食品衛生化学の重要性が改めて認識されつつある．

近年，栄養療法は単に不足するエネルギーや栄養素を与えるといったものではなく，患者を治癒へと導く積極的な治療法の一つとして認識されており，急性期から回復期，さらには終末期医療においても極めて重要なものと位置づけられている．それを支える栄養サポートチームにおける薬剤師の役割は，患者個々の病態に適した栄養療法を科学的根拠に基づいて提案・実践することであり，そのためには生理学，生化学，そして栄養学に関する知識・技能・態度が求められる．

このような時代背景のなか，医療志向の食品衛生化学に興味を持つ薬学生が着実に増えつつある．本書では，栄養素，栄養補助食品および有害物質に関して栄養学的・衛生化学的見地から概説し，それを生化学的知識と結びつけることで包括的な理解とし，国民の栄養摂取状況の評価に基づいた適切な栄養管理，そして次世代を衛（まも）るための食育に繋げられる横断的知識を修得できるように企画した．さらに，随所にコラムを設けて，基礎知識を実践に繋げられるように配慮した．これらを基に，食品衛生化学が実践薬学として現場で求められる知識の理解に繋がり，国民の保健に貢献できる薬剤師の養成に寄与できれば幸いである．

2013年1月

著者および編者を代表して
長澤　一樹

目　次

Chapter 1　食品の化学 …… 1

1-1　栄養素の化学 …… 3
1-1-1　炭水化物 …… 3
1-1-2　脂　質 …… 12
1-1-3　タンパク質 …… 21
1-1-4　各栄養素の共通の代謝経路 …… 32
1-1-5　ビタミン …… 35
1-1-6　無機質（ミネラル） …… 62
1-2　食事摂取基準と栄養摂取量 …… 74
1-2-1　エネルギー代謝 …… 74
1-2-2　日本人の食事摂取基準 …… 81
1-2-3　日本人の栄養摂取状況 …… 90
1-2-4　主要食品群別摂取量 …… 97
1-3　栄養療法 …… 101
1-3-1　栄養管理の進め方 …… 101
1-3-2　経腸栄養法 …… 106
1-3-3　静脈栄養法 …… 107
1-4　食品の変質と保存 …… 110
1-4-1　食品の変質 …… 110
1-4-2　食品中に生成する有害物質 …… 123

Chapter 2　食品の衛生化学 …… 129

2-1　食品衛生のための法規制 …… 129
2-1-1　食品衛生法 …… 130
2-1-2　食品安全基本法 …… 130
2-1-3　健康増進法 …… 131
2-1-4　食品表示法 …… 131
2-1-5　その他の法規および制度 …… 131

2-2　アレルギー …… ***135***
2-2-1　食物アレルギー …… ***136***
2-2-2　食物依存性運動誘発アナフィラキシー …… ***137***
2-3　牛海綿状脳症 …… ***138***
2-4　特別用途食品および保健機能食品 …… ***141***
2-5　遺伝子組換え食品 …… ***148***
2-6　食品添加物 …… ***153***
2-6-1　食品添加物総論 …… ***153***
2-6-2　食品添加物各論 …… ***159***
2-6-3　食品添加物の試験法 …… ***178***

Chapter 3　食中毒 …… ***181***

3-1　食中毒の種類と発生状況 …… ***181***
3-2　微生物による食中毒 …… ***185***
3-3　自然毒食中毒 …… ***195***

Chapter 4　食品汚染 …… ***207***

4-1　マイコトキシン …… ***207***
4-1-1　肝臓毒 …… ***208***
4-1-2　腎臓毒 …… ***212***
4-1-3　神経毒 …… ***213***
4-1-4　血液毒 …… ***215***
4-2　残留農薬 …… ***218***
4-2-1　DDT（Dichloro-diphenyl-trichloroethane） …… ***220***
4-2-2　BHC（Benzene hexachloride） …… ***221***
4-2-3　アルドリン …… ***221***
4-2-4　ポストハーベスト農薬 …… ***221***
4-3　動物用医薬品および飼料添加物 …… ***222***
4-4　環境汚染物質 …… ***225***
4-4-1　食品汚染有機化学物質 …… ***226***
4-4-2　食品汚染金属 …… ***231***
4-4-3　放射性物質 …… ***236***
4-5　器具・容器包装由来の食品汚染物質 …… ***238***

Chapter 1 食品の化学

食品の成分は，(1) 食品中に含まれる量の多い水分，タンパク質，脂質，炭水化物（糖質），繊維，および灰分から構成される六大成分（一般成分）と，(2) 量的に少ないビタミンと嗜好成分である微量成分（色素，香気，呈味などの特殊成分）の大きく2つに分けられる（図1-1）.

栄養素 nutrient とは，炭水化物（糖質），脂質，タンパク質，ビタミン，無機質（ミネラル）などの生体が活動していくうえで必要となる物質である．特に，炭水化物（糖質），脂質，タンパク質を**三大栄養素**といい，これにビタミン，無機質を加えたものを**五大栄養素**とよぶ.

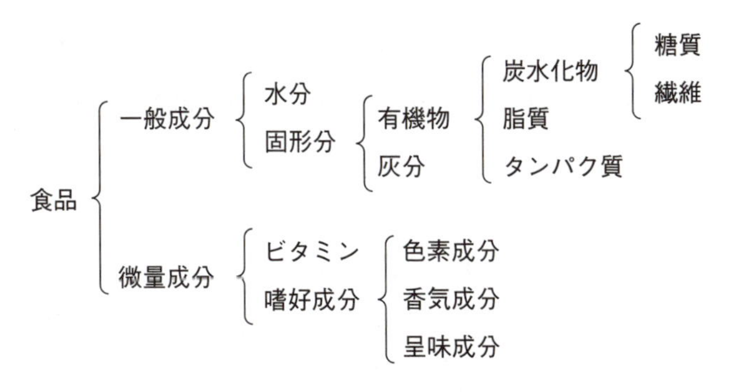

図1-1　食品成分

生体における食品の機能的な役割には以下の3つが考えられる.

第1は**栄養機能**であり，生命を維持するための機能である.

第2は**感覚機能**であり，我々の五感（味覚，嗅覚，触覚，聴覚，視覚）に対して総合的に訴える感覚であるため，これらのいずれが損なわれても食欲は減退する.

第３は**生体調節機能**であり，さまざまな生命活動（免疫系，内分泌系，神経系など）を調節する機能である．

また最近では，食事は友人や家族などとの円滑なコミュニケーションをとるための良い手段でもあることから，コミュニケーション機能が第４の機能として加えられることもある．

食事に含まれる栄養素の組成とヒト体内の平均的な組成は大きく異なる（図1-2）．生体は主に脂質，タンパク質，無機質で構成されており，食品の脂質，タンパク質が主に生体成分として利用されていることがわかる．食品には無機質は少ないが，生体では骨などの組織に蓄積し，その主要構成成分となっている．炭水化物は食品の主要な成分であるが，生体の主な構成成分ではない．これは炭水化物，特に糖質が生体構成成分としてより，エネルギー源として主に利用されていることを示している（表1-1）．

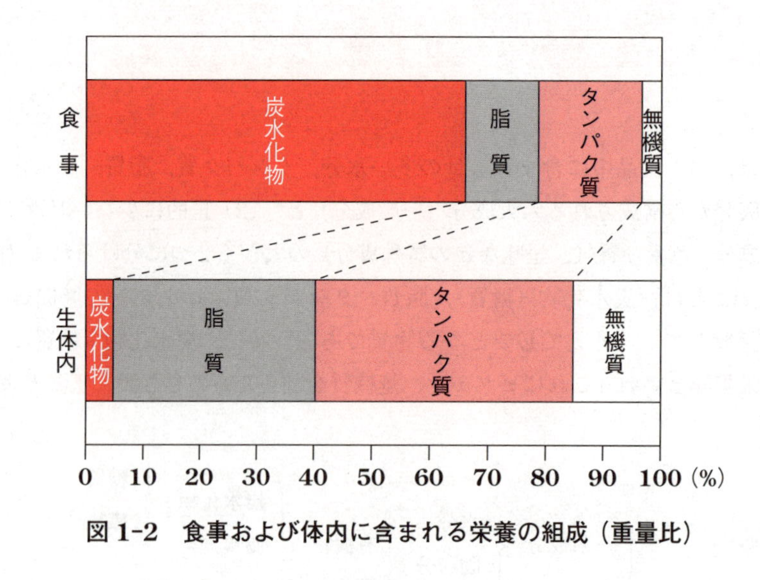

図1-2　食事および体内に含まれる栄養の組成（重量比）

表1-1　五大栄養素の生体内での役割

	エネルギー源	生体構成成分	生体機能調節因子
炭水化物（糖質）	＋＋＋	＋	＋
脂質	＋＋	＋＋＋	＋＋＋
タンパク質	＋	＋＋＋	＋＋＋
ビタミン	−	＋	＋＋＋
無機質	−	＋＋＋	＋＋＋

＋の数が多いほど，生体内での役割が大きいことを表す．

栄養素の欠乏や過剰摂取は，生体に何らかの変化，異常を引き起こす．現代においては，栄養素の過剰摂取に起因する生活習慣病などが問題になっている．そのため日本人のエネルギー・栄養素の摂取量の基準を示した「日本人の食事摂取基準」が策定されており，その中で日本人の1日あたりの平均的なエネルギー必要量は，年齢や身体活動度などで変動するものの，1800～2000 kcal程度であり，そのうち糖質，脂質およびタンパク質が占める割合はそれぞれおよそ60%，25%および15%とされている（詳細はp. 81 1-2-2 日本人の食事摂取基準の項参照）．

1-1　栄養素の化学

1-1-1　炭水化物

A. 糖　質

糖質 carbohydrate という名は，元来 $C_m(H_2O)_n$ なる一般式をもつ化合物に与えられてきたが，現在ではポリアルコール，ポリアルコールのアルデヒド，ケトン，酸，またその誘導体などの総称として用いられている．

糖質は，ヒトが1日に摂取するエネルギーの約60%を占める最も重要なエネルギー源である．糖質1 gは，ボンブ熱量計を用いて酸素存在下で燃焼させた場合4.10 kcalの物理的燃焼熱を発生するが，生体では未消化による損失や未利用エネルギーなどがあるため，実際に利用できる熱量は4 kcal/gとされる．脳神経組織，赤血球，精巣，酸素不足の骨格筋などの組織は，**グルコース glucose** を主なエネルギー源として利用するため，エネルギーを糖質として摂取することが必要となる．

ヒトの摂取する糖質の大部分は**デンプン starch** であり，グルコースが α1→4 グリコシド結合だけで重合した直鎖状の**アミロース amylose** と α1→6 グリコシド結合による分枝を多くもつ**アミロペクチン amylopectin** を含む．その他の糖質としては，**スクロース sucrose**，**ラクトース lactose**，**マルトース maltose**，**トレハロース trehalose** などの二糖類や，果物に含まれる**フルクトース fructose** などの単糖などがある．これらのうち二糖類や多糖類は，単糖であるグルコース，**ガラクトース galactose** およびフルクトースに消化されたのち小腸から吸収される（図1-3）．これら単糖は腸間膜静脈，門脈を経て肝臓に取り込まれ，肝臓ですべてグルコースに変換されたのち，その大部分は解糖系で代謝され，エネルギー源として利用される．

糖質のエネルギー源以外の重要な機能としては，血液型の決定に代表される抗原性の発現や，核酸の形成がある．

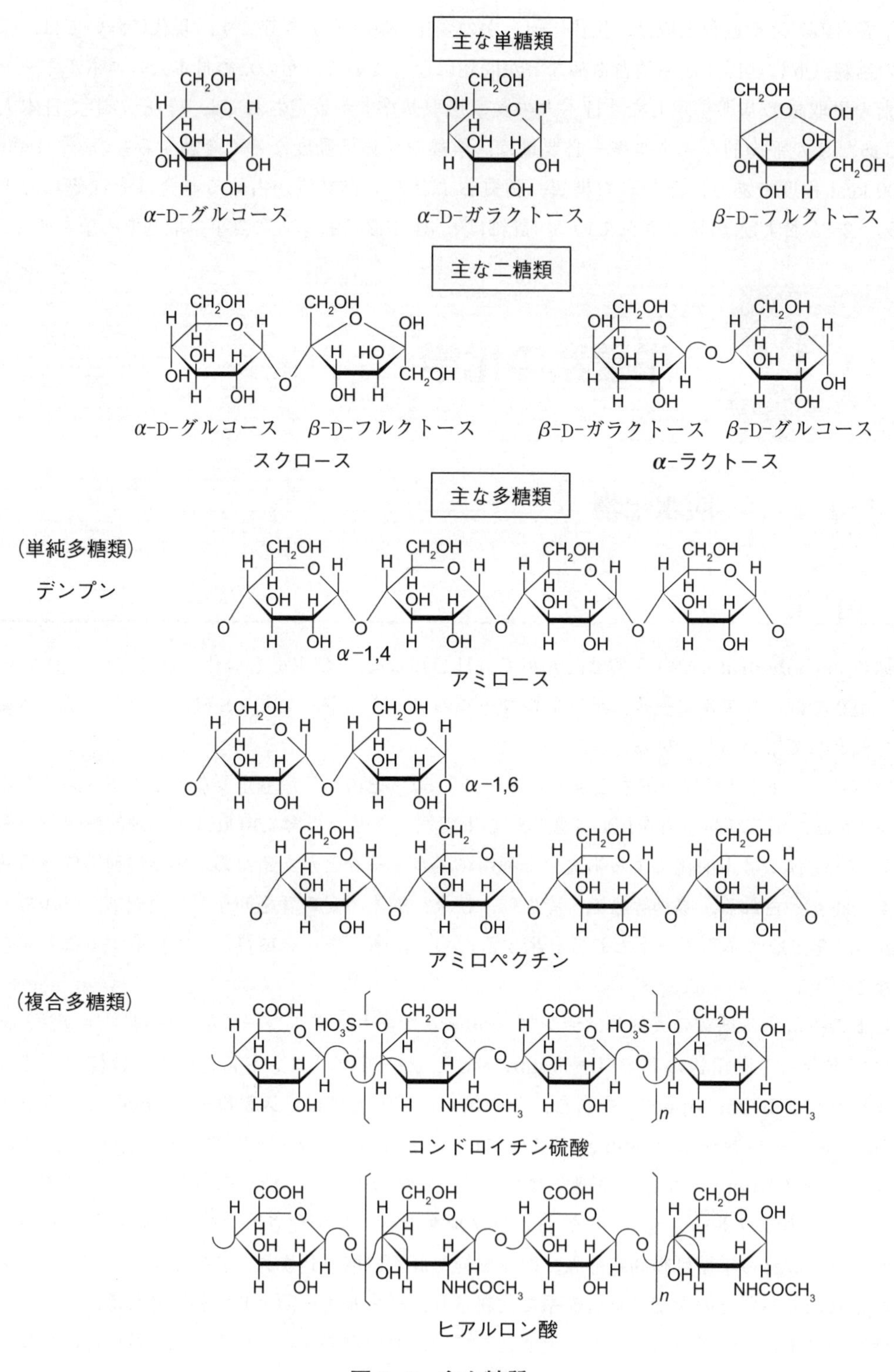
主な単糖類
α-D-グルコース
α-D-ガラクトース
β-D-フルクトース
主な二糖類
α-D-グルコース
β-D-フルクトース
スクロース
β-D-ガラクトース
β-D-グルコース
α-ラクトース
主な多糖類
(単純多糖類)
デンプン
α-1,4
アミロース
α-1,6
アミロペクチン
(複合多糖類)
コンドロイチン硫酸
ヒアルロン酸

図 1-3　主な糖質

B.　炭水化物（糖質）の消化と吸収

1）消　化

デンプンは，口腔では唾液に含まれる **α-アミラーゼ α-amylase**（**プチアリン ptyalin**）によって，小腸では膵臓から分泌される α-アミラーゼによって消化される．アミラーゼは**エンド型酵素**で，デンプンの直鎖状の α-1,4 結合をランダムに切断し，二糖であるマルトースと三糖のマルトリオース maltotriose が生成する．アミロペクチンは枝分かれしているため，枝分かれ部分をもつ α-限界デキストリンも生成する．食品の**グリコーゲン glycogen** は，枝分かれ構造をしているのでアミロペクチンと同様に，マルトース，マルトリオース，α-限界デキストリンが生成する．

二糖類および三糖類は，**マルターゼ maltase**，**スクラーゼ sucrase**，**ラクターゼ lactase** などの酵素によって単糖にまで加水分解される．アミラーゼは消化管腔内ではたらくのに対して（管腔内消化），マルターゼ，**イソマルターゼ isomaltase**，スクラーゼ，ラクターゼによる小腸上皮細胞刷子縁膜での消化を**膜消化**といい，消化と吸収が同時に行われる（表 1-2）．

表 1-2　炭水化物（糖質）の消化酵素の所在と基質

酵　素	所　在	基　質
唾液アミラーゼ（α-アミラーゼ）	唾液	デンプン，グリコーゲン
膵アミラーゼ（α-アミラーゼ）	膵液	デンプン，グリコーゲン
マルターゼ	小腸上皮細胞刷子縁膜	マルトース
イソマルターゼ	小腸上皮細胞刷子縁膜	限界デキストリン
スクラーゼ	小腸上皮細胞刷子縁膜	スクロース
ラクターゼ	小腸上皮細胞刷子縁膜	ラクトース
トレハラーゼ	小腸上皮細胞刷子縁膜	トレハロース

コラム　ラクトース不耐症（乳糖不耐症，ラクターゼ欠損症）

ラクターゼが活性低下または欠損したラクトース不耐症では，小腸において二糖類であるラクトースが消化できず，ラクトースが大腸に達することとなる．そのため，腸管浸透圧の上昇による水分含量増大に起因する慢性下痢や，腸内細菌による発酵（ガス産生，腸内刺激物産生）に起因する腹部膨満感（腸内ガス貯留）などの症状が現れる．

2）吸　収

糖は単糖 monosaccharide の形で吸収され，二糖類以上の糖類は吸収されない．

小腸上皮細胞刷子縁膜側でのグルコース，ガラクトースの吸収は，**SGLT1（sodium-dependent glucose transporter 1）**を介した Na^+ 依存性能動輸送によって行われる．一方，フルクトースは **GLUT5（glucose transporter 5）**を介した促進拡散によって吸収される（図 1-4）．

また，小腸上皮細胞の側底膜から毛細血管（血液）側へのグルコース，ガラクトース，フルクトースの輸送は，基質特異性の低い **GLUT2** を介した促進拡散により行われる（図 1-4）．

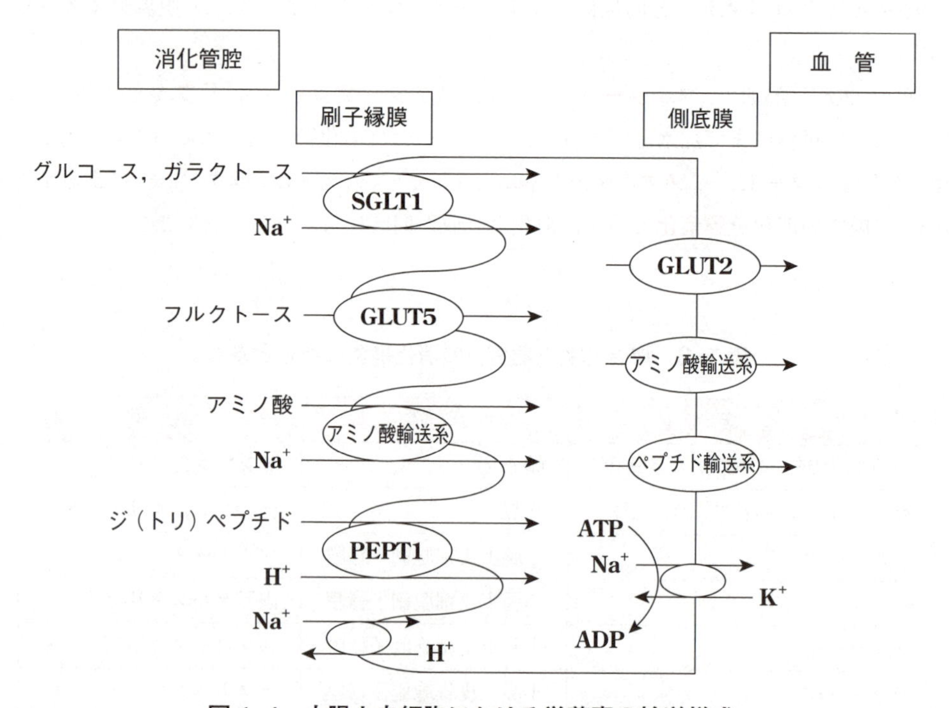

図 1-4　小腸上皮細胞における栄養素の輸送様式

コラム　グリセミック・インデックス

グリセミック・インデックス glycemic index（GI）は，血糖上昇という消化性炭水化物の生理機能の違いに着目して，消化・吸収される炭水化物の質的評価を行うための指標である．GI は，50 g の炭水化物を含む各食品を摂取させた後の血糖上昇の程度を，同重量の基準となる炭水化物（グルコース，または白パンや白飯）との血糖上昇の程度と比較する．GI の高い食事が糖尿病や心筋梗塞の発症率のリスクを増加させる可能性が疫学的研究から示唆されている．また，生活習慣病発症との関連も示唆されている．

C.　食物繊維

食物繊維 dietary fiber とは，「ヒトの消化酵素によって加水分解されない食品中の難消化性成分の総称」である．主なものとしては，植物に含まれる**セルロース cellulose**，ペクチン pectin，動物に含まれるキチン chitin などの多糖類のほか，非多糖の高分子物質であるリグニン lignin などがある．また，食物繊維は水に対する溶解性から，不溶性食物繊維と水溶性食物繊維に分類される（表1-3）．

表1-3　食物繊維の種類

名　称	主な所在
不溶性食物繊維	
セルロース	植物の細胞壁成分
ヘミセルロース	植物の細胞壁成分
リグニン	木質素
キチン	甲殻類の殻
水溶性食物繊維	
ペクチン	果実
アルギン酸	褐藻の細胞壁成分
グルコマンナン	コンニャク
グアーガム	グアー豆（酵素処理低分子化化合物）

セルロースは代表的な植物性の食物繊維で，グルコースが β-1,4 結合した多糖類であり，α-アミラーゼによって消化されない．セルロースの誘導体であるカルボキシメチルセルロース carboxymethylcellulose は，水溶性で粘稠性を有することからアイスクリームなどの増粘剤に用いられる．キチンはカニやエビなどの甲殻類の殻，貝や軟体動物の骨格などに含まれる動物性の食物繊維である．キチンをアルカリ処理してアセチル基を除いたものがキトサン chitosan であり，食品の素材などとして用いられている．

食物繊維はヒトの消化酵素では分解されないが，種類によっては大腸の腸内細菌によってかなり代謝分解され発酵し，酪酸 butyric acid，プロピオン酸 propionic acid などのエネルギー源となりうる短鎖脂肪酸が生成する．しかしながら，その割合は非常に小さいため，エネルギーとして考慮しない．

食物繊維の効用としては，以下の4つが知られている．

① 便秘の改善：水分を吸収し，食物のかさを増して腸管を刺激し，便の大腸通過時間を短縮する．便量の増加効果は，不溶性食物繊維で顕著で，これは繊維のもつ保水性に起因する．

② 大腸がんの予防：詳細な機構は不明であるが，発がん物質を吸着し，その滞留時間を短くすること，腸内細菌叢を変えること，また，腸内細菌による発酵を受け乳酸などの短鎖脂肪酸を生成することにより腸内を弱酸性に維持し，アミン amine などの発がん促進物質の生成を抑制することなどが考えられている．

③ 血中コレステロール低下作用：水溶性食物繊維がゲル化して胆汁酸を吸着することでコレステロール cholesterol とのミセル micelle 化を阻害し，コレステロールの吸収を抑制することによる．

④ 食後血糖値上昇の緩和：水溶性食物繊維が胃で膨張し，食物の胃内滞留時間を延長させることによる．

D.　腸内細菌と炭水化物

腸内に常在する**腸内細菌 intestinal bacteria, enterobacterium** の数は 100 兆個，重さにして 1 ～ 1.5 kg，1000 種類以上にも及ぶ．腸内細菌の様相（**腸内細菌叢 intestinal flora, enterobacterial flora**）はヒトによって異なり，双子でも同じではない．腸内細菌叢の形成には，遺伝的素因に加え，分娩，授乳，食事，薬物などの環境要因が影響し，3 歳頃にはほぼ成熟するが，その後も環境要因とともに加齢により変化するとされている．近年，腸内細菌叢と疾患発症に関する研究が進展し，腸内細菌叢の多様性とその構成の重要性が指摘されている．疾患の治療に関しては，潰瘍性大腸炎に対する腸内細菌移植療法などの開発が進められている一方で，疾患発症の予防の観点から，**プロバイオティクス probiotics** および**プレバイオティクス prebiotics** による腸内細菌叢の改善が注目されている．

プロバイオティクスとは，「腸内細菌叢のバランスを改善することによって宿主の健康に好影響を与える生きた微生物菌体」と定義されている．このような作用を有する代表的な菌株として，ビフィズス菌やラクトバチルス菌などがあり，これらは胃酸や胆汁酸で死滅せず，生きたまま腸に届くことで，腸内細菌叢の構成を変化させるとされている．

プレバイオティクスは，「経口摂取されたときに，生体に有用な作用が期待される腸内細菌を活性化しうるような食品成分」と定義されている．このような食品成分として，オリゴ糖 oligosaccharide や食物繊維などが知られており，前述のように腸内細菌がこれらを短鎖脂肪酸などに代謝分解し腸内 pH を低下させることで，ビフィズス菌などの腸内細菌群の構成割合を増大させることが示されている．

また，**シンバイオティクス synbiotics** は，1995 年に Gibson と Roberfroid によってプレバイオティクスとプロバイオティクスを組み合わせたものと定義され，術後の感染防御や炎症抑制などにおいて効果を示すことが報告されている．

E.　糖質の代謝

1）　体内動態

体内に吸収されたグルコースの約50%は肝臓に取り込まれ，残りは全身の各組織に移行し，そこで細胞に取り込まれることでエネルギー源として代謝される．体内のグルコースの大部分は，肝臓と骨格筋にグリコーゲンとして貯蔵され，さらに余剰分は肝臓や脂肪組織でグリセロール glycerol に変換され，中性脂肪として脂肪組織に貯蔵される．

生体内のグリコーゲン量は成人男性で約200～300 g であり，肝臓に約100 g，骨格筋に約100～200 g 蓄えられている．このうち，肝臓のグリコーゲンは必要に応じてグルコースに変換されて血中に放出され血糖の維持に利用されるが，骨格筋のグリコーゲンは筋収縮のエネルギー源として利用されるため血糖の維持には寄与しない（図1-5）．

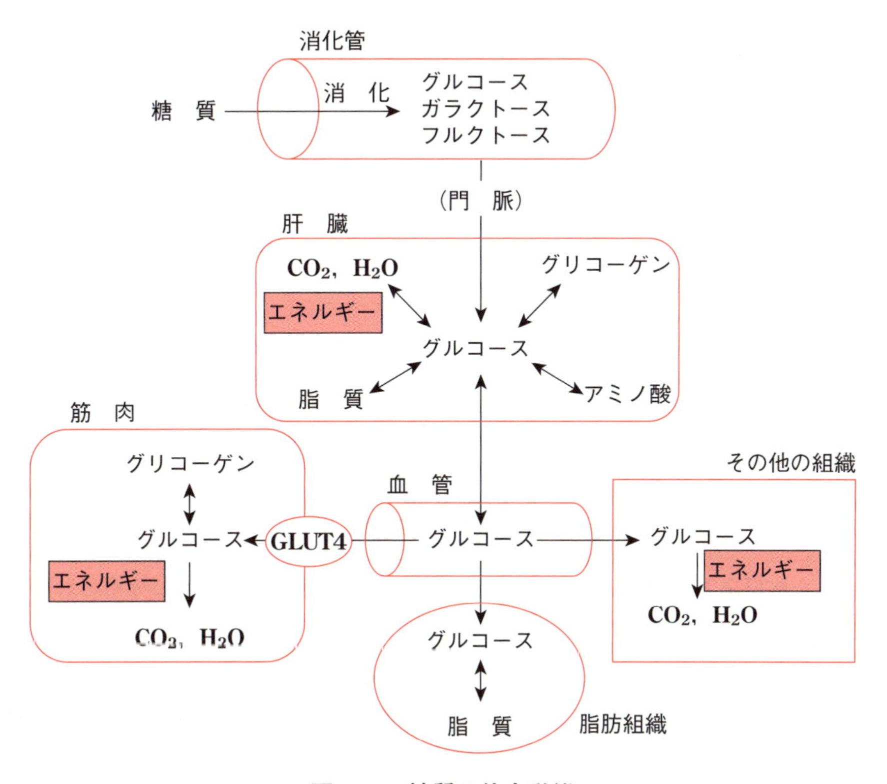

図1-5　糖質の体内動態

2）　血糖値の維持

空腹時血糖値は70～80 mg/dL であるが，食事摂取後に血糖値が上昇すると，膵臓ランゲルハンス島β細胞からのインスリン insulin 分泌が増加し，肝臓からのグルコースの放出を抑制するとともに，肝臓へのグルコースの取り込みを促進する．一方，インスリンが骨格筋細胞や脂肪細胞の細胞膜に発現するインスリン受容体に結合すると，促進拡散系のグルコース輸送担体である

GLUT4 の細胞内小胞から細胞膜への局在変化が起こり，グルコースの細胞内取り込みが増加し，血糖値が低下するとともにグリコーゲン合成が促進される．

一方，インスリンの分泌不全や抵抗性によって血糖値がおよそ 180 mg/dL を超えるような場合は，腎臓でのグルコースの再吸収が不十分となるため，尿にグルコースが排出される．

3） グルコースからのエネルギー産生経路

グルコースがエネルギー源として代謝される場合，嫌気的過程の**解糖系 glycolysis** と好気的過程の **TCA サイクル tricarboxylic acid cycle**（**クエン酸回路**）の 2 つの経路がある．その他のグルコース代謝経路として，グリコーゲン代謝経路，ペントースリン酸（五炭糖リン酸）経路とウロン酸経路がある（図 1-6）．

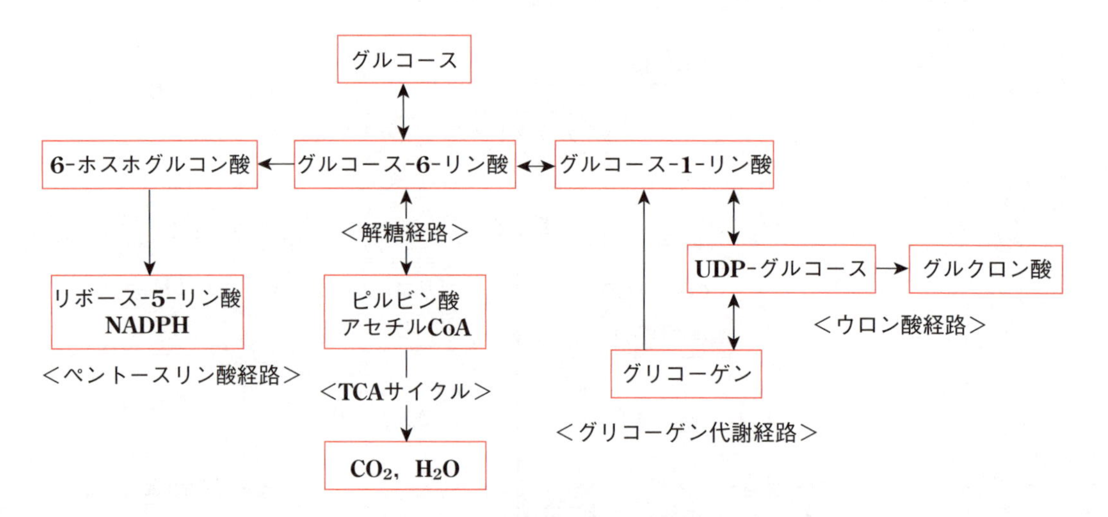

図 1-6 糖質の主な代謝経路

グルコースが解糖系および TCA サイクルで酸化されて二酸化炭素と水に分解されることにより産生されるエネルギーは ATP として捕捉される．ここで多くの ATP は還元された補酵素の酸化的リン酸化によって作られ，一部は基質レベルのリン酸化により直接的に産生される．

グルコース 1 分子を完全に燃焼すると，約 686 kcal の熱が放出される．一方，生体内でグルコース 1 分子が二酸化炭素と水に代謝されると ATP が 32 分子（これは肝臓，腎臓および心臓において，NADH がリンゴ酸-アスパラギン酸シャトルによって細胞質ゾルからミトコンドリアのマトリックス内に輸送された場合であり，骨格筋や脳ではグリセロール-3-リン酸シャトルによるので ATP は 30 分子）が生成する．ATP 1 分子の熱量を 7.3 kcal とすると，1 分子のグルコースから ATP として得られるエネルギーは 32 × 7.3 = 234 kcal となり，グルコースのもつ全エネルギーの約 35% が ATP のエネルギーとして取り出されたこととなる．

炭水化物の消化，吸収および体内動態を簡潔にまとめたものが図 1-7 である．

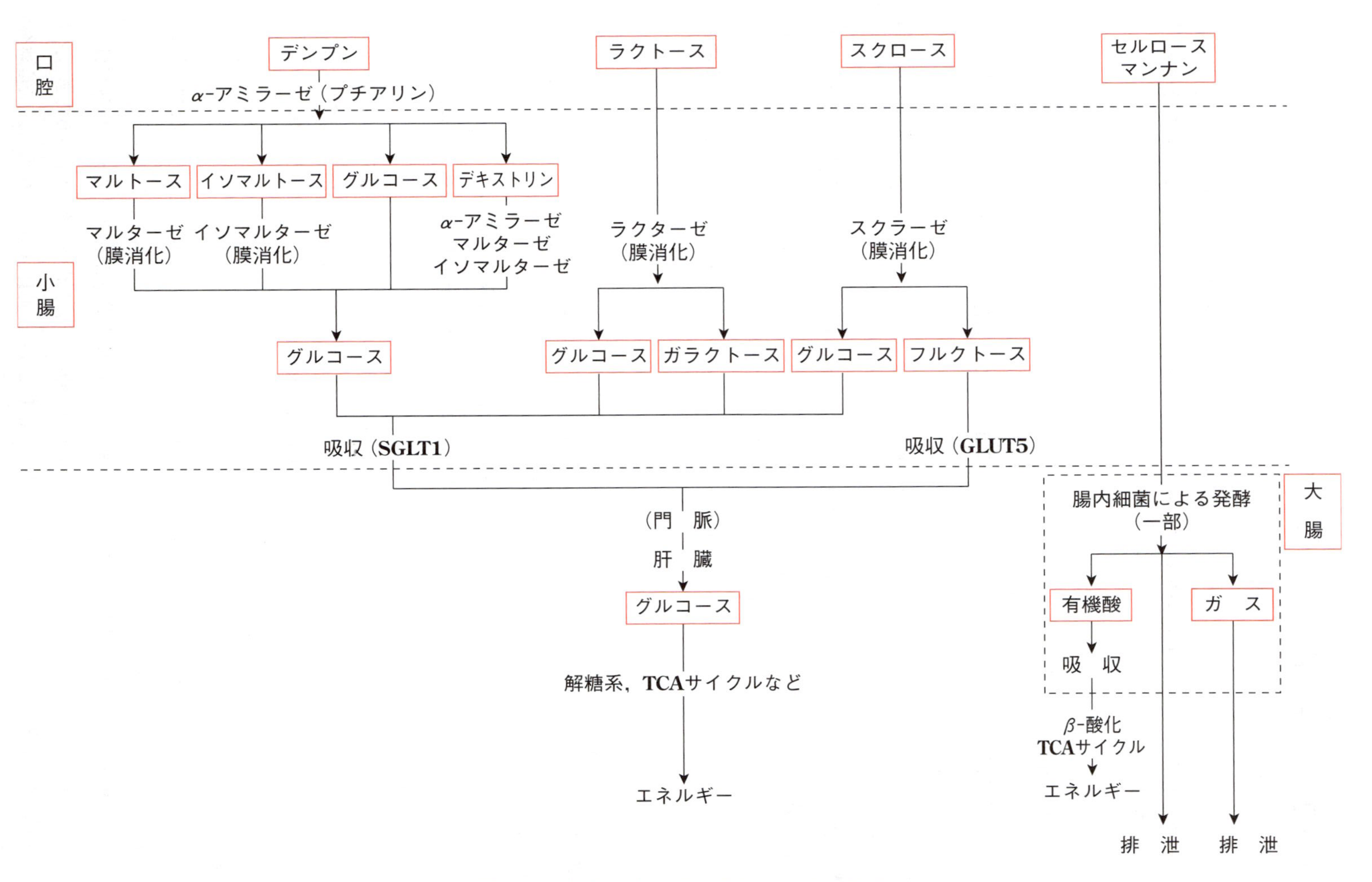

図1-7　糖質・食物繊維の消化および吸収

1-1-2　脂　質

脂質 lipid は，生物から単離される水に溶けない物質の総称であり，基本的にアルコールと**脂肪酸 fatty acid** のエステル ester である．一方，**中性脂肪 neutral fat** とは，動植物に含まれる栄養素の 1 つである．

A.　脂質の機能，栄養

脂質は，炭水化物（糖質），タンパク質とともに食事の必須成分として古くから認められている．脂質は脂肪酸代謝によって，約 9.45 kcal/g の物理的燃焼熱を産生するが，生体内では約 9 kcal/g の熱量を生じるにとどまり，またその生体におけるエネルギー源としての寄与の程度は糖質より小さい．

不飽和脂肪酸の中には，体内で合成されない，または合成されるが必要量に達しないため体外からの摂取が必要なものがあり，これを**必須脂肪酸**とよぶ．必須脂肪酸は**リノール酸 linoleic acid**（$C_{18:2}$），**α-リノレン酸 α-linolenic acid**（$C_{18:3}$），**アラキドン酸 arachidonic acid**（$C_{20:4}$）である（アラキドン酸はリノール酸から十分な量が合成されるので必須脂肪酸ではないとする場合がある）．

B.　脂質の化学

1）　分　類

脂質は，脂肪酸とアルコールのエステルである単純脂質と，脂肪酸とアルコールのエステルで窒素，硫黄，リンなどを含む複合脂質に分けられる．また，これら単純脂質や複合脂質が加水分解されて生じる脂質を誘導脂質という．

脂肪酸の融点は，不飽和度が同じ脂肪酸では脂肪酸のアルキル基の炭素数が少なくなるほど，同じ炭素数の脂肪酸では二重結合数が多くなるほど低くなり，飽和脂肪酸 saturated fatty acid の多い牛脂や豚脂は室温で固体，不飽和脂肪酸 unsaturated fatty acid の多い植物油は液体となる．

2）　脂肪酸

脂肪酸は脂質の重要な構成成分で，脂肪酸の末端はカルボキシ基であり，その多くは偶数個の炭素からなる一塩基酸である．

食品中には短鎖のものから長鎖のものまで，さまざまな飽和脂肪酸が存在するが，生体では**パルミチン酸 palmitic acid**（$C_{16:0}$），**ステアリン酸 stearic acid**（$C_{18:0}$）が主な飽和脂肪酸である．

天然の不飽和脂肪酸は 1, 4－ペンタジエン構造（$-CH=CH-CH_2-CH=CH-$）をもち，二重結合はシス（*cis*）型である．不飽和脂肪酸はさらに二重結合の位置により，*n*-3（ω-3），*n*-6（ω-6）および *n*-9（ω-9）系脂肪酸に分類される．それぞれの数字は，不飽和脂肪酸のメチル基末端（ω 炭素）から数えて，最初の二重結合までの炭素の数を示している．一方，二重結合の位置はカルボキシ基末端から数えて，アラキドン酸は $\Delta^{5,8,11,14}C_{20:4}$ と表される（図 1-8）．

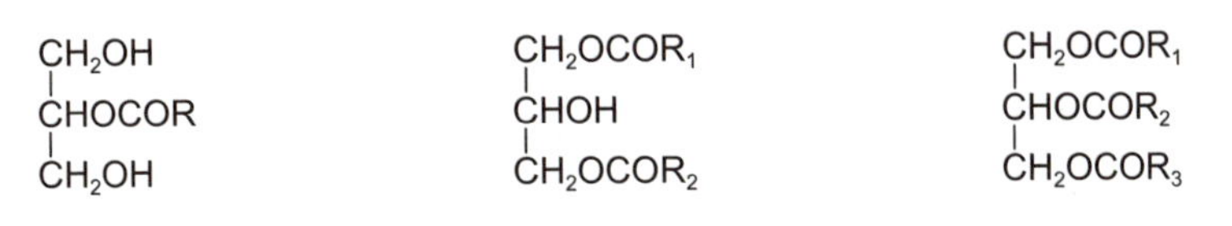

図 1-8　アラキドン酸（$\Delta^{5,8,11,14}C_{20:4}$）の化学構造

3）　中性脂肪

中性脂肪はグリセロールに脂肪酸がエステル結合したもので，単純脂質に分類される．脂肪酸の数により，モノアシルグリセロール monoacylglycerol，ジアシルグリセロール diacylglycerol，トリアシルグリセロール triacylglycerol がある（図 1-9）．食品中の油脂の 90%以上はトリアシルグリセロールであり，生体内の脂肪細胞やリポタンパク質の脂質もトリアシルグリセロールである．

2-モノアシルグリセロール	1, 3-ジアシルグリセロール	トリアシルグリセロール
CH_2OH	CH_2OCOR_1	CH_2OCOR_1
$CHOCOR$	$CHOH$	$CHOCOR_2$
CH_2OH	CH_2OCOR_2	CH_2OCOR_3

図 1-9　アシルグリセロールの化学構造

トリアシルグリセロールの脂肪酸組成はその由来によって異なる．動物性油脂は飽和脂肪酸を，植物性油脂は不飽和脂肪酸を多く含む．魚油はエイコサペンタエン酸 eicosapentaenoic acid（EPA）やドコサヘキサエン酸 docosahexaenoic acid（DHA）などの高度不飽和脂肪酸を多く含む．牛乳はカプロン酸 caproic acid などの炭素数 10 以下の中鎖脂肪酸を多く含む（表 1-4）．

4）　ワックス

ワックス wax は高級一価アルコールと脂肪酸のエステルで，自然界に広く存在する．ワックスは消化されにくく，吸収されない．代表的なワックスとして，クジラやミツバチの巣から採取される「ろう」とよばれる脂質がある．

表 1-4　食品に含まれる主な脂肪酸（％＝g/100 g）

名　称	牛　乳	牛　脂	オリーブ油	トウモロコシ油	サフラワー油	鶏　卵	牛レバー	イワシ	マグロ
パルミチン酸	28	25	13	12	6	25	16	19	23
ステアリン酸	11	21	2	2	2	8	25	3	12
オレイン酸	25	38	71	27	13	43	19	13	13
リノール酸	3	2	10	57	77	13	9	2	1
α-リノレン酸	—	0	0	0	—	0	0	1	0
アラキドン酸	—	—	—	—	—	1	8	0	4
エイコサペンタエン酸（EPA）	—	—	—	—	—	—	—	12	2
ドコサヘキサエン酸（DHA）	—	—	—	—	—	1	0	10	29

5） ステロール

ステロール sterol はステロイド骨格の 3 位にヒドロキシ基を有するアルコールの総称である．動物ステロールとしてコレステロール，そして植物ステロールとしてシトステロール sitosterol，エルゴステロール ergosterol などがある．植物ステロールはほとんど体内に吸収されないが，同時に摂取されたコレステロールの吸収を抑制するとの報告がある（図 1-10）．

コレステロール　　シトステロール

図 1-10　ステロール類の化学構造

C. 脂質の消化・吸収

1） 消　化

動物性油脂や植物性油脂のトリアシルグリセロールは，小腸において膵リパーゼによってトリアシルグリセロールの 1 位と 3 位の脂肪酸エステル結合が加水分解され，1 分子の 2-モノアシルグリセロールと2分子の脂肪酸となる．

一方，食品中に含まれるコレステロールエステルは，小腸において**膵エステラーゼ esterase** によってコレステロールに加水分解される（表1-5, 図1-11）．

表1-5　脂質の消化酵素の所在と基質

酵　素	所　在	基　質
膵リパーゼ	膵液	トリアシルグリセロール
膵エステラーゼ	膵液	コレステロールエステル

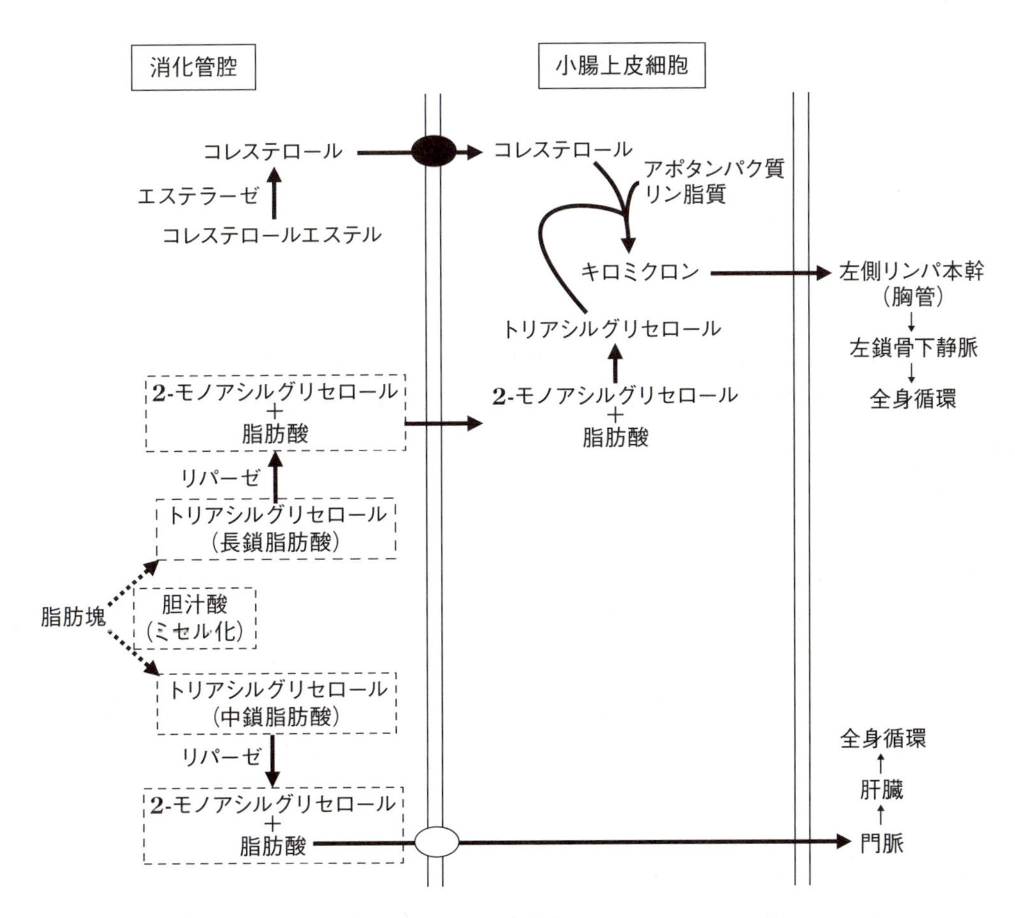

図1-11　脂質の吸収

2） 吸 収

食肉などのトリアシルグリセロールから生成した長鎖脂肪酸と 2-モノアシルグリセロールは，胆汁酸とミセルを形成した状態で，単純拡散によって小腸上皮細胞に取り込まれる．取り込まれた脂肪酸と 2-モノアシルグリセロールは，小腸上皮細胞内でトリアシルグリセロールに再合成され，コレステロール輸送担体 NPC1L1 などを介して取り込まれたコレステロールと，リン脂質，アポリポタンパク質とともに**キロミクロン chylomicron** とよばれるリポタンパク質を形成する．その後，キロミクロンはリンパ管に放出され，胸管を経て，静脈角（鎖骨下静脈と内頸静脈の合流点）に入る．したがって，トリアシルグリセロールは糖質やアミノ酸とは異なり，門脈，肝臓を経ることなく循環血中に入る（図 1-11）．

これに対し，牛乳などのトリアシルグリセロールから生成した中鎖脂肪酸は，長鎖脂肪酸に比べ水溶性が高いため，特殊輸送系を介して，直接小腸上皮細胞内に取り込まれ，門脈，肝臓を経て，循環血中に入る（図 1-11）．

D. 脂質の代謝

1） 体内動態

小腸で吸収されたトリアシルグリセロールは，以下に示すリポタンパク質に組み込まれ，血中を循環して各組織に運ばれる．また，肝臓で合成されたトリアシルグリセロールもリポタンパク質を形成して血中に放出される．

リポタンパク質中のトリアシルグリセロールは，血管内皮細胞表面にある**リポタンパク質リパーゼ**によって加水分解され，放出された脂肪酸は各組織に取り込まれ，エネルギー源，生体成分として利用されるほか，再びトリアシルグリセロールに再合成されて貯蔵されたりする（図 1-12）．

2） リポタンパク質

トリアシルグリセロールやコレステロールは水に不溶のため，タンパク質を含む両親媒性のリポタンパク質として体内を循環する．リポタンパク質は両親媒性のリン脂質が親水性基を外側に向けて表面を覆っている．リン脂質の層にはコレステロールやアポリポタンパク質が存在し，内部にはトリアシルグリセロール，コレステロールエステルなどの疎水性の脂質が存在している（表 1-6）．

① キロミクロン

キロミクロンの主要構成成分は食事由来のトリアシルグリセロールで，最も密度の低いリポタンパク質であり，食事由来のコレステロールも含んでいる．キロミクロンはリポタンパク質リパーゼによって加水分解を受け，放出された脂肪酸は各組織に取り込まれ，利用される．

脂肪酸を放出したキロミクロンは，**キロミクロンレムナント chilomicron remnant** となり，肝臓に取り込まれる．このようにして，キロミクロンは食事性のトリアシルグリセロールを組織に運び，食事由来のコレステロールを肝臓に運ぶはたらきをする．

② 超低密度リポタンパク質

超低密度リポタンパク質 very low density lipoprotein（VLDL）は，トリアシルグリセロールが主要成分のリポタンパク質で，トリアシルグリセロールやコレステロールを各組織に運搬する．VLDL のトリアシルグリセロールも，キロミクロンの場合と同様に，リポタンパク質リパーゼによって加水分解を受けて脂肪酸を遊離し，それらは各組織に取り込まれて利用される．

VLDL はリポタンパク質リパーゼが作用すると，コレステロール，コレステロールエステルの割合が大きくなった **IDL（intermediate density lipoprotein）**になる．

③ 低密度リポタンパク質

IDL から，さらにトリアシルグリセロールの割合が小さくなると**低密度リポタンパク質 low density lipoprotein（LDL）**になる．LDL はコレステロールとコレステロールエステルに富み，血漿コレステロールの約 2/3 は LDL に含まれる．LDL は各組織の細胞表面に存在する LDL 受容体を介して細胞内に取り込まれ，コレステロールを各組織に供給する．

④ 高密度リポタンパク質

高密度リポタンパク質 high density lipoprotein（HDL）は，脂質含量が最も少ないリポタンパク質である．HDL は末梢組織から遊離コレステロールを引き抜くはたらきを有する．引き抜かれたコレステロールはレシチン-コレステロールアシルトランスフェラーゼにより，レシチンの脂肪酸を受け取り，コレステロールエステルとなる．

HDL のコレステロールエステルは，コレステロールエステル輸送タンパク質により，IDL および LDL に移行し，肝臓に LDL 受容体を介して取り込まれる．このような末梢組織のコレステロールを肝臓に輸送する経路を，**コレステロール逆輸送系**とよぶ．

表 1-6　ヒトリポタンパク質の組成（%）

	キロミクロン	VLDL	IDL	LDL	HDL
直径（Å）	800～5000	300～800	190～220	150～250	75～100
密度	＜0.96	0.96～1.006	1.006～1.019	1.019～1.063	1.063～1.210
トリアシルグリセロール	85	55	24	10	5
コレステロール	2	7	13	8	5
コレステロールエステル	5	12	33	37	15
リン脂質	6	18	12	22	26
タンパク質	2	8	18	23	50

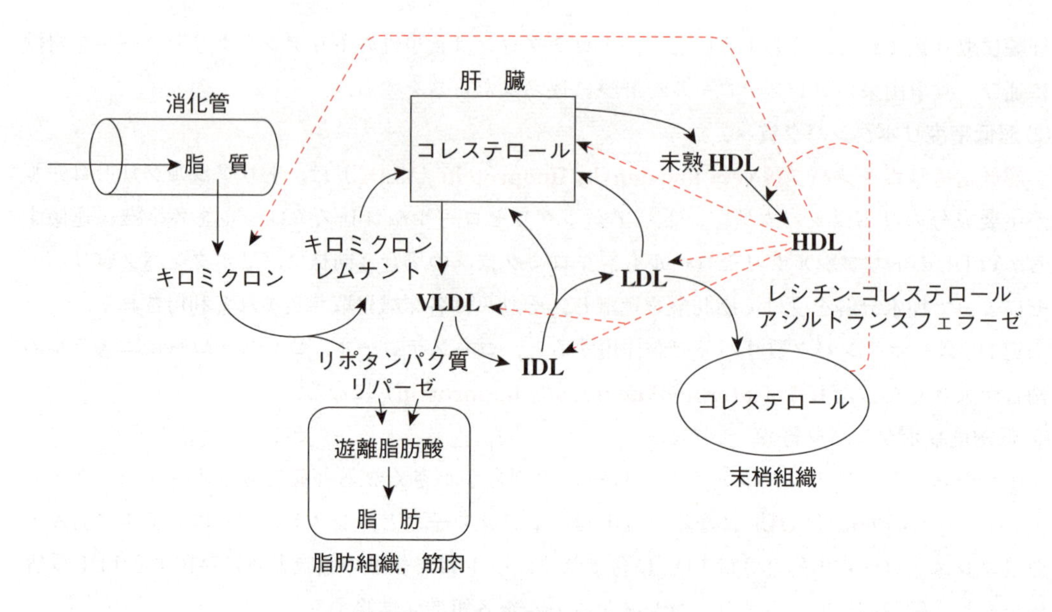

図 1-12　脂質の体内動態

破線は逆輸送を示す．

3）　脂肪酸の代謝

① エネルギー収支

組織に運ばれた脂肪酸はエネルギー源として利用される．脂肪酸を ATP に変換する反応が **β 酸化 beta oxidation** である．β 酸化はミトコンドリアで行われ，同じマトリックスにある電子伝達系と連携して ATP を効率的に生成する（図 1-13）．

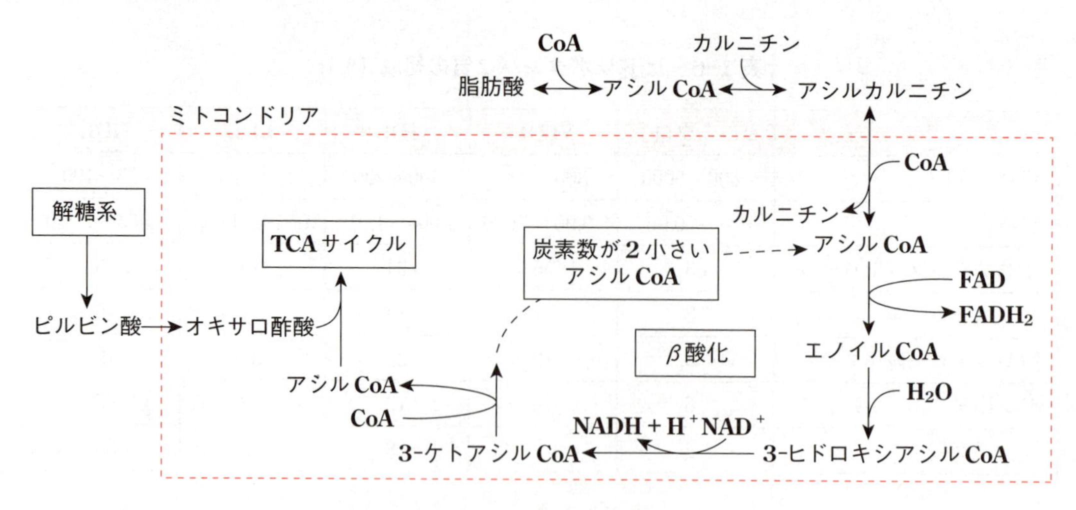

図 1-13　脂質の代謝

パルミチン酸（C16）1分子が β 酸化で代謝されると，アセチル CoA acetyl CoA が8分子，$FADH_2$ と NADH が7分子生成する．これらが TCA サイクルおよび電子伝達系で代謝されて ATP が産生されると，合計108分子の ATP が生成する．しかし，アシル CoA 生成の段階で ATP を2分子消費するので，正味106分子の ATP が生成する．

② 脂肪酸の合成

必要以上に摂取された糖質は，脂肪に変換して貯蔵される．また，ある種のアミノ酸も脂肪として貯蔵される．

糖質やアミノ酸から生成したアセチル CoA は，脂肪酸合成酵素により，還元→脱水→還元の反応を繰り返し，延長酵素 elongase により炭素数が2個ずつ伸長され，これらの反応を7回繰り返すことで，炭素数16のパルミチン酸に変換される．

③ 不飽和脂肪酸の合成

動物ではリノール酸，α-リノレン酸からは不飽和化反応，炭素鎖伸長反応によって高度不飽和脂肪酸が生合成される．しかしながら，動物では ω 炭素から数えて最初の二重結合から ω 炭素側に新たな二重結合を導入することができないことから，n-6系脂肪酸からは n-6系脂肪酸のみが，n-3系脂肪酸からは n-3系脂肪酸のみが生合成される．したがって，リノール酸（n-6系）は，不飽和化，炭素鎖伸長反応によってアラキドン酸（n-6系）に，α-リノレン酸（n-3系）は n-3系脂肪酸であるエイコサペンタエン酸（EPA）やドコサヘキサエン酸（DHA）に代謝される（図1-14）．

④ ケトン体

肝臓で脂肪酸の β 酸化によって生成したアセチル CoA は TCA サイクルで処理されるか，あるいはケトン体（アセト酢酸，β-ヒドロキシ酪酸，アセトンなど）となり，筋肉などの組織で利用される．

アセチル CoA が TCA サイクルで代謝されるには，アセチル CoA と反応するオキサロ酢酸 oxaloacetic acid の供給が十分でなければならない．したがって，β 酸化によって多量のアセチル CoA が生成した場合，それらを TCA サイクルで代謝するには，グルコースが存在し，解糖系での糖代謝が進行してオキサロ酢酸が供給されなければならない（図1-13）．

コラム　ケトン症（アセトン尿症）

飢餓，糖尿病のように糖質が利用できないときは，脂肪酸が主なエネルギー源になる．そのため，多量のアセチル CoA が生じることとなる．しかしながら，この状態では解糖系からオキサロ酢酸が十分に供給されないため，脂肪酸の β 酸化によって生じたアセチル CoA を TCA サイクルで処理できなくなる．その結果，アセチル CoA からアセト酢酸，β-ヒドロキシ酪酸，アセトンなどのケトン体が多量に生成し，体内に蓄積することとなる．これらの蓄積は，アシドーシス，脱水状態，低血圧，最終的には昏睡状態を引き起こす．このような病態を**ケトン症**（**アセトン尿症**）という．

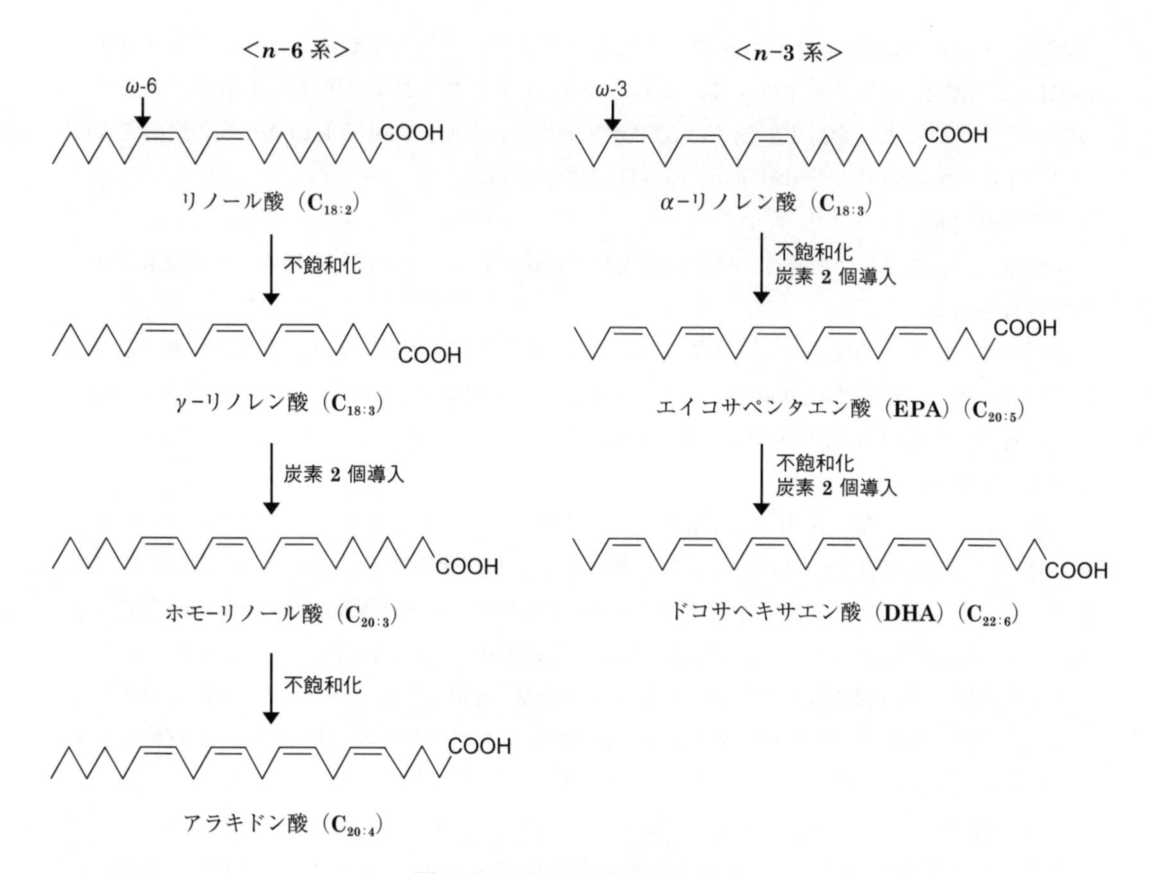

図 1-14　不飽和脂肪酸の合成

4）　コレステロール合成

コレステロールはアセチル CoA を原料として主に肝臓で以下に示す 4 段階で合成されるが，小腸，腎臓でも合成される．肝臓で合成されたコレステロールは VLDL に組み込まれる．

① メバロン酸 mevalonic acid の生成：3 分子のアセチル CoA から β-ヒドロキシメチルグルタリル CoA（HMG－CoA）が生成する．続いて，HMG－CoA レダクターゼによってメバロン酸に還元されるが，この反応はコレステロール合成経路の律速段階である．

② イソプレン isoprene 単位の合成：6 分子のメバロン酸から脱炭酸反応により，炭素数 5 個のイソプレン単位（3-イソペンテニルピロリン酸）が生成する．

③ スクワレン squalene の合成：6 分子のイソプレン単位が縮合し，炭素数 30 個のスクワレンが生成する．

④ ステロイド steroid 骨格の合成：スクワレンが環化してラノステロール lanosterol，さらに修飾されてコレステロールが生成する．

コレステロールは胆汁酸の原料としても使われる．コレステロールは肝臓で一次胆汁酸であるコール酸 cholic acid とデオキシコール酸 deoxycholic acid に変換される．また，一次胆汁酸にグリシン glycine またはタウリン taurine が結合し，グリココール酸 glycocholic acid，タウロコール酸 taurocholic acid などとなり，胆のうに蓄えられた後，十二指腸に分泌される．

1-1-3　タンパク質

タンパク質 protein は細胞の主要な構成成分であるとともに，生体の機能維持に欠くことのできない重要な成分である．タンパク質は，飢餓などの極端なエネルギー不足状態ではエネルギー源としても利用されるが，糖質，脂質と比べるとその寄与は小さい．また，糖質や脂質とは異なり，炭素，水素，酸素のほか，窒素を含んでいる．

A.　タンパク質の機能

タンパク質は細胞組織の重要な成分で，体重の約17%，水分を除いた栄養素の重量の約40%を占め，筋組織では50%以上がタンパク質である．コラーゲン collagen は軟骨，腱などの結合組織に存在する構造タンパク質で，体のタンパク質の約1/3を占める．

タンパク質は恒常性の維持やエネルギー産生において重要なはたらきをしている．さまざまな代謝を司る酵素，多くのホルモン，受容体，抗体やサイトカインはタンパク質であり，生命活動に重要な役割を担っている．

タンパク質は5.65 kcal/g の物理的燃焼熱を有しているが，生体で利用できるエネルギー量は約4 kcal/g であり，またエネルギー源としてのその寄与の程度は小さい．また，タンパク質は体液の浸透圧を維持し，タンパク質は血管と組織間液との間の体液の交換に関わっている．タンパク質は両性電解質であるので，緩衝剤として体液の pH を一定に保つはたらきをしている．

B.　タンパク質の化学

1）　アミノ酸の化学

ヒトのタンパク質を構成しているアミノ酸は20種類であり，それらは側鎖の化学的性質から，脂肪族アミノ酸，芳香族アミノ酸，塩基性アミノ酸，酸性アミノ酸，ヒドロキシアミノ酸，含硫アミノ酸，イミノ酸に分類される．グリシン以外は不斉炭素をもつ α-アミノ酸で，天然のアミノ酸のほとんどはL型である．しかし，微量のD-アミノ酸がタンパク質中に存在していることも明らかになってきた．

ヒトでは，**バリン valine**，**ロイシン leucine**，**イソロイシン isoleucine**，**トレオニン threonine**，**メチオニン methionine**，**フェニルアラニン phenylalanine**，**トリプトファン tryptophan**，**リシン lysine**，**ヒスチジン histidine** の9種類が**必須アミノ酸**であり，体外から摂取しな

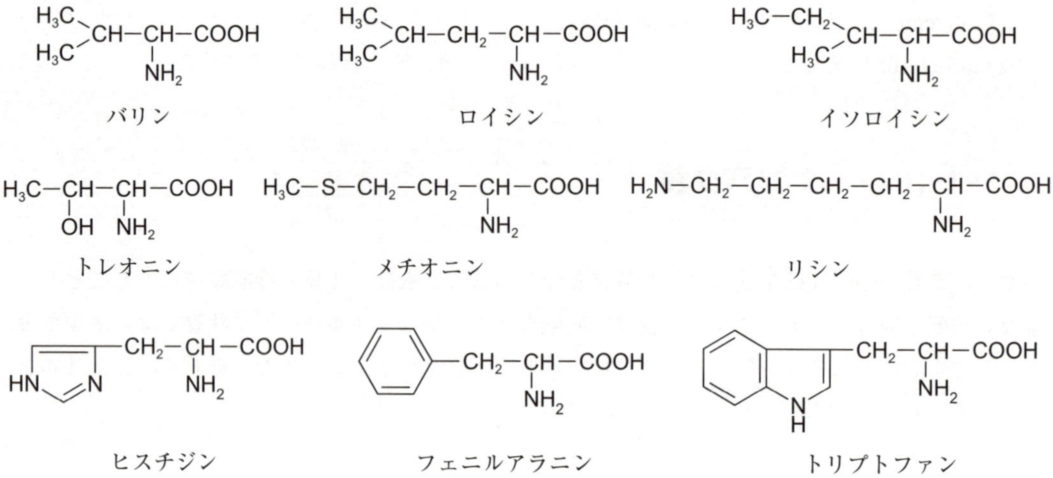

H_3C / H_3C $>CH-CH-COOH$ (NH_2)
バリン

H_3C / H_3C $>CH-CH_2-CH-COOH$ (NH_2)
ロイシン

H_3C-CH_2 / H_3C $>CH-CH-COOH$ (NH_2)
イソロイシン

$H_3C-CH-CH-COOH$ (OH, NH_2)
トレオニン

$H_3C-S-CH_2-CH_2-CH-COOH$ (NH_2)
メチオニン

$H_2N-CH_2-CH_2-CH_2-CH_2-CH-COOH$ (NH_2)
リシン

(HN, N imidazole ring) $-CH_2-CH-COOH$ (NH_2)
ヒスチジン

(benzene ring) $-CH_2-CH-COOH$ (NH_2)
フェニルアラニン

(indole ring, N H) $-CH_2-CH-COOH$ (NH_2)
トリプトファン

図 1-15　必須アミノ酸の化学構造

ければならない（図 1-15）．それ以外のアミノ酸は，グリシン glycine，アラニン alanine，セリン serine，システイン cysteine，アルギニン arginine，アスパラギン酸 aspartic acid，アスパラギン asparagine，グルタミン酸 glutamic acid，グルタミン glutamine，チロシン tyrosine，プロリン proline である．

2）　タンパク質の分類

タンパク質はその構成成分によって，単純タンパク質，複合タンパク質，誘導タンパク質に分類される．単純タンパク質は，α-アミノ酸のみから構成されるタンパク質であり，アルブミン albumin，ヒストン histone，コラーゲンなどがその例である．複合タンパク質は，タンパク質と非タンパク質性補欠分子（低分子有機化合物，金属イオンなど）から構成され，核タンパク質，リポタンパク質，ヘモグロビンなどが該当する．誘導タンパク質は，天然のタンパク質が酵素や酸によって部分加水分解したものであり，凝固タンパク質，ゼラチン gelatin，ペプトン peptone などがある．

3）　タンパク質の消化・吸収

① 消　化

天然のタンパク質はペプチド鎖が折りたたまれ，高次構造をとっている．胃の pH は約 2 であり，食品中のタンパク質は強酸によって変性し，折りたたみ構造が失われ，タンパク質分解酵素が作用しやすくなる．胃で機能するタンパク質分解酵素である**ペプシン pepsin** は，疎水性アミノ酸に比較的高い特異性をもつ**エンドペプチダーゼ endopeptidase** であり，そのはたらきによって，タンパク質はプロテオース proteose やペプトンに部分消化される．エンドペプチダーゼは，ペプチド鎖内部の特定の残基のペプチド結合を切断する酵素の総称である．

胃で部分消化されたペプチドは，小腸において，トリプシン trypsin，キモトリプシン chymotrypsin，エラスターゼ elastase，カルボキシペプチダーゼ carboxypeptidase，アミノペプチダーゼ aminopeptidase，ジペプチダーゼ dipeptidase によって，アミノ酸，ジペプチド dipeptide，トリペプチド tripeptide まで消化される（図1-16および表1-7）．

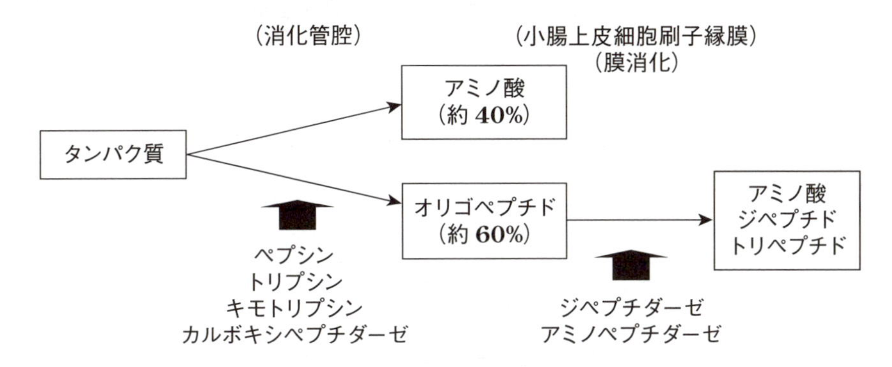

図1-16　タンパク質の消化

表1-7　タンパク質消化酵素の型，基質，所在

酵素名	型	所在	基質
ペプシン	エンド	胃液	疎水性アミノ酸　–NHCH(CH_2COOH)–CO⋮NH–CH(CH_2–C_6H_5)CO–
トリプシン	エンド	膵液	塩基性アミノ酸　–NHCH($(CH_2)_4NH_2$)–CO⋮NH–
キモトリプシン	エンド	膵液	芳香族アミノ酸　–NHCH(CH_2–C_6H_4–OH)–CO⋮NH–
エラスターゼ	エンド	膵液	電荷のない非芳香族アミノ酸（Gly，Ala，Leu，Ile，Val）のカルボキシ基側ペプチド結合を加水分解
カルボキシペプチダーゼ	エキソ	膵液	カルボキシ基末端のアミノ酸　–CO⋮NH–CH(R)–COOH
アミノペプチダーゼ	エキソ	小腸上皮細胞刷子縁膜	アミノ基末端のアミノ酸　H_2N–CH(R)–CO⋮NH–
ジペプチダーゼ		小腸上皮細胞刷子縁膜	ジペプチド　H_2N–CH(R)–CO⋮NH–CH(R')–COOH

⋮ は，切断位置を示す．

トリプシン，キモトリプシン，エラスターゼはエンドペプチダーゼであり，それぞれ塩基性アミノ酸，芳香族アミノ酸，電荷のない非芳香族アミノ酸に比較的高い特異性を有する．

一方，カルボキシペプチダーゼおよびアミノペプチダーゼは，それぞれカルボキシ末端およびアミノ末端のアミノ酸を加水分解する**エキソペプチダーゼ exopeptidase**である．

タンパク質の消化においても，小腸上皮細胞刷子縁膜に存在するアミノペプチダーゼおよびジペプチダーゼによって膜消化が行われる．

また，ペプシン，トリプシン，キモトリプシン，エラスターゼは，いずれも不活性型の**チモーゲン zymogen**として消化管に分泌され，その一部が限定分解されることによって活性型の消化酵素となるという特徴を有する（図 1-17）．

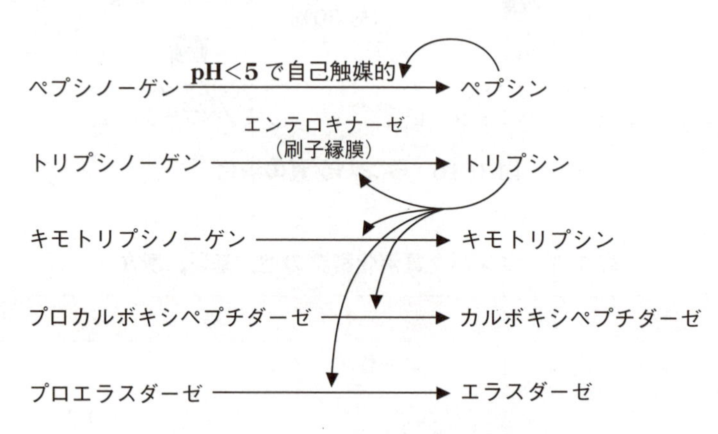

図 1-17　タンパク質消化酵素の活性化

②吸　収

アミノ酸は主として，小腸上皮細胞の刷子縁膜に存在する内向き Na^+ 勾配を駆動力とするアミノ酸輸送系により小腸上皮細胞内に取り込まれる．その後，側底膜側に存在するアミノ酸輸送系によって血液側に輸送される．

一方，タンパク質の消化によって生じたジペプチドおよびトリペプチドは，H^+勾配を駆動力とする**ペプチド輸送担体 PEPT1** によって小腸上皮細胞内に取り込まれる．取り込まれたこれらペプチドの一部は小腸上皮細胞内でアミノ酸に分解され，アミノ酸輸送系を介しても血液側に移行する（図 1-4）．

このようにして吸収されたアミノ酸は，門脈を経て肝臓に移行し，タンパク質生合成に利用され，また全身循環を介して各組織に分布される（図 1-18）．

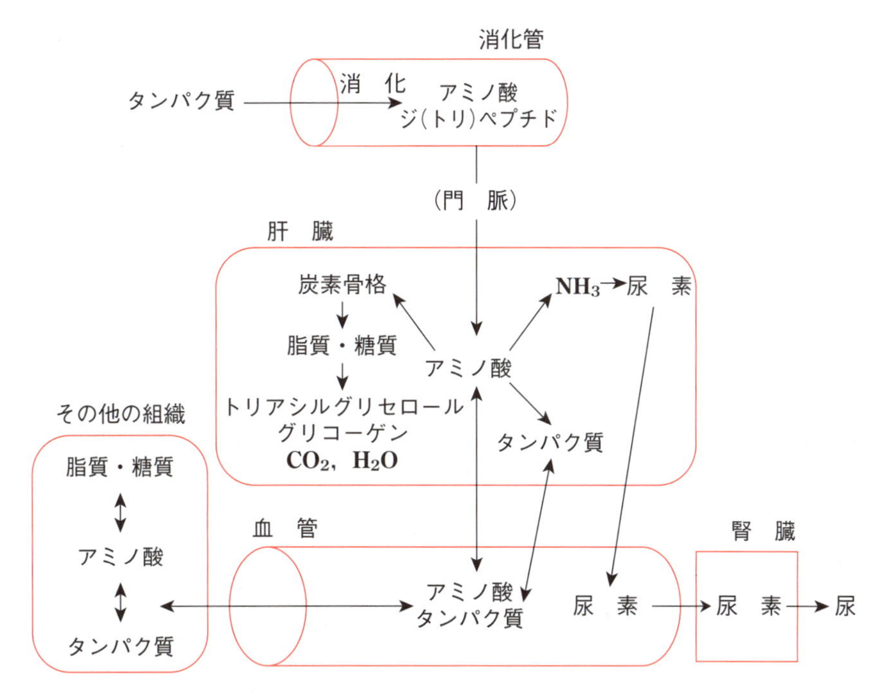

図 1-18　タンパク質の体内動態

4）アミノ酸の代謝

アミノ酸は体内では**アミノ酸プール**を形成して動的平衡を保っており，体内のアミノ酸量は一定に調節されている．筋肉などの臓器に貯蔵されているアミノ酸は，タンパク質などの生体成分の合成に使われるが，余剰のアミノ酸は肝臓で分解される．アミノ酸の代謝は，窒素の代謝と炭素骨格の代謝に分けられ，窒素は体外に尿素 urea として体外に排出されるのに対し，炭素骨格はエネルギー源として使われる．

アミノ酸の中で，バリン，ロイシン，イソロイシンは，側鎖が枝分かれしているのが特徴であることから，分枝アミノ酸 branched chain amino acid（BCAA）とよばれる（図 1-15）．体内において多くのアミノ酸が肝臓で代謝されるのに対し，BCAA は肝臓ではほとんど利用されず，筋肉によって優先的に取り込まれ，TCA サイクルを介してエネルギーとなる．また，BCAA はタンパク質合成促進作用および分解抑制作用を有していることが知られており，特にロイシンがその中心的役割を担うとされている．

① アミノ酸の分解

アミノ酸の分解では，アミノ酸からアミノ基が除去され，窒素原子と炭素骨格が分離することが必要である．グルタミン酸以外のほとんどアミノ酸は，ビタミン B_6 を補酵素とするアミノ基転移酵素を触媒として，アミノ基を 2－オキソグルタル酸 2-oxoglutaric acid（2-ケトグルタル酸 2-ketoglutaric acid）に移してグルタミン酸を生成するとともに，炭素骨格部分は α-ケト酸（オキソ酸）となる．その後，グルタミン酸はグルタミン酸デヒドロゲナーゼ glutamate dehydrogenase による酸化的脱アミノ反応を受け，アンモニア ammonia と 2-オキソグルタル酸となる（図 1-19）．

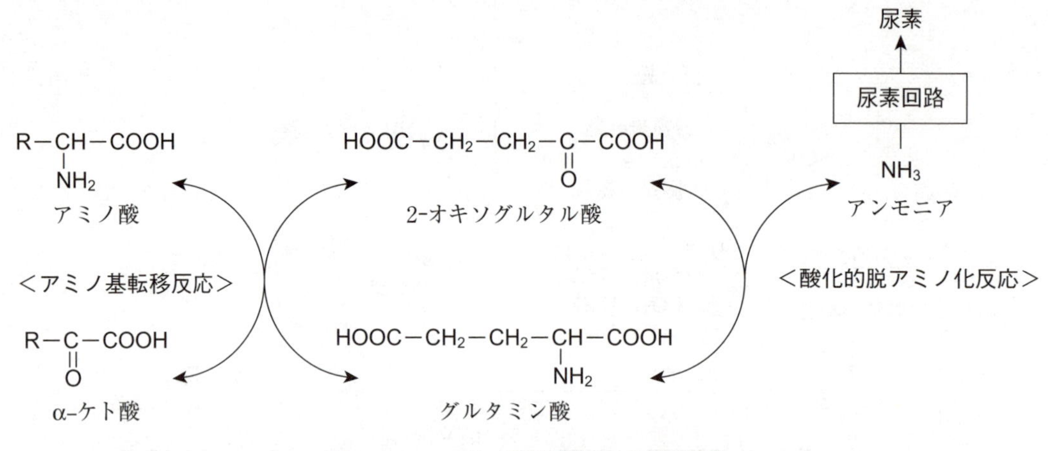

図 1-19　アミノ酸代謝の一般的経路

② 窒素の代謝

アミノ酸の脱アミノ反応により生じたアンモニアは毒性が高い．そのためアンモニアは肝臓において，二酸化炭素と水と縮合してカルバモイルリン酸 carbamoyl phosphate となった後，オルニチン ornithine と縮合して**尿素サイクル urea cycle**（**オルニチンサイクル**）で尿素に代謝されて排泄される．尿素は水溶性で，反応性に乏しく毒性のない物質である．

③ アミノ酸の炭素骨格の代謝

アミノ酸が脱アミノ化されて生じた炭素骨格部分である α-ケト酸は，さらに代謝され，2-オキソグルタル酸，スクシニル CoA succinyl CoA，フマル酸 fumaric acid，オキサロ酢酸，ピルビン酸 pyruvic acid，アセチル CoA，アセトアセチル CoA acetoacetyl CoA のいずれかに変換される．

コラム　肝機能不全時に用いる輸液

肝機能不全などによる肝性脳症の原因物質の 1 つはアンモニアである．このアンモニアの解毒に BCAA が関与する．通常，アンモニアは肝臓の尿素サイクルで処理される．しかし，尿素サイクルを有さない脳や骨格筋において，BCAA は TCA サイクルの 2-オキソグルタル酸にアミノ基を供給することでグルタミン酸に変換させる．このグルタミン酸はアンモニアと結合しグルタミンとなることでアンモニアを解毒する．したがって，肝性脳症などに対して，BCAA を多く含む輸液を投与することとなる．

2-オキソグルタル酸，スクシニルCoA，フマル酸，オキサロ酢酸は，TCAサイクルの中間体である．これらのTCAサイクルの中間体とピルビン酸は，糖新生経路を経てグルコースに合成される．このことから，糖新生されうるこれらアミノ酸を**糖原性アミノ酸**という．

一方，代謝されてアセチルCoAまたはアセトアセチルCoAが生じるアミノ酸を**ケト原性アミノ酸**といい，これらは糖新生に用いられない．イソロイシン，トリプトファン，チロシン，フェニルアラニンは，糖原性アミノ酸かつケト原性アミノ酸である．したがって，絶食時では，糖質の供給源として糖原性アミノ酸が重要となる（図1-20）．

④ アミノ酸の合成

9種類の必須アミノ酸以外の11種類のアミノ酸は体内で合成される．これら11種類のアミノ酸のほとんどは，解糖系またはTCAサイクルの中間体から合成される．例えば，アラニンは，ピルビン酸がアミノ基転移酵素によってアミノ基を受け取ることによって合成される．チロシンは，必須アミノ酸であるフェニルアラニンが水酸化されることによって生成する（図1-20）．

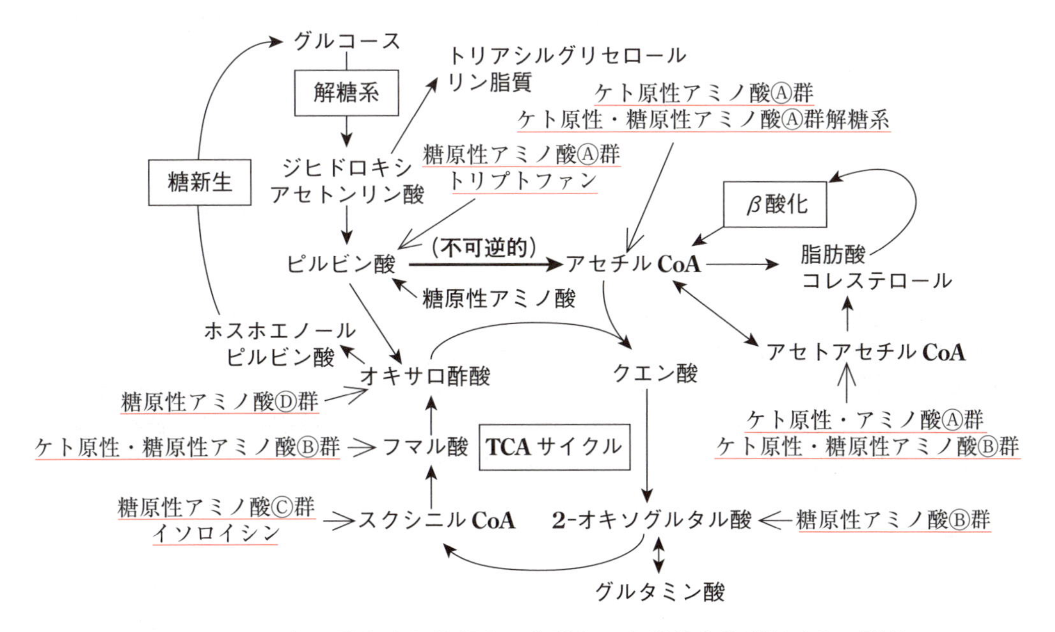

図1-20　アミノ酸炭素骨格部分の代謝と三大栄養素代謝経路との関係

ケト原性アミノ酸
　Ⓐ群：リシン，ロイシン
ケト原性・糖原性アミノ酸
　Ⓐ群：イソロイシン，トリプトファン
　Ⓑ群：チロシン，フェニルアラニン

糖原性アミノ酸
　Ⓐ群：アラニン，グリシン，システイン，セリン
　Ⓑ群：アルギニン，グルタミン，グルタミン酸，
　　　ヒスチジン，プロリン
　Ⓒ群：トレオニン，バリン，メチオニン
　Ⓓ群：アスパラギン，アスパラギン酸

5) タンパク質の栄養

① 栄　養

体内では，タンパク質は常に合成と分解を繰り返して動的な平衡状態にある．そのタンパク質の量は1日あたり約250～300 gである．成人の体タンパク質量は約8 kgであるので，3～4%に相当するタンパク質が毎日新しく合成されている．この代謝回転しているタンパク質250 gの組織別の内訳は，筋肉50 g，肝臓25 g，白血球20 gとされている．また，消化管へ分泌されるタンパク質が70 gある．

通常，食品中のタンパク質に由来するアミノ酸は，分解されたタンパク質を補うための生合成や，核酸，神経伝達物質などのさまざまな生体物質の生合成に使われる．

生体の窒素のほとんどはタンパク質由来である．また食品から摂取したタンパク質やアミノ酸の余剰分は，分解されて窒素として体外に排泄される．このような食品からの窒素の摂取量と，糞便や尿などへ排泄された窒素量の差を**窒素出納 nitrogen balance**という．正常な成人の窒素出納はゼロであり，摂取した窒素量と排泄された窒素量が等しい状態にある．これを**窒素平衡 nitrogen equilibrium**の状態とよぶ．一方，成長期や妊娠期では窒素出納は正になり，飢餓状態などでは窒素出納は負になる．

コラム　クワシオルコルとマラスムス

摂取するタンパク質が極度に不足すると**クワシオルコル kwashiorkor**や**マラスムス marasmus**とよばれる栄養不良状態に陥る．

クワシオルコルは極度にタンパク質が欠乏しているが，エネルギー摂取には不足がない場合に起こる症候群で，顔・腕・手足の浮腫，発育障害，鱗屑状塗料様皮膚病変，肝臓の壊死・線維化やいらだちなどを特徴とする．

マラスムスはタンパク質とエネルギーの摂取量がともに不足した場合で，高度な発育障害と著明な体重減少を引き起こし，老人様顔貌，皮下脂肪の消失，筋萎縮を認める．マラスムスは飢饉などによる栄養失調の子供に起こりやすい．

② 栄養価

良質なタンパク質を摂取することは健康維持に重要である．タンパク質のアミノ酸組成がヒトの必要とするものに近いほど，そのタンパク質は良質である．タンパク質の質の度合いを**タンパク質の栄養価**という．タンパク質の栄養価の判定法は，タンパク質を摂取してその利用の程度を評価する生物学的評価法と，タンパク質のアミノ酸組成から計算によって評価する化学的評価法に大別される．

(i)　生物学的評価法

タンパク質の栄養価の生物学的評価では，被検タンパク質食のみを与え，そのときの窒素出納を基準にして，窒素が生体成分としてどれだけ保留されたかを表す**生物価 biological value**が用いられる．生物価は次式で示される．

生物価＝(体内保留窒素量)/(吸収窒素量)×100

体内保留窒素量＝吸収窒素量－(被検タンパク質食摂取時の尿中窒素量－無タンパク質食摂取時の尿中窒素量)

吸 収 窒 素 量＝被検タンパク質食中の窒素量－(被検タンパク質食摂取時の糞中窒素量－無タンパク質食摂取時の糞中窒素量)

吸収されたタンパク質の窒素は尿素として尿中に排泄されるので，吸収窒素量と尿中窒素量の差が体内保留窒素量になる．ただし，タンパク質を摂取しなくても糞や尿に窒素が排泄されるので，その分は食事に由来しない不可逆的窒素損失量として差し引かなければならない(図 1-21)．

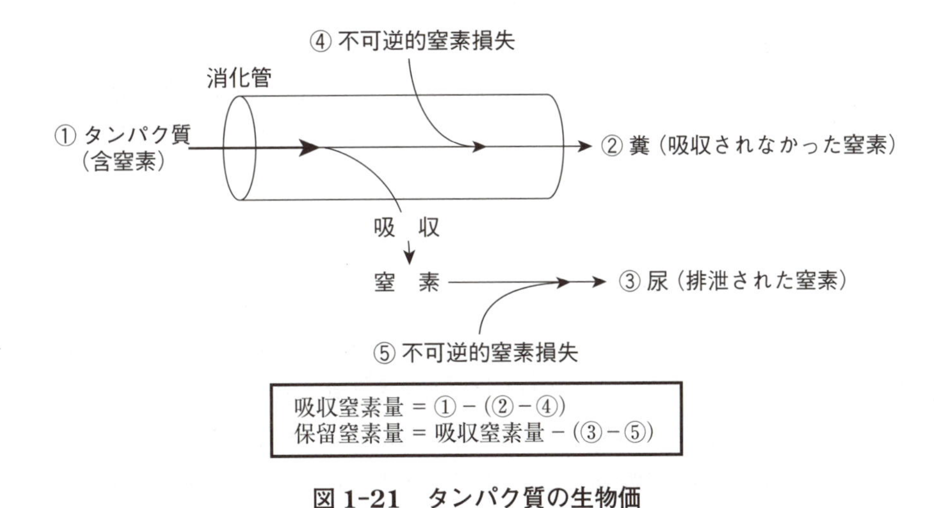

図 1-21　タンパク質の生物価

摂取したタンパク質のうち，どれくらいが消化吸収されるかもタンパク質の栄養価を判定する上で重要である．**正味タンパク質利用率**は，摂取した窒素量に対して，体内に保持された窒素量を計算したものである．生物価は高いが，正味タンパク質利用率が低い場合には，そのタンパク質の消化吸収率が低いことになる．

正味タンパク質利用率＝(体内保留窒素量 / 摂取窒素量)×100
＝生物価×消化吸収率

主なタンパク質の生物価を表 1-8 に示す．一般に動物性タンパク質の方が植物性タンパク質より生物価が高い．

表 1-8　主な食品の生物価と正味タンパク質利用率

食　品	生物価	正味タンパク質利用率	食　品	生物価	正味タンパク質利用率
精白米	64	57	ゴマ	62	53
小麦（全粒）	65	40	牛肉	74	67
ソバ	77	—	鶏卵	94	94
トウモロコシ	59	51	魚肉	76	80
ダイズ	73	61	牛乳	85	82

(ii)　**化学的評価法**

生体内において，アミノ酸は最も不足する必須アミノ酸に見合う量しか利用されない．この概念図（アミノ酸の桶）を図 1-22 に示した．

ヒトの必須アミノ酸必要量に関するデータを参考にして作成した基準となる必須アミノ酸含量のパターンを**アミノ酸評点パターン**という．食品の必須アミノ酸パターンを化学分析によって求め，アミノ酸評点パターンと比較することにより，タンパク質の栄養価を評価するのが**アミノ酸価**（**アミノ酸スコア**）である．アミノ酸価は次式で表される．

アミノ酸価＝{(食品中の第一制限アミノ酸の量)/(アミノ酸評点パターンでの当該アミノ酸量)}×100

食品中に含まれる必須アミノ酸の中で，アミノ酸評点パターンと比較して基準値に達しないものを**制限アミノ酸**という．中でも，最も不足しているアミノ酸を第一制限アミノ酸とよび，それ以外の不足アミノ酸を順次，第二制限アミノ酸，第三制限アミノ酸という．

食品の第一制限アミノ酸がどの程度不足しているかを表すのが，アミノ酸価である．アミノ酸評点パターンを表 1-9 に，主な食品タンパク質のアミノ酸価を表 1-10 に示した．

植物性タンパク質には多くの制限アミノ酸があるが，動物性タンパク質には制限アミノ酸は少ない．制限アミノ酸の異なる 2 種類以上のタンパク質を摂取すれば，不足する必須アミノ酸が補われる．これを**補足効果**という．例えば，米と大豆の組合せにより，米に不足しているリシンが大豆から，そして大豆に不足しているメチオニンが米から補足される．

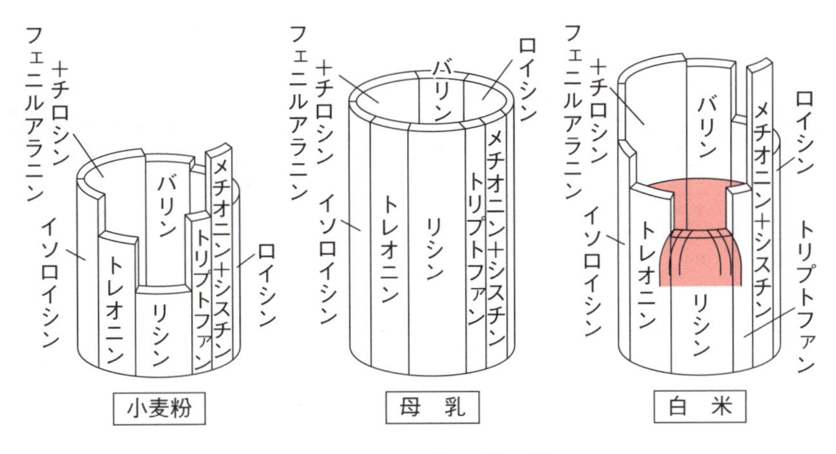

図 1-22　アミノ酸の桶

（木村修一，科学朝日，**37**(7), 82, 1977）

表 1-9　アミノ酸評点パターン

アミノ酸	タンパク質あたりの必須アミノ酸（**mg/g** タンパク質*）								窒素あたりの必須アミノ酸（**mg/g N**）（算定用評点パターン）	
	1973 年（FAO/WHO）				**1985 年（FAO/WHO/UNU）**				**1973 年**	**1985 年**
	乳児	学齢期（10~12 歳）	成人	一般	乳児	学齢期（2~5 歳）	学齢期（10~12 歳）	成人	一般	学齢期（2~5 歳）
ヒスチジン	14	—	—	—	26	19	19	16	—	120
イソロイシン	35	37	18	40	46	28	28	13	250	180
ロイシン	80	56	25	70	93	65	44	19	440	410
リシン	52	75	22	55	65	56	44	16	340	360
メチオニン シスチン	29	34	24	35	42	25	22	17	220	160
フェニルアラニン チロシン	63	34	25	60	72	63	22	19	380	390
トレオニン	44	44	13	40	43	34	28	9	250	210
トリプトファン	8.5	4.6	6.5	10	17	11	9	5	60	70
バリン	47	41	18	50	55	35	25	13	310	220
合　計										
ヒスチジン込み	373	—	—	—	460	339	241	127	—	2,120
ヒスチジン除く	359	325	152	360	434	320	222	111	2,250	2,000

*この場合のタンパク質量は，「窒素量×6.25」である

表 1-10　主な食品タンパク質のアミノ酸価

食　品	アミノ酸価（第一制限アミノ酸）	食　品	アミノ酸価（第一制限アミノ酸）
精白米	65（リシン）	アジ	100
食パン	44（リシン）	カツオ	100
ソバ粉（全粉層）	92（イソロイシン）	ハマグリ	89（トリプトファン）
ラッカセイ	62（リシン）	アサリ	81（バリン）
ダイズ	86（メチオニン＋シスチン）	イカ	71（イソロイシン）
ジャガイモ	73（ロイシン）	クルマエビ	74（バリン）
アズキ	84（トリプトファン）	ズワイガニ	81（バリン）
豚肉	100	鶏卵	100
牛肉	100	牛乳	100
マグロ	100	人乳	100
サバ	100	プロセスチーズ	91（メチオニン＋シスチン）
サケ	100		

1973 年 FAO/WHO アミノ酸評点パターンによる．

1-1-4　各栄養素の共通の代謝経路

TCA サイクルは，糖質からエネルギー源である ATP を生産するとともに，脂質およびタンパク質の代謝系の接点ともなる重要な経路である（図 1-20）．糖質は解糖系によって，脂肪酸は β 酸化によってアセチル CoA を生成し，TCA サイクルで ATP を産生する．ケト原性アミノ酸はアセチル CoA となり，糖原性アミノ酸はピルビン酸や TCA サイクルの中間体となって ATP を生み出す．

一方，TCA サイクルは糖質，アミノ酸，脂質合成のための前駆体を供給する．解糖系の中間代謝物の中には脂質，アミノ酸代謝とリンクしているものもある．

過剰の糖質を摂取するとグルコース 1 分子から 2 分子のアセチル CoA が生成し，このアセチル CoA から脂肪酸が合成され，トリアシルグリセロールとなり皮下や腹腔内の脂肪組織に貯えられ，肥満の原因となる．このように糖質から脂質への変換は行われるが，脂質から糖質への変換はほとんどない．これはピルビン酸をアセチル CoA とするピルビン酸デヒドロゲナーゼ反応が不可逆的であるためである．

◆ 確認問題 ◆

1) グルコースとフルクトースはどちらも小腸上皮細胞刷子縁膜において能動輸送で吸収される．
2) 大豆は米に比べて食物繊維の含有量が多い．
3) ペクチン，唾液や膵液に含まれる消化酵素によりグルコースに分解されてエネルギー源となる．
4) 乳糖はラクターゼにより分解されてエネルギー源となる．
5) 牛脂は大豆油に比べて飽和脂肪酸の含有量が多い．
6) 牛乳脂肪の脂肪酸組成の特徴は，炭素数 10 以下のものを多く含むことである．
7) 油脂は主にグリセロールと脂肪酸に分解されて吸収される．
8) 胆汁酸は脂肪の吸収を助けるが，それ自身は吸収されない．
9) 食品中の脂質を構成する脂肪酸の炭素数は，主に偶数である．
10) オレイン酸は必須脂肪酸である．
11) α-リノレン酸は，炭素・炭素間二重結合を 2 つもつ．
12) 長鎖脂肪酸からなる中性脂肪は，小腸から吸収され，門脈を経由して肝臓に移行する．
13) リパーゼは胆のうから分泌される．
14) キロミクロンは主に，中性脂肪の運搬を担う．
15) 超低比重リポタンパク質（VLDL）は，末梢組織から肝臓へコレステロールを運搬する．
16) ペプシンの至適 pH は弱アルカリ領域にあり，トリプシン，キモトリプシンの至適 pH は酸性領域にある．
17) ペプシン，トリプシン，キモトリプシンはいずれもエキソペプチダーゼである．
18) ペプシン，トリプシン，キモトリプシンはいずれも不活性な前駆体として分泌される．
19) アミノペプチダーゼは，タンパク質の膜消化に関与する消化酵素である．
20) タンパク質は，胃内でトリプシンにより消化される．
21) タンパク質の消化によって生じたジペプチドやトリペプチドは，アミノ酸とは異なる輸送体を介して小腸上皮細胞刷子縁膜を通過する．
22) タンパク質を過剰に摂取してアミノ酸が余剰になると，アミノ酸プールが拡大して貯蔵される．
23) 肝臓以外の組織でアミノ酸が分解して生じたアンモニアは，グルタミンに変換され肝臓へ輸送される．
24) エネルギー摂取量が不足したとき，ロイシンはグルコースに変換され，エネルギー源として利用される．

確認問題解答

1）× それぞれSGLT1とGLUT5．側底膜ではGLUT2，筋肉への取り込みはGLUT4.
2）○ 大豆には大豆オリゴ糖が多く含まれる．
3）× ペクチンは，ポリα（1→4）-D-ガラクツロン酸のカルボキシ基が種々の割合にメチルエステル化した食物繊維である．
4）○ β-1,4結合が分解され，グルコースとガラクトースとなる．
5）○ 脂肪鎖が短いほど，また不飽和度が高いほど融点は低い．
6）○ 酪酸などの揮発性低級脂肪酸が多い．
7）× 2-モノアシルグリセロールと脂肪酸に消化されて吸収される．
8）× ミセルを形成してともに吸収される．
9）○ 延長酵素が2個ずつ炭素鎖を延長する．
10）×
11）× 二重結合は3個である（$C_{18:3}$）．
12）× リンパ管，胸管を経て静脈角に入る．
13）× 膵臓から分泌される．
14）× 外因性のトリアシルグリセロールを運搬する．
15）× 肝臓から末梢組織へコレステロールを運搬する．
16）× ペプシンの至適pHは酸性領域で，トリプシン，キモトリプシンのそれは弱アルカリ性領域である．
17）× いずれもエンドペプチダーゼである．
18）○ いずれもチモーゲンである．
19）○
20）× トリプシンは膵酵素であり，胃ではペプシンにより消化される．
21）○ ジ（トリ）ペプチド輸送担体PEPT1により輸送される．
22）× 余剰分のアミノ酸は分解処理される．
23）○ その後尿素回路で尿素となる．
24）× ロイシンはケト原性アミノ酸であり，アセチルCoAなどへ変換される．

1-1-5　ビタミン

ビタミン vitamin は，生体内でのさまざまな生化学的反応に不可欠な微量の有機化合物であり，その溶解性から，脂溶性ビタミン fat soluble vitamin と水溶性ビタミン water soluble vitamin の2つに大別される．ビタミンは生体内で合成できないか，あるいは合成できても必要量に満たないため，食品から摂取しなければならない栄養素である．一部のビタミンは腸内細菌により合成され供給されるが，ビタミンの欠乏は特徴的な欠乏症を引き起こす．特に，水溶性ビタミンは大量に摂取しても，過剰分は排泄されるため欠乏しやすい．一方，脂溶性ビタミンは肝臓や脂肪組織に蓄積しやすく過剰症を引き起こすものがある（表1-11）．

近年，ビタミンの欠乏症の発症は少なくなってきたが，不適切な食生活や抗菌剤の使用に伴う腸内細菌からのビタミン（ビタミンK，B_2，B_6，B_{12}，パントテン酸，ビオチン，葉酸）の供給が低下した場合，疾病によってビタミンの利用を制御する機構に障害が生じた場合（肝臓・腎臓障害によるビタミンD活性化障害，胆管障害によるビタミンK吸収阻害，胃摘出によるビタミンB_{12}吸収障害など）において，ビタミン欠乏症が起こる．

A.　脂溶性ビタミン

1）　ビタミンA（レチノール）

ビタミンA（レチノール retinol）は，動物の成長因子として見出された．β-ヨノン環にポリエンアルコール側鎖がついた炭素数20の化合物である（図1-23）．側鎖の末端が水酸基のレチノール，アルデヒド基のレチナール retinal，カルボキシ基のレチノイン酸 retinoic acid があり，これらビタミンAとその類縁化合物を総称してレチノイド retinoid とよぶ．

レチノイドは，食品中では主に脂肪酸エステルとして存在し，小腸でエステラーゼによって加水分解後，レチノールとして吸収される．また，植物性食品中にはβ-カロテン β-carotene などの植物色素カロテノイド carotenoid があり，これらは一部が小腸上皮細胞内で代謝され2分子のレチノールになるので，プロビタミンA provitamin A とよばれ，レチノイドに含まれる（図1-28）．

レチノイドは小腸から吸収された後，レチノールの形で肝臓に貯蔵される．そして必要に応じて，アポレチノールタンパク質と結合して血液を介して各組織へ運ばれ，活性型のレチナール（視細胞）やレチノイン酸（一般細胞）に変換され利用される．

① 生理作用

レチナールは11-シス-レチナールとして，網膜視細胞の桿体細胞中においてロドプシン rhodopsin に共有結合しており，これに光があたると全トランス-レチナール all-*trans*-retinal に変化し，タンパク質から離脱する．この構造変化が明暗のシグナルとして視神経に伝達され

表 1-11 ビタミンの生理作用，欠乏症，過剰症など

ビタミン（通称名・成分）	生理作用	欠乏症	過剰症	多く含む食品	一日推奨量（目安量）（18~29歳・男/女）（単位）
A（レチノール）	網膜における明暗視覚（レチナール） 核内受容体を介した遺伝子転写調節（レチノイン酸）	夜盲症，角膜・皮膚の乾燥，免疫能の低下	脳圧上昇に伴う頭痛（急性中毒） 胎児の催奇形性（慢性中毒，動物）	レバー，うなぎ，緑黄色野菜（プロビタミンA）	850/650 (μgRAE*1)
D（カルシフェロール）	消化管でのカルシウム吸収促進 骨代謝調節	くる病（小児），骨粗しょう症，骨軟化症（成人）	組織の石灰化	魚肉，しいたけ	8.5 (μg) 目安量
E（トコフェロール）	生体膜の過酸化抑制	溶血性貧血（新生児）	下痢（1回3,000 mg以上の摂取時）	植物油，小麦胚，アーモンド，うなぎ	6.0/5.0 (mg) 目安量
K（フィロキノン）*10	カルボキシラーゼ（プロトロンビンやオステオカルシンなどの γ-カルボキシル化）の補因子→血液凝固，骨形成	血液凝固の遅延，新生児ビタミンK欠乏性出血（頭蓋内・腸内），骨形成不全		納豆，のり，キャベツ	150 (μg) 目安量
B_1（チアミン）	TPP*3として，酸化的脱炭酸反応の補酵素	脚気，ウェルニッケ脳症，コルサコフ症候群，多発性神経炎，乳酸アシドーシス，浮腫，心肥大		胚芽，肉類	1.4/1.1 (mg)
B_2（リボフラビン）*10	FMN*4，FAD*5として酸化還元反応の補酵素	成長障害，口角炎，口唇炎，舌炎，皮膚炎，角膜障害	感覚神経障害	レバー，肉類，うなぎ，牛乳，緑黄色野菜	1.6/1.2 (mg)
B_6（ピリドキサール）*10	ピリドキサールリン酸としてアミノ酸代謝（アミノ基転移，脱炭酸）の補酵素	皮膚炎，口角炎，口唇炎，舌炎，痙れん，貧血，キサンツレン酸尿症		にんにく，豆類，のり，レバー，魚	1.4/1.1 (mg)
ナイアシン（ニコチン酸，ニコチン酸アミド）	NADH*6，NADPH*7として酸化還元反応の補酵素	ペラグラ皮膚炎，舌炎，神経症	皮膚の紅潮，頭痛，下痢	まぐろ，レバー，鶏肉，かつお節，酵母，落花生	15/11 (mgNE*2)
パントテン酸*10	CoA*8としてエネルギー産生，アミノ酸，糖質，脂質の生合成，アシルキャリアタンパク質の構成成分	成長障害，皮膚炎，生殖障害（実験動物）		卵黄，レバー，豆類	5 (mg) 目安量
ビオチン*10	カルボキシラーゼ（炭酸固定，炭酸転移）の補酵素	成長障害，皮膚炎，脱毛		卵黄，レバー，豆類	50 (μg) 目安量
葉酸*10	THF*9として，核酸塩基生成，メチオニン・グリシン生成の補酵素	巨赤芽球性貧血，胎児の神経管閉鎖障害・無脳症 口内炎		レバー，ホウレン草，豆類	240 (μg)
B_{12}（コバラミン）*10	メチオニン合成酵素などの補酵素	葉酸と同じ		のり，しじみ，あさり，レバー，肉類（植物性食品にはほとんど含まれない）	2.4 (μg)
C（アスコルビン酸）	コラーゲン分子の水酸化，抗酸化作用，ノルアドレナリンの生成	壊血病，神経障害	吐気，下痢，腹痛	柑橘類，果汁，野菜	100 (mg)

*1 レチノール活性当量，*2 ナイアシン当量，*3 TPP：チアミンピロリン酸，*4 FMN：フラビンモノヌクレオチド，*5 FAD：フラビンアデニンジヌクレオチド，*6 NADH：ニコチンアミドアデニンジヌクレオチド，*7 NADPH：ニコチンアミドアデニンジヌクレオチドリン酸，*8 CoA：コエンザイムA，*9 THF：5,6,7,8-テトラヒドロ葉酸，
*10 一部は腸内細菌から供給される

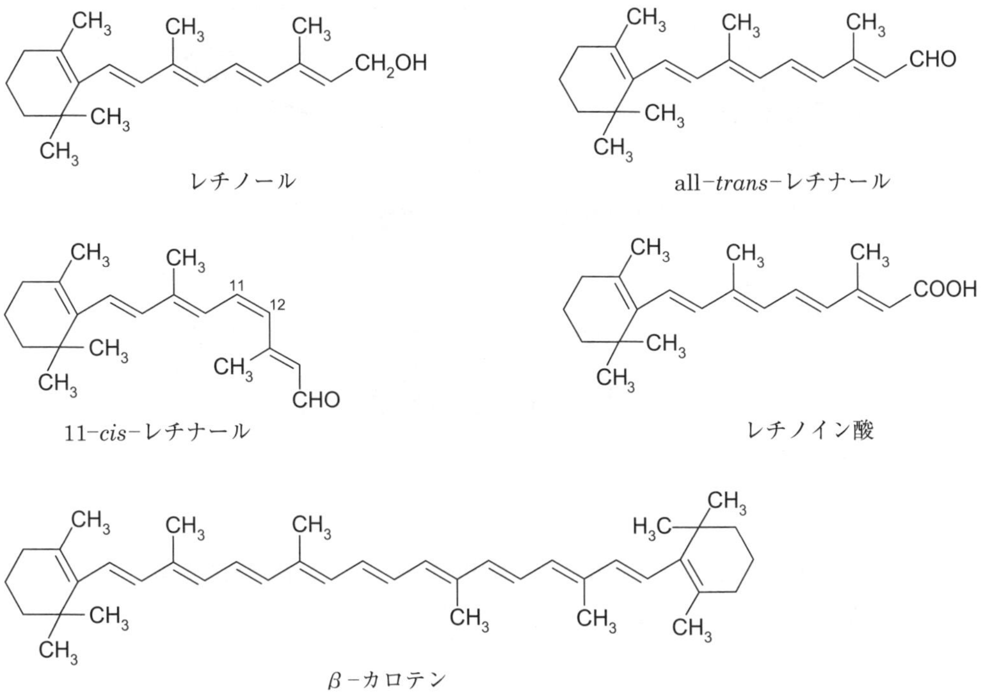

レチノール

all-*trans*-レチナール

11-*cis*-レチナール

レチノイン酸

β-カロテン

図 1-23　ビタミンAおよびその類縁化合物（レチノイド）

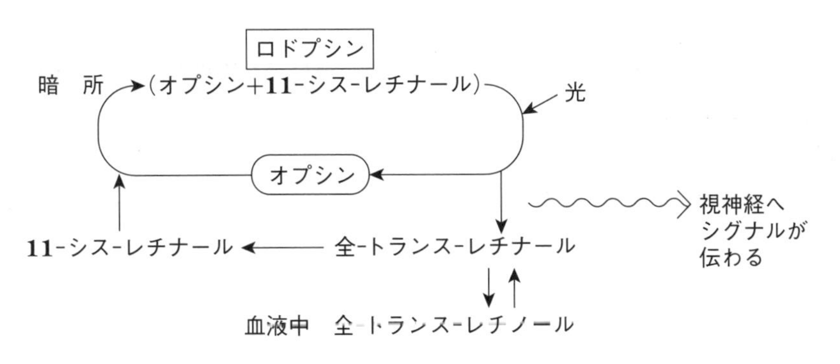

図 1-24　明暗識別におけるレチナールの役割

る．遊離した全トランス-レチナールは再び，11-シス-レチナールに変換される（図 1-24）．

そのほかにビタミンAは，胎児の成長や発生の制御，皮膚などの上皮細胞や血球・免疫細胞の分化などに関係している．これらは，主に，レチノイン酸や 9-シス-レチノイン酸の核内受容体を介した遺伝子発現の転写調節作用による（図 1-25）．また，カロテノイドはビタミンA活性のほかに，抗酸化作用を有する．

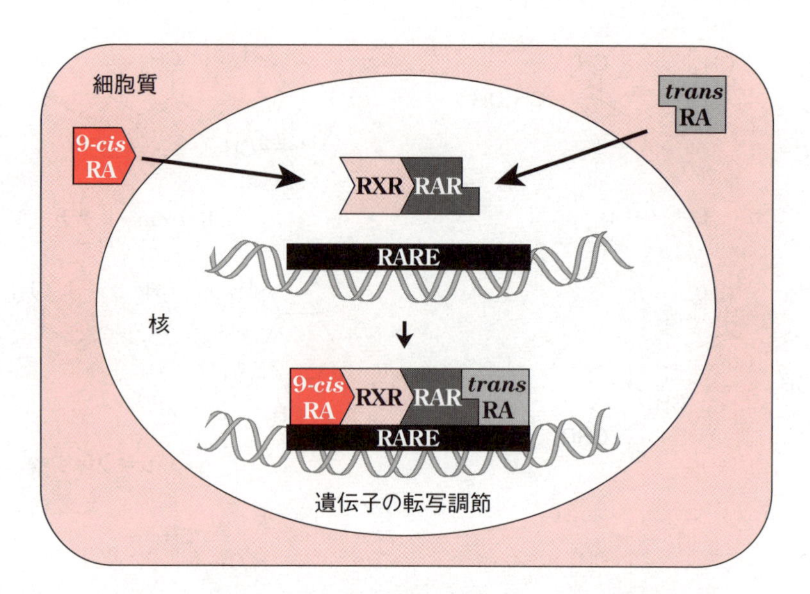

図 1-25　レチノイン酸による核内受容体を介した転写制御機構

RA：レチノイン酸，RAR：レチノイン酸受容体，RXR：レチノイド X 受容体，
RARE：レチノイン酸反応性エレメント

② 欠乏症・過剰症

欠乏症：**夜盲症**，角膜や皮膚の乾燥症や免疫能の低下などがある．

過剰症：急性中毒として**脳内圧亢進**による頭痛，悪心などが，慢性中毒として動物での**催奇形性**などがある．また，カロテノイドの過剰摂取により角質層にカロテノイド色素の沈着が起こることがある．

③ 含有食品

レバー，ウナギ，卵黄，乳製品（牛乳，チーズ，バターなど），カロテノイドとしてトウガラシ，ニンジン，ホウレンソウ，カボチャなどの緑黄色野菜に含まれる．

2）　ビタミン D（カルシフェロール）

くる病 rickets は，日照時間の短い地方でみられた幼児の骨格異常疾患であるが，これに有効な因子として肝油中に**ビタミン D**（**カルシフェロール calciferol**）が見出された．ある種の食品を紫外線照射するとビタミン D 活性を持つ物質が生成することから，そのもとの化合物は**プロビタミン D provitamin D** とよばれる．プロビタミン D としては，酵母やキノコなどからは**エルゴステロール**，動物組織より **7-デヒドロコレステロール 7-dehydrocholesterol**（**7-DHC**）が同定された（図 1-26）．

ビタミン D はステロイド誘導体であり，側鎖構造の異なる 6 種の異性体が存在するが，栄養学的に重要なのは**ビタミン D_2**（**エルゴカルシフェロール ergocarciferol**）と**ビタミン D_3**（**コレ**

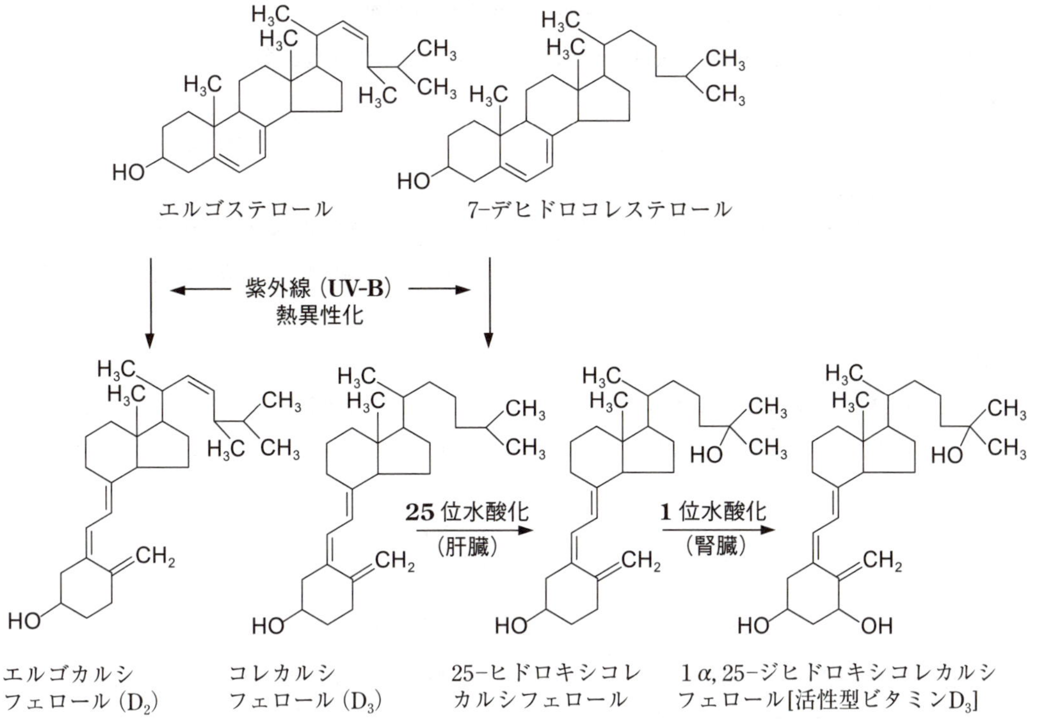

エルゴステロール　7-デヒドロコレステロール

紫外線（UV-B）
熱異性化

25位水酸化（肝臓）　1位水酸化（腎臓）

エルゴカルシフェロール（D_2）　コレカルシフェロール（D_3）　25-ヒドロキシコレカルシフェロール　1α, 25-ジヒドロキシコレカルシフェロール[活性型ビタミンD_3]

図1-26　ビタミンD（カルシフェロール）とその活性化

カルシフェロール cholecarciferol）である（図1-26）．動物の皮膚にはコレステロール生合成の中間体の7-DHCが存在し，日光の紫外線B波（UV-B，290〜320 nm）によってステロイド骨格のB環が開環したプロビタミンD_3となり，これは，さらに体温により異性化して，ビタミンD_3となる（図1-26）．このように皮膚で生成したビタミンD_3や食品中のビタミンD_2およびD_3は，ビタミンD結合タンパク質 vitamin D binding protein（VBP）に結合して肝臓へ運ばれ，そこで側鎖の25位が水酸化され，25-ヒドロキシコレカルシフェロールとなる．これはさらに腎臓へ運ばれ，A環の1位が水酸化されて，**1α,25-ジヒドロキシコレカルシフェロール 1α,25-dihydroxycolecarciferol**となる．これが**活性型ビタミンD**である（図1-26）．

① 生理作用

活性型ビタミンDは，小腸上皮細胞に作用してカルシウム結合タンパク質 calcium binding protein（CBP）の発現を誘導し，小腸からのカルシウムの吸収を促す．また，破骨細胞に作用して骨吸収を促すことにより血中カルシウム濃度を上昇させ，その恒常性を維持する（10 mg/100 mL = 2.5 mM）．その一方で，骨芽細胞では骨や歯にカルシウムを沈着させて石灰化を促し，骨形成を促進する．これらのはたらきは，副甲状腺ホルモン parathyroid hormone（PTH）やカルシトニン calcitonin などのホルモンと協調的に行われる．

そのほか，免疫系，神経系などに対する多くの生理作用が報告されており，これらはビタミンAと同様に核内受容体 vitamin D receptor を介した標的遺伝子の発現制御により行われる.

② 欠乏症・過剰症

欠乏症：幼児では**くる病**，成人では**骨粗しょう症 osteoporosis**，**骨軟化症 osteomalacia** などがある.

過剰症：1日あたり 5,000 I.U. 以上の高濃度のビタミンDの連続投与では過剰症となることがあり，高カルシウム血症によって腎臓，心臓などの石灰化を生じ，結石，循環器障害などが現れる.

③ 含有食品

食品中のビタミンDのほとんどはビタミンD_3であり，魚肉などに多く含まれ，その他，卵黄に含まれる．プロビタミンDは動植物に広く存在しており，キクラゲ（乾燥），シイタケ（乾燥）などに多く含まれている.

コラム　子どものくる病が再燃

栄養状態が悪かった過去の病気とされていたO脚や背中が曲がるなど，子どもの骨の発育不良を起こすくる病が再燃している．その原因はビタミンD不足であり，世界的な傾向とされている．その不足する理由は，紫外線が皮膚がんにつながることへの不安が高まり，子どもの外出を控えたり，日焼け止めを常に塗ったりして，過度に紫外線を避ける習慣が広がったことと考えられている．これを防ぐための日光浴の目安は，緯度や季節によって異なるが，服を着て顔と手が出ている状態で，夏は1日5～15分程度，冬は1日1時間以上とされている．また，日光浴に加え，ビタミンDを多く含む卵黄や魚，キノコ類などの食品の積極的な摂取も効果的であると期待できる．なお，適切な日光照射量に関する情報は，国立環境研究所がWebサイトに公開されている（http://db.cger.nies.go.jp/dataset/uv_vitaminD/ja/index.html）.

3） ビタミンE（トコフェロール）

ビタミンE（**トコフェロール tocopherol**）は，欠乏するとラットで不妊を引き起こす脂溶性の栄養素として同定された．ビタミンEは強い抗酸化作用を有し，抗不妊作用も抗酸化作用に基づくと考えられている.

ビタミンEにはクロマン環の構造の異なる4種の同族体（α，β，γ，δ）が存在するが（図1-27），ビタミンE活性は**α-トコフェロール**が最も高く，食品添加物の酸化防止剤としても使用されている（p. 153 食品添加物の項参照）.

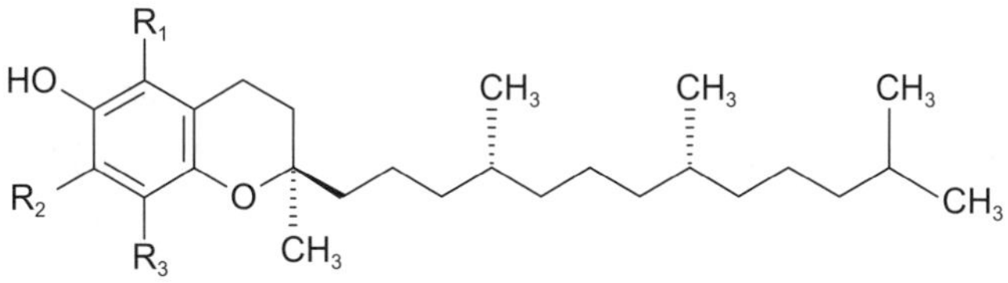

誘導体	R_1	R_2	R_3	活性比
α	CH_3	CH_3	CH_3	100
β	CH_3	H	CH_3	40
γ	H	CH_3	CH_3	10
δ	H	H	CH_3	1

図 1-27　ビタミン E（トコフェロール）の構造と異性体

① 生理作用

ビタミン E は脂質過酸化の過程で生じるフリーラジカルと反応し，自身が安定なラジカルとなるなどして，強い抗酸化作用を示す（図 1-28）．この作用により，活性酸素などによる生体膜の脂質過酸化が防止され，膜の正常な機能の維持に寄与している．

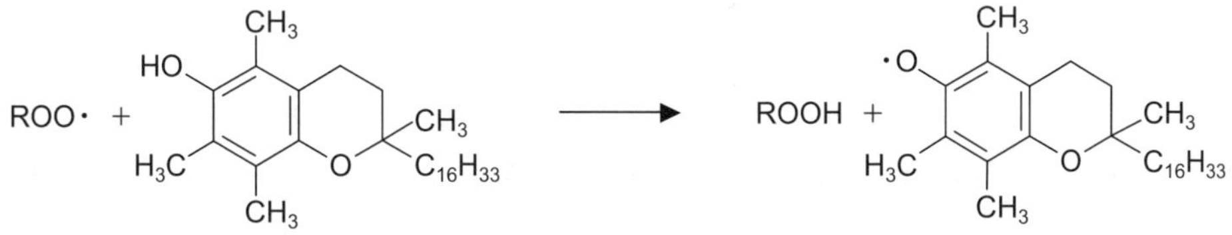

図 1-28　α-トコフェロールによるラジカルの除去機構

② 欠乏症・過剰症

欠乏症：ビタミン E は広く食品に存在するので，欠乏症はほとんど認められないが，新生児や未熟児ではその不足により赤血球膜が損傷し，溶血性貧血が発症する．

過剰症：毒性の低いビタミンと考えられているが，1 回あたり 3,000 mg 以上の摂取では下痢などの過剰症が起こることがある．

③ 含有食品

動植物に広く含まれており，特に，植物油，小麦胚，アーモンド，ウナギ，煎茶などに多く含まれる．

4）ビタミン K（フィロキノン）

ビタミン K（**フィロキノン phylloquinone**）は，欠乏すると血液が凝固しにくくなる脂溶性のビタミンとして見出された．構造はナフトキノン誘導体で，天然には植物由来の**フィロキノン**（ビタミン K_1）と，細菌が産生する**メナキノン menaquinone**（ビタミン K_2）が存在する（図 1-29）．

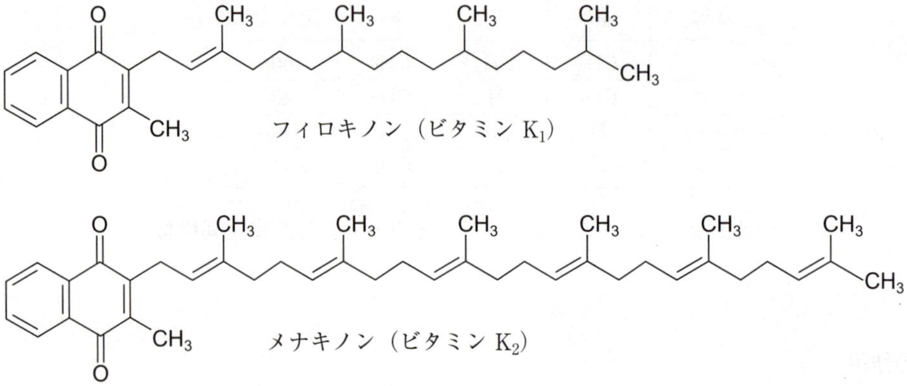

フィロキノン（ビタミン K_1）

メナキノン（ビタミン K_2）

図 1-29　ビタミン K の構造

① 生理作用

ビタミン K は血液凝固因子の活性化，すなわち，血液凝固第Ⅱ因子プロトロンビン prothrombin のグルタミン酸残基の **γ-カルボキシ化反応**（Gla 化）を行う γ-グルタミルカルボキシラーゼの補酵素としてはたらく（図 1-30）．ビタミン K はプロトロンビン以外の血液凝固因子Ⅶ，Ⅸ，Ⅹのグルタミン酸残基の Gla 化にも関与することが知られており，これらを**ビタミン K 依存性凝固因子**という．

また，ビタミン K は骨形成に関与する骨の基質タンパク質である**オステオカルシン osteocalcin** のアスパラギン酸残基の Gla 化にも関与することから，ビタミン K 製剤が骨粗しょう症の治療薬として使用されている．

② 欠乏症・過剰症

欠乏症：ビタミン K の欠乏は血液凝固の遅延，出血などを引き起こすが，ビタミン K は多くの食品に含まれ，また，腸内細菌によっても供給されるので，一般には欠乏しにくい．しかし，新生児の場合欠乏することがあり，**新生児ビタミン K 欠乏性出血症**（頭蓋内・腸内出血）となる．慢性的な欠乏では，骨形成不全が起こる．また，抗菌剤の長期投与により腸内細菌が減少し，欠乏することがある．

過剰症：ビタミン K を過剰に摂取しても，毒性は認められない．

③ 含有食品

納豆，緑黄色野菜（ホウレンソウ，ブロッコリー，キャベツ）などに多く含まれる．

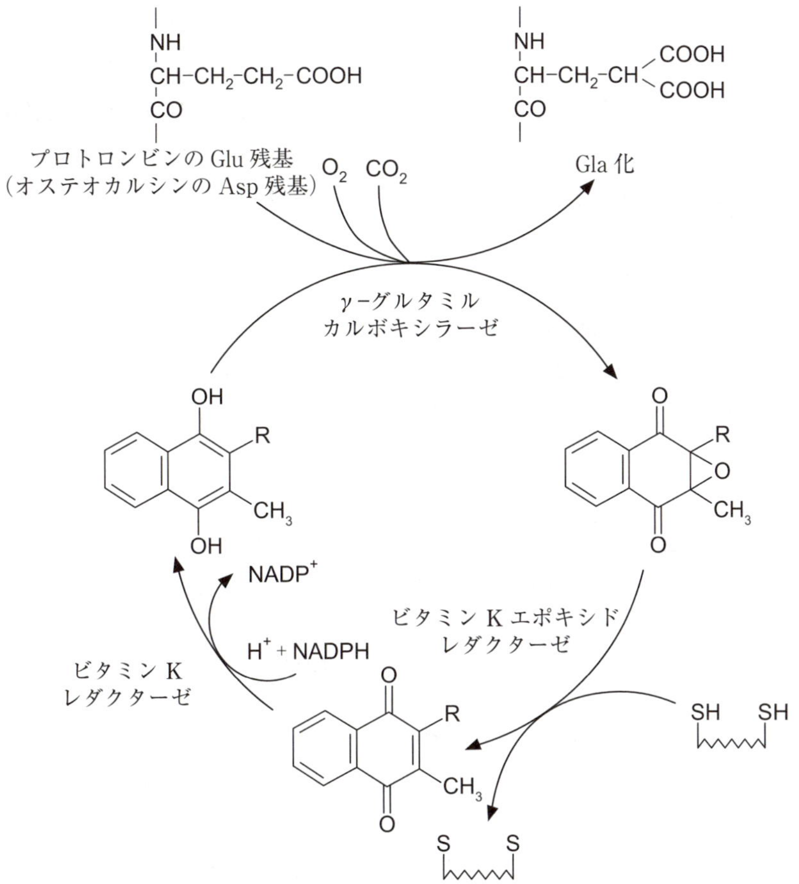

図 1-30　ビタミン K 依存性 Gla 化

コラム　納豆と血液凝固阻害薬

ワルファリン warfarin や**ジクマロール dicoumarol** などの血液凝固阻害薬は，ビタミン K のエポキシド型（不活性型）から還元型（活性型）への変換反応を触媒する**ビタミン K エポキシドレダクターゼ**を阻害する（ワルファリンは**ビタミン K レダクターゼ**も阻害するとの報告もある）（図 1-30）．したがって，過剰なビタミン K はワルファリンなどの血液凝固阻害作用を減弱させることになるため，ワルファリン投与患者には，ビタミン K 含量の高い納豆を摂取しないように指導する必要がある．

コラム　ブロッコリーのビタミン K

ブロッコリーは比較的ビタミン K の含有量が多い．そのため，ワルファリンを服用している患者が，一度に多量（ボール 1 杯以上）のブロッコリーを摂取すると，納豆の場合と同様に，ワルファリンの抗凝血作用が減弱することがあるとされている．

B. 水溶性ビタミン

水溶性ビタミンは，過剰に摂取された場合は尿や大便中に排泄されるため，過剰症はほとんどないが，常に一定量以上摂取する必要があり，欠乏症を起こしやすい．水溶性ビタミンは生体内において重要な生化学反応の補因子として機能する場合が多い．

1）ビタミン B_1（チアミン）

ビタミン B_1（**チアミン thiamine**）は，多発性神経症を伴う**脚気 beriberi** の予防に有効な微量栄養素として，米ぬかから発見されたビタミンである．チアミンは肉類や穀類胚芽部に多く含まれるため，精白米を主食とするアジア諸国で脚気が多発したことがある．

ビタミン B_1 はピリミジン環とチアゾール環がメチレン基を介して結合した構造を有しており（図 1-31），熱，アルカリで分解しやすく，pH に依存した 3 つの構造をとりうる（図 1-32）．ビタミン B_1 をアルカリ性でフェリシアン化カリウムやブロムシアンで酸化すると青紫色の蛍光を発する**チオクロム**を生じるため（図 1-33），この性質はビタミン B_1 の定量に利用される．

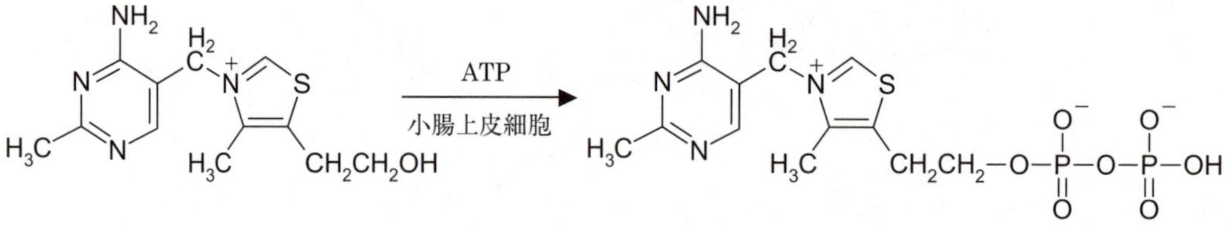

図 1-31　ビタミン B_1（チアミン）とその活性型

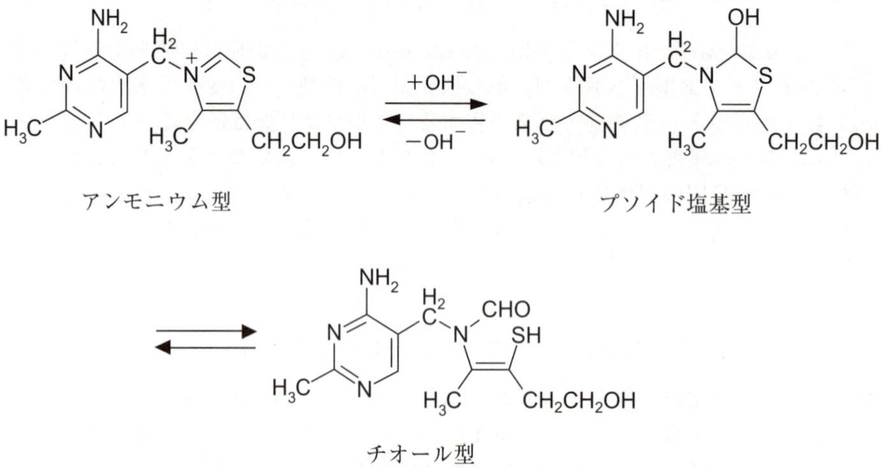

図 1-32　チアミンの pH による構造の違い

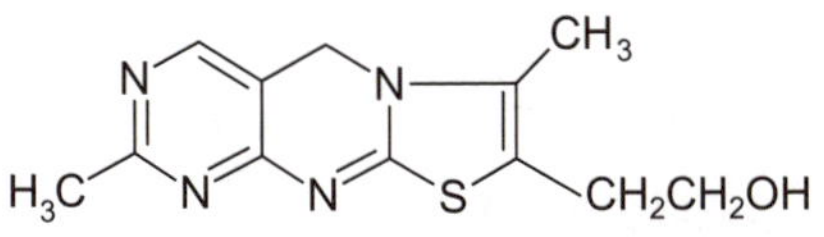

チオクロム

図 1-33　チオクロムの構造

① 生理作用

消化管から吸収されたビタミン B_1 は，体内でリン酸化され，活性型の**チアミンピロリン酸 thiamine pyrophosphate（TPP）**に変換される（図 1-31）．TPP は，解糖系や TCA サイクルなどの糖代謝における酸化的脱炭酸反応を行う酵素の補酵素としてはたらく（反応①，②）．チアゾール環は反応性に富む炭素原子を持つため，ピルビン酸や α-ケトグルタル酸などと反応して活性アルデヒドを形成し，CoA からアセチル CoA やスクシニル CoA を生成する（図 1-34）．また，TPP はペントースリン酸経路のトランスケトラーゼ反応の補酵素にもなっている．

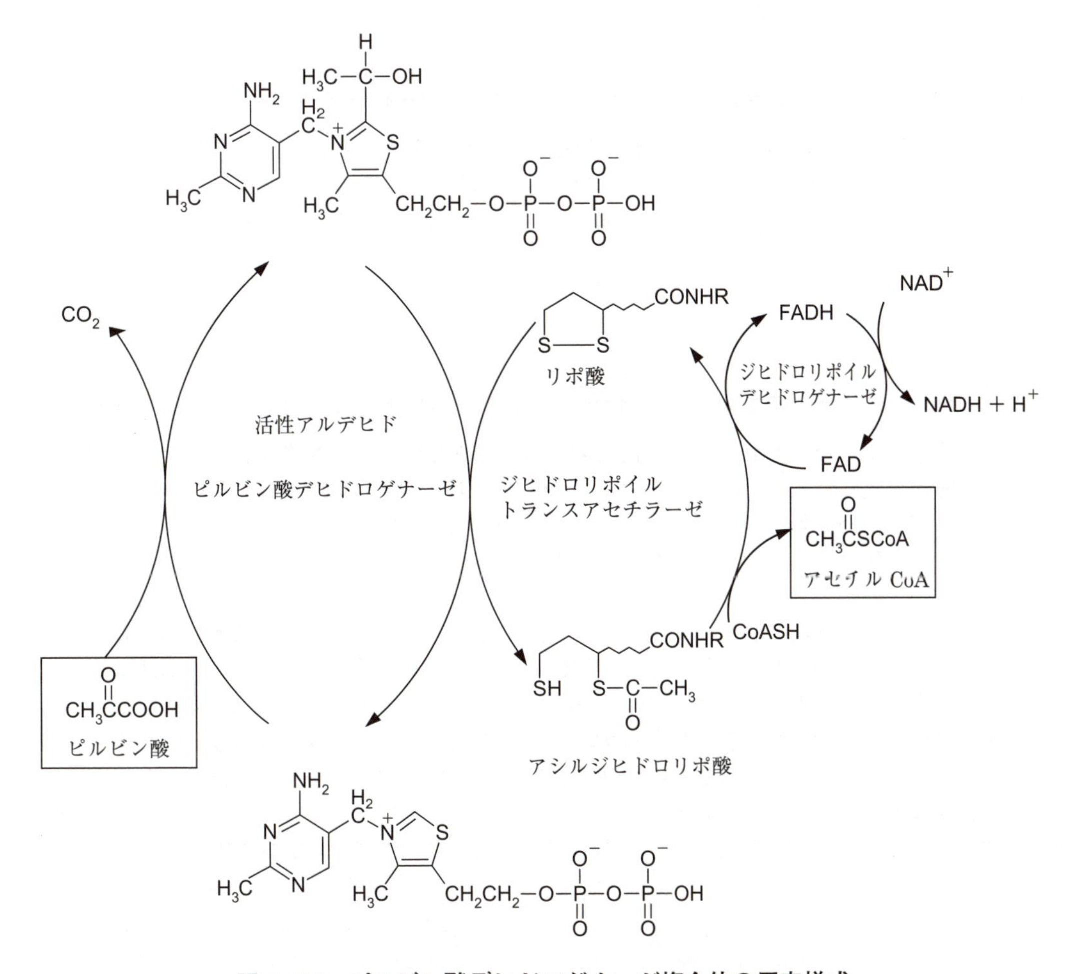

図 1-34　ピルビン酸デヒドロゲナーゼ複合体の反応様式

反応 ① **ピルビン酸デヒドロゲナーゼ**

ピルビン酸＋ CoASH ＋ NAD^+ ⟶ アセチル CoA ＋ CO_2 ＋ NADH ＋ H^+

反応 ② **α-ケトグルタル酸デヒドロゲナーゼ**

α-ケトグルタル酸＋ CoASH ＋ NAD^+ ⟶ サクシニル CoA ＋ CO_2 ＋ NADH ＋ H^+

② 欠乏症

ビタミン B_1 が欠乏すると発症の機序は不明であるが，脚気，**ウェルニッケ Wernicke 脳症，コルサコフ Korsakoff 症候群**などの神経症を発症することがあり，このとき血中ピルビン酸濃度が上昇する（乳酸アシドーシス）ことが報告されている．

ビタミン B_1 の必要量は摂取エネルギー量に依存しており，0.4 mg/1,000 kcal と策定されている（推奨量；成人男子 1.4 mg，女子 1.1 mg）．

③ 含有食品

穀物胚芽，玄米，肉類（特に豚肉）などに多く含まれる．

コラム　ビタミン B_1 と高カロリー輸液療法

ビタミン B_1 を含まない高カロリー輸液による中心静脈栄養では，ビタミン B_1 が欠乏することがあり，乳酸アシドーシスや中枢神経障害などの症状が現れることがある．そのため現在では，高カロリー輸液療法では 1 日 3 mg 以上のビタミン B_1 を投与するよう勧告されている．

コラム　多量のイオン飲料　乳幼児は注意

水分補給に良いとされるイオン飲料やスポーツドリンクなどを多量に飲み続け，健康状態が悪化した乳幼児（7 か月～2 歳 11 か月）の報告が，1986 年以降で 33 例，そのうち 24 例は 2007 年以降の 10 年間であったことが 2017 年に日本小児科学会誌に報告された．問題となっているイオン飲料とよばれる飲み物のほとんどは糖質やミネラルを含むが，ビタミン B_1 が含まれていないため，ミルクや離乳食などを摂取せずにイオン飲料などを飲み続けるとビタミン B_1 欠乏症となり，頻度はまれであるが脳症や脚気を発症することがある．分析できた症例において，イオン飲料を飲んでいた期間は最短 1 か月，最長 1 年 11 か月であり，約 9 割が 1 日 1 L 以上飲み，大半は離乳食をほとんど食べないか少量しか食べておらず，その飲み始めのきっかけは風邪などの感染症が最多であった．風邪の時などの短期間に飲むことは問題ないが，飲む習慣にさせないようにすることが大切である．

2）ビタミン B_2（リボフラビン）

ビタミン B_2（リボフラビン riboflavin）は，動物の成長を促進する水溶性ビタミンとして見出された．その構造は，イソアロキサンチン環にD-リビトール ribitol が結合したものであり，黄色蛍光を発する（図1-35）．リボフラビンは，光分解されるとアルカリ性では**ルミフラビン lumiflavin** となり強い蛍光を発するため（図1-35），この性質を利用して定量される．

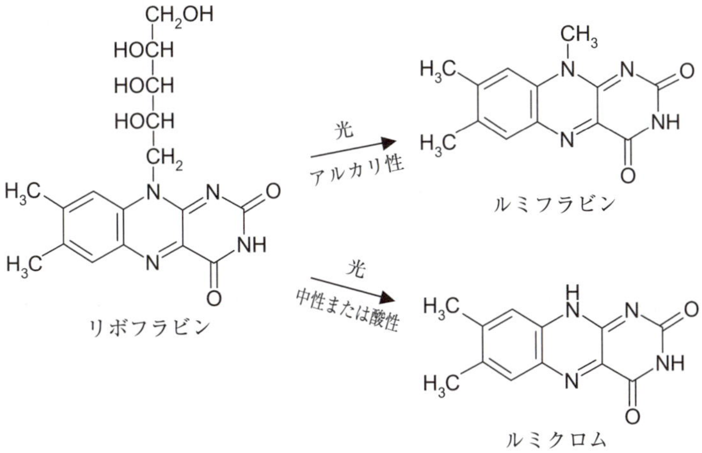

リボフラビン

光　アルカリ性

ルミフラビン

光　中性または酸性

ルミクロム

図1-35　ビタミン B_2（リボフラビン）およびその光分解物

① 生理作用

ビタミン B_2（リボフラビン）は生体内で ATP により活性化され，リン酸が1つ結合した**フラビンモノヌクレオチド flavinmononucleotide（FMN）**，アデニンジヌクレオチドが結合した**フラビンアデニンジヌクレオチド flavinadenine dinucleotide（FAD）**となる（図1-36）．イソアロキサンチン環は酸化型と2電子還元を受けた還元型および1電子還元されたセミキノン型の3つの構造をとりうるため（図1-37），ミトコンドリアの呼吸鎖における電子伝達系などの酸化還元酵素の補酵素としてはたらくことができる．フラビンを補酵素とする酵素は，フラビン酵素とよばれ100種以上が知られており，生体において重要な役割を担う．

② 欠乏症

ビタミン B_2 は多くの食品に含まれるので欠乏しにくいが，動物では欠乏すると成長が障害されることから，"発育ビタミン" ともよばれる．

ヒトでの欠乏では，糖代謝，脂肪酸代謝に異常が起こり口角炎，舌炎，皮膚炎，角膜異常などの症状が現れる．ビタミン B_2 欠乏時にはグルタチオンレダクターゼ glutathione reductase 活性の低下に伴い，膜の過酸化脂質レベルが上昇することが知られている．

③ 含有食品

レバー，肉類，うなぎ，牛乳，卵，緑黄色野菜などである．

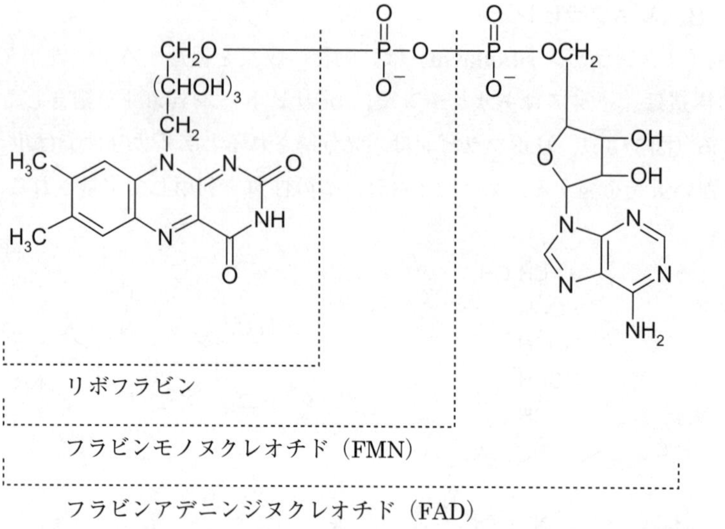

リボフラビン

フラビンモノヌクレオチド（FMN）

フラビンアデニンジヌクレオチド（FAD）

図 1-36　ビタミン B_2（リボフラビン）とそのリン酸化化合物の構造

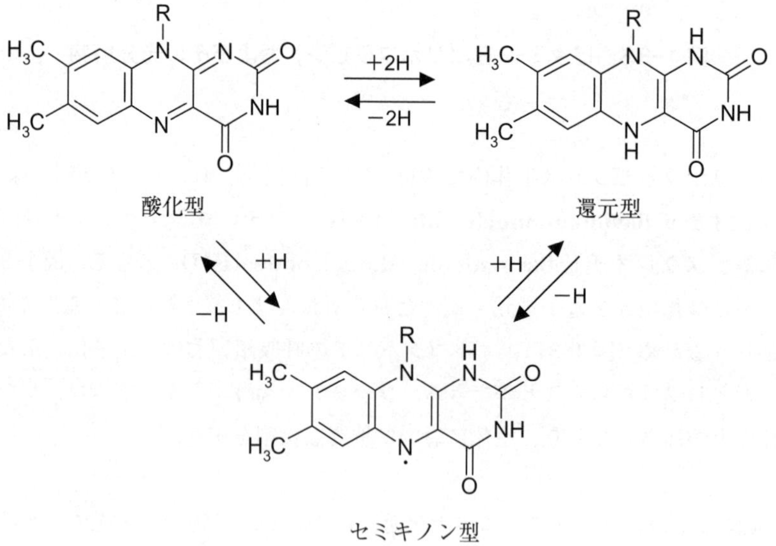

酸化型

還元型

セミキノン型

図 1-37　ビタミン B_2（リボフラビン）の酸化・還元状態

3) ビタミン B_6

ビタミン B_6 は，欠乏するとラットの成長不良および皮膚炎を引き起こすビタミンとして米ぬかや酵母から単離された．その構造はピリジン誘導体であり，**ピリドキシン pyridoxine**，**ピリドキサール pyridoxal**，**ピリドキサミン pyridoxamine** を総称してビタミン B_6 とよばれる．生体内では，そのメトキシ部（$-CH_2OH$）がリン酸化され，**ピリドキサールリン酸 pyridoxal phosphate**（**PLP**）および**ピリドキサミンリン酸 pyridoxamine phosphate** となり補酵素としてはたらく（図 1-38）．これらは光やアルカリで分解しやすい．

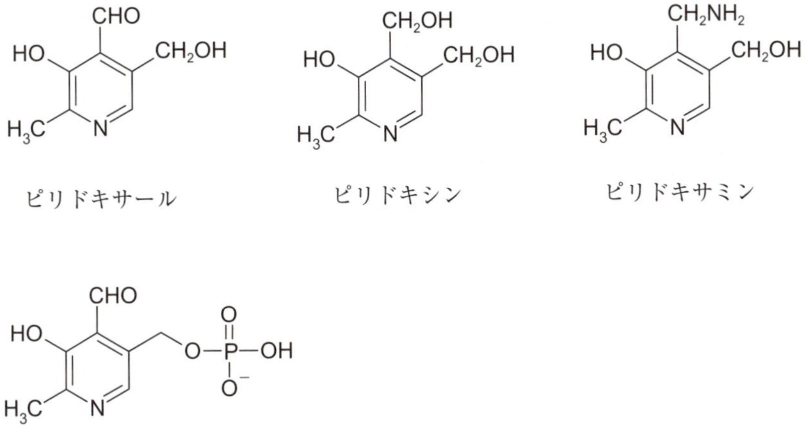

ピリドキサール　ピリドキシン　ピリドキサミン

ピリドキサールリン酸（活性型）
pyridoxal phosphate（PLP）

図 1-38　ビタミン B_6 およびその活性型の構造

① 生理作用

ビタミン B_6 はアミノ酸代謝に関係した反応の補酵素となる．α-アミノ酸のアミノ基と PLP のアルデヒド基がシッフ塩基 Shiff base を作り（図 1-39），① アミノ基転移反応，② 脱炭酸反応，③ 側鎖の脱離反応，が進行する．アミノ基転移反応は，2つのアミノ酸と2つの α-ケト酸の交換反応とみることもできる（図 1-40）．その例としては ALT（alanine aminotransferase）や AST（aspartate aminotransferase）などがある．

② 欠乏症

ビタミン B_6 は多くの食品に含まれるので欠乏することはまれだが，抗結核薬イソニコチン酸ヒドラジド（イソニアジド isoniazid）などのビタミン B_6 阻害剤の投与などにより欠乏することがある．その症状としては，皮膚炎，口角炎，舌炎，麻痺，痙攣，貧血などが知られている．

麻痺や痙攣などの神経症状は，脳内 γ-アミノ酪酸 γ-aminobutyric acid（GABA）生合成の低下が原因の1つと考えられている．また，貧血は，ポルフィリン生合成系の 5-アミノレブリン酸合成酵素がビタミン B_6 要求性であるために起こる．

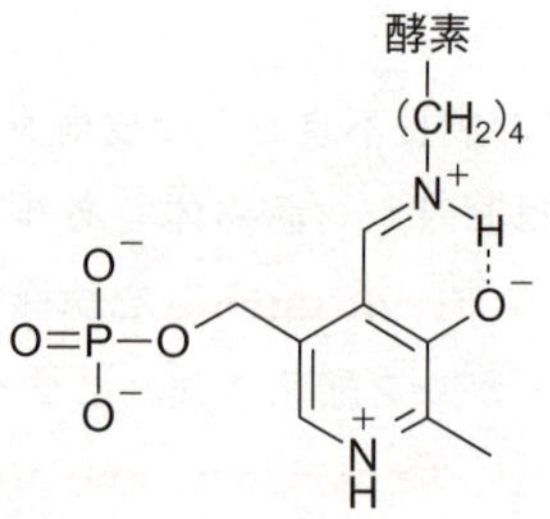

酵素

$(CH_2)_4$

N^+ H O^-

O^- O=P—O O^-

$\overset{+}{N}$ H

酵素-PLP シッフ塩基

図 1-39　PLP の酵素への結合様式

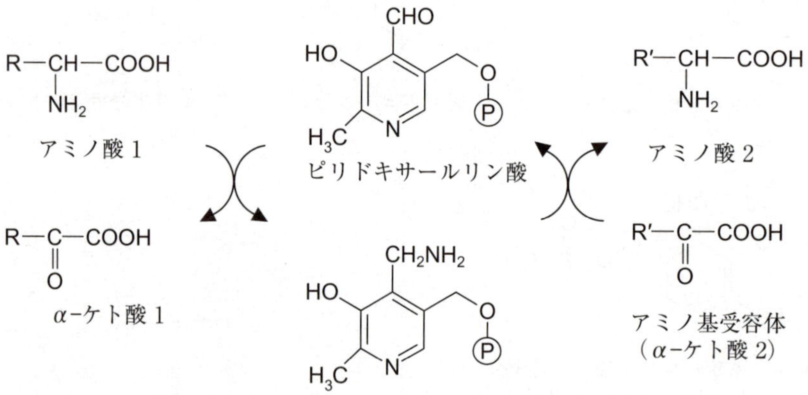

R—CH—COOH
NH_2
アミノ酸 1

R—C—COOH
O
α-ケト酸 1

CHO HO H_3C N O Ⓟ
ピリドキサールリン酸

CH_2NH_2 HO H_3C N O Ⓟ
ピリドキサミンリン酸

R′—CH—COOH
NH_2
アミノ酸 2

R′—C—COOH
O
アミノ基受容体
（α-ケト酸 2）

図 1-40　PLP が介するアミノ基転移反応

ビタミン B_6 が欠乏すると，トリプトファン代謝経路のビタミン B_6 依存酵素キヌレニナーゼの活性低下によりトリプトファン代謝の中間体であるキサンツレン酸 xanthurenic acid が尿中に排泄される（キサンツレン酸尿症）.

③ 含有食品

にんにく，豆類，のり，レバー，魚などである.

4）ナイアシン

ナイアシン niacin は，**ペラグラ pellagra 皮膚炎**（日光に当たる部分が皮膚炎を起こす疾患）の治療に有効な因子であり，酵母や肝臓から**ニコチン酸 nicotinic acid**，**ニコチンアミド nicotinamide**（**ニコチン酸アミド**）として同定された（図 1-41）. ナイアシンはこれらビタミン作用の総称であるが，ニコチン酸をナイアシン，ニコチンアミドを**ナイアシンアミド**とよぶこともある.

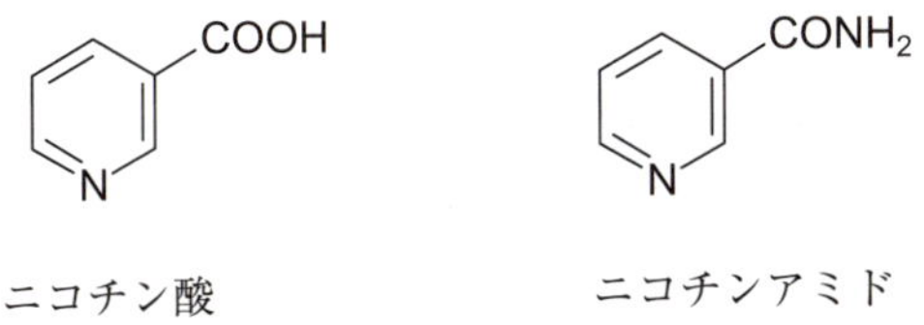

図 1-41　ナイアシンの構造

ニコチン酸およびニコチンアミドは，ピリジン-3-カルボン酸誘導体であり，水，アルコールに溶け，酸，アルカリに安定であり，紫外部（260 nm 付近）に強い吸収を示すが，還元型のみ 340 nm にも吸収極大をもつ．

ニコチン酸およびニコチンアミドは体内で活性化され，アデニンジヌクレオチドおよびアデニンジヌクレオチドリン酸が付加して，それぞれ**ニコチンアミドアデニンジヌクレオチド nicotinamide adenine dinucleotide**（**NAD^+**）および**ニコチンアミドアデニンジヌクレオチドリン酸 nicotinamide adenine dinucleotide phosphate**（**$NADP^+$**）となる（図 1-42）．

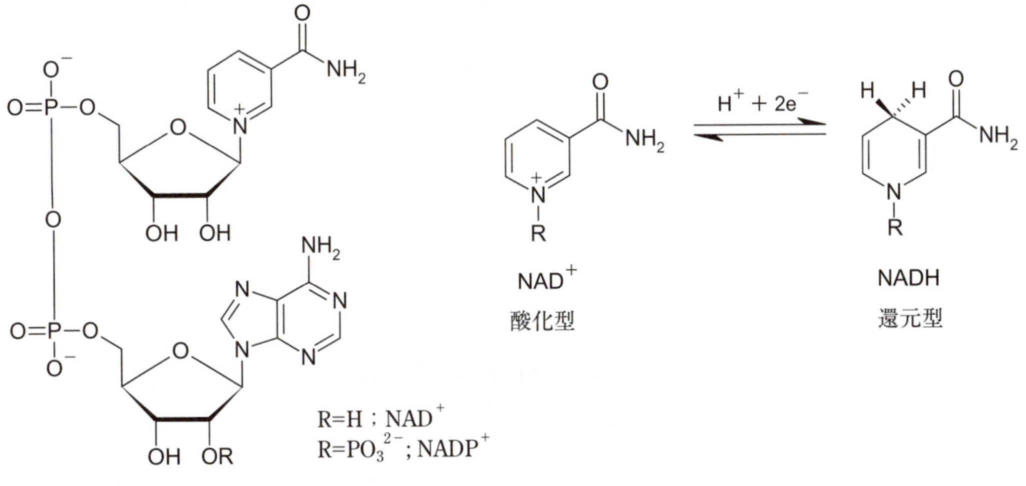

図 1-42　NAD^+，$NADP^+$の構造と酸化型・還元型の違い

① 生理作用

NAD^+および$NADP^+$は多くの酸化還元反応，特にデヒドロゲナーゼの補酵素としてはたらく．現在までに 500 種以上の酵素の補酵素としてはたらくことが知られており，アルコールデヒドロゲナーゼ，乳酸デヒドロゲナーゼ，グルコース-6-リン酸デヒドロゲナーゼ，ピルビン酸デヒドロゲナーゼなど，糖代謝に関係する酵素が多い．

② 欠乏症

ニコチンアミドやNAD^+は一部，体内でトリプトファンから合成されるので（トリプトファンの約1/60が変換される），トリプトファン含量の少ないとうもろこしを主食とする場合不足しがちとなり，ペラグラ皮膚炎のほか，下痢，舌炎，神経症などが発症することがある．

③ 含有食品

まぐろ，レバー，鶏肉，かつお節，酵母，落花生などである．

5） パントテン酸

パントテン酸 pantothenic acid はビタミンB_2複合体中の「ろ液因子」として米ぬかより精製され構造決定されたが，その生理的機能は補酵素**コエンザイムA coenzyme A（CoA）**の構造決定によりはじめて明らかとなった．パントテン酸は，植物や微生物においてβ-アラニンと低級脂肪酸パントイン酸 pantoinic acid から合成される（図1-43）．

① 生理作用

消化管で吸収されたパントテン酸は，各組織でATPとシステインよりCoAに変換される．CoAは糖質，脂質，タンパク質，アミノ酸などの代謝過程に関わる重要な生体成分である．特に，**アセチルCoA**は，TCAサイクル，脂肪酸のβ-酸化などエネルギー産生系の中心成分である．さらに，パントテン酸は，脂肪酸の生合成反応における**アシルキャリアタンパク質 acyl carrier protein**の活性基である**ホスホパンテテイン phosphopantethein**の構成成分となっている（図1-43）．

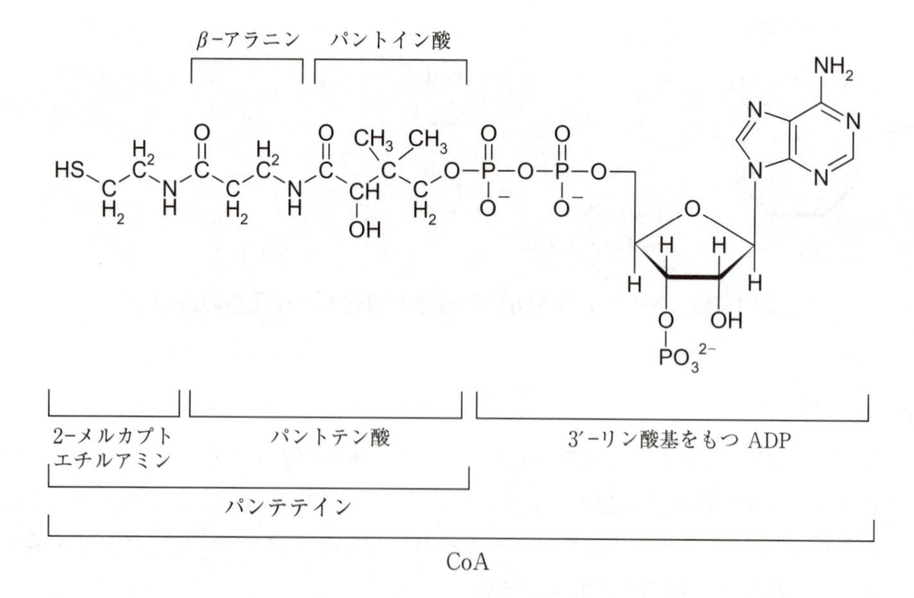

図1-43　パントテン酸，パンテテインおよびCoA

② **欠乏症**

パントテン酸は多くの食品に含まれ，腸内細菌によって合成されるので，ヒトでの欠乏症は少ない．しかしながら，ヒトの急性アルコール症では，パントテン酸から CoA への変換が強く抑制されるため，慢性アルコール症ではパントテン酸が潜在的欠乏状態にあるといわれている．動物実験では，成長障害，皮膚炎，生殖障害などが報告されている．

③ **含有食品**

レバー，卵黄，豆類など．

6） ビオチン

ビオチン biotin は，酵母の発育因子として卵黄中に見出され，のちに卵白障害（皮膚炎，脱毛）に有効な肝由来因子（ビタミン H）と同一のものであることが判明した．イミダゾール環とチオフェン環の縮合した構造で，8 種の異性体があるが，活性があるのは二酸化炭素（CO_2）結合型である ***d*-ビオチン**のみである（図 1-44）．

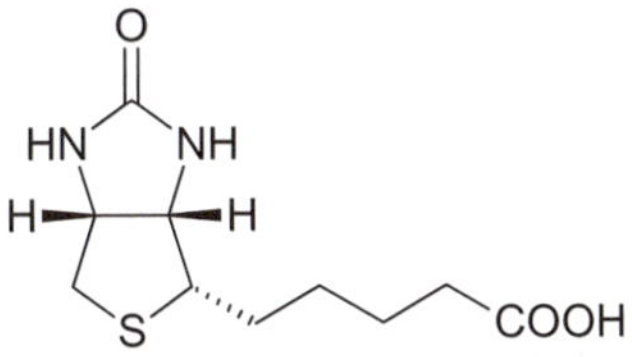

図 1-44　*d*-ビオチンの構造

① **生理作用**

ビオチンは，糖代謝，アミノ酸代謝，脂肪酸の生合成などおけるカルボキシラーゼ carboxylase の補酵素として機能する．代表例としてアセチル CoA からマロニル CoA を合成する**アセチル CoA カルボキシラーゼ**（脂肪酸生合成）（図 1-45），ピルビン酸からオキサロ酢酸を生成する**ピルビン酸カルボキシラーゼ**（糖新生）などがある．

② **欠乏症**

ビオチンは腸内細菌が産生するので，通常の食生活で欠乏することはまれであるが，長期間の抗菌剤の投与などにより欠乏しやすくなる．また，卵白中に存在するタンパク質**アビジン avidin** はビオチンに対してきわめて高い親和性（K_d = ～10^{-15} M）をもち，大量の生卵の摂取はビオチンの消化管からの吸収を阻害するので注意を要する．その欠乏症として，成長障害，皮膚炎，疲労感，脱毛，知覚異常などがある．

③ **含有食品**

卵黄，レバー，豆類などである．

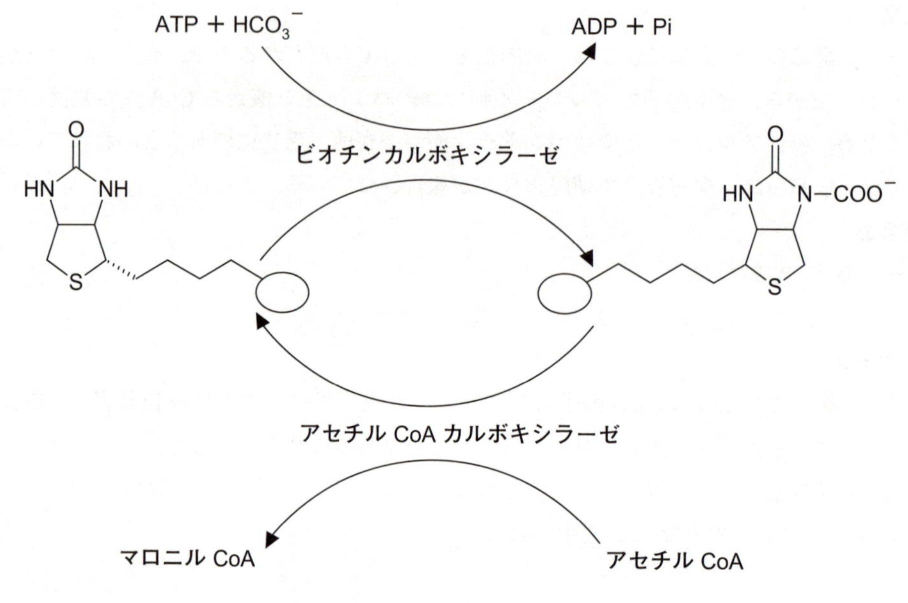

図 1-45　カルボキシラーゼ反応におけるビオチンの役割

7）葉　酸

葉酸 folic acid（**folate**）は抗貧血性因子としてホウレンソウから単離された．葉酸の名称はラテン語の *folium*（葉）に由来し，プテリジン環に *p*-アミノ安息香酸とグルタミン酸が結合した構造を有するため，**プテロイルグルタミン酸**ともよばれる（図 1-46（a））．葉酸は，水，アルコールに溶けず，酸，アルカリには溶ける．

① 生理作用

小腸で吸収された葉酸は，小腸上皮細胞内で葉酸レダクターゼ folate reductase により還元されて活性型の **5,6,7,8-テトラヒドロ葉酸 tetrahydrofolate**（**THF**）になる（図 1-46（b））．THF はアミノ酸代謝，核酸代謝に関与するさまざまな**一炭素単位転移反応**（$-CHO$，$-CH_2OH$，$-CH_3$ の転移反応）の補酵素となる（図 1-46（c））．代表的な反応には，核酸塩基の生合成におけるメチル基転移酵素，セリンヒドロキシメチル転移酵素，チミジル酸合成酵素，メチオニン合成酵素などがある（図 1-47）．

② 欠乏症

葉酸が不足すると未成熟で核の大きな赤血球が産生される**巨赤芽球性貧血 megaloblastic anemia** となる．核酸の生合成が葉酸欠乏により抑制されることにより，核形成，細胞分裂などが障害を受け，分裂速度の速い赤血球が特に影響を受けるためと考えられている．さらに，妊娠初期（3 週まで）に葉酸が不足すると，新生児の**神経管閉鎖障害 neural tube defect** や無脳児の発生（無脳症）のリスクが高まる．

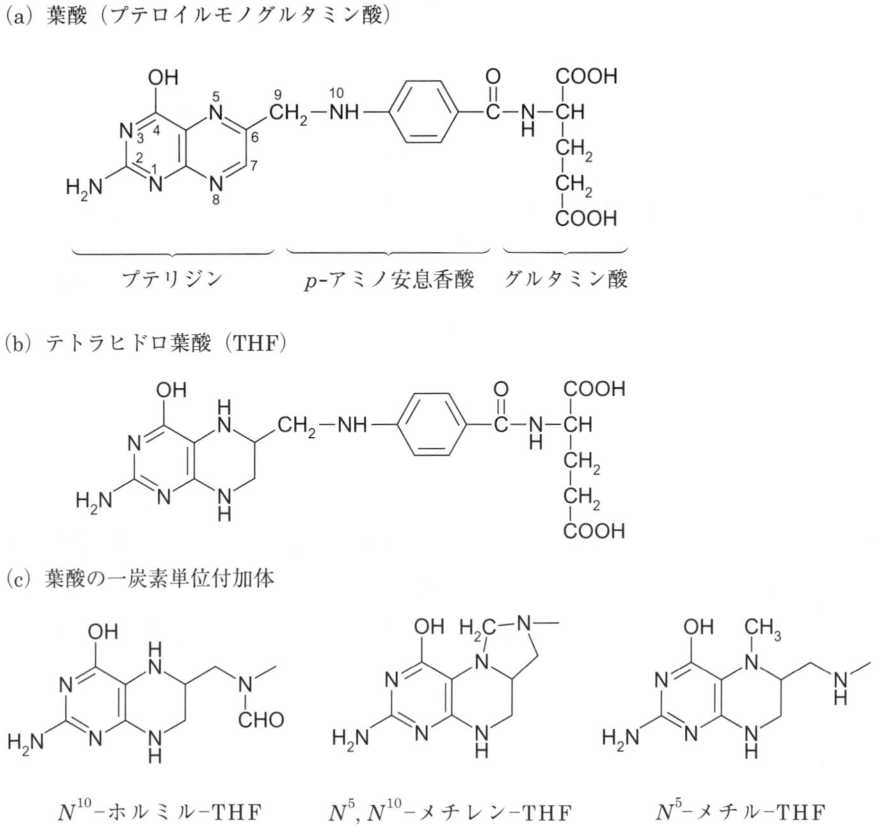

(a) 葉酸（プテロイルモノグルタミン酸）
OH
COOH
CH₂–NH
C–N–CH
H
CH₂
CH₂
COOH
H₂N
プテリジン
p-アミノ安息香酸
グルタミン酸
(b) テトラヒドロ葉酸（THF）
(c) 葉酸の一炭素単位付加体
CHO
N¹⁰-ホルミル-THF
N⁵, N¹⁰-メチレン-THF
N⁵-メチル-THF

図 1-46　葉酸およびその活性体の構造

dUMP
dTMP
1
葉酸
5, 10-メチレン-THF
NADPH + H⁺
2
メトトレキサート
トリメトプリム
グリシン
H₃N⁺–CH₂–COO⁻
3
THF
NADP⁺
H₃N⁺–CH–COO⁻
CH₂OH
セリン
① チミジル酸合成酵素
② 葉酸レダクターゼ
③ セリンヒドロキシメチル転移酵素

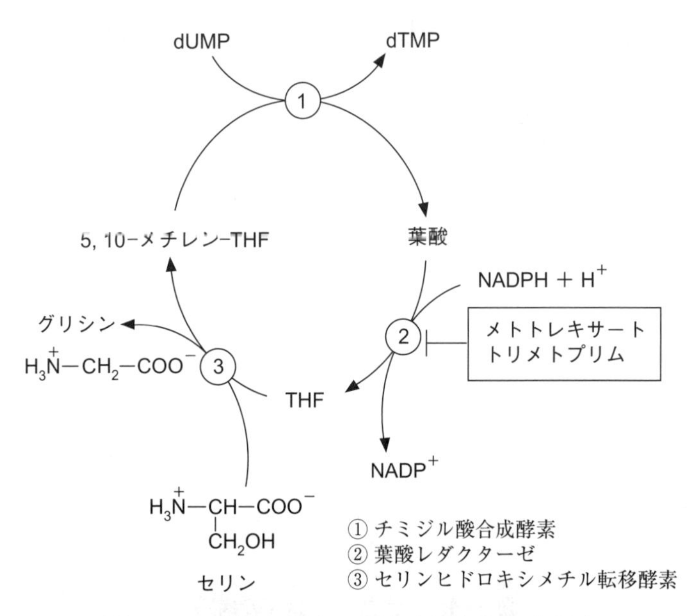

図 1-47　葉酸の関わる反応と阻害剤の作用点

③ **含有食品**

レバー，ホウレンソウ，豆類などである．

コラム　制がん剤による貧血

葉酸の欠乏は葉酸拮抗剤の投与によっても起こる．制がん剤の**メトトレキサート methotrexate** は葉酸類似化合物で，葉酸レダクターゼを阻害するため副作用としての貧血を発症する．同様にジヒドロ葉酸レダクターゼ阻害活性を有する抗菌剤**トリメトプリム trimethoprim** も多量投与では貧血が起こる（図 1-47）．

8） ビタミン B_{12}（コバラミン）

ビタミン B_{12}（コバラミン cobalamin）は，悪性貧血に有効な成分として肝臓中に見出されたが，微量で複雑な構造のため構造決定まで長い年月を要した．ビタミン B_{12} は中央にコバルトの配位した，ポルフィリン環に似たコリン corrin 環を有しており，ジメチルベンズイミダゾールリボヌクレオチド側鎖と置換基がコリン環の上下に配位している（図 1-48）．コバラミンは置換

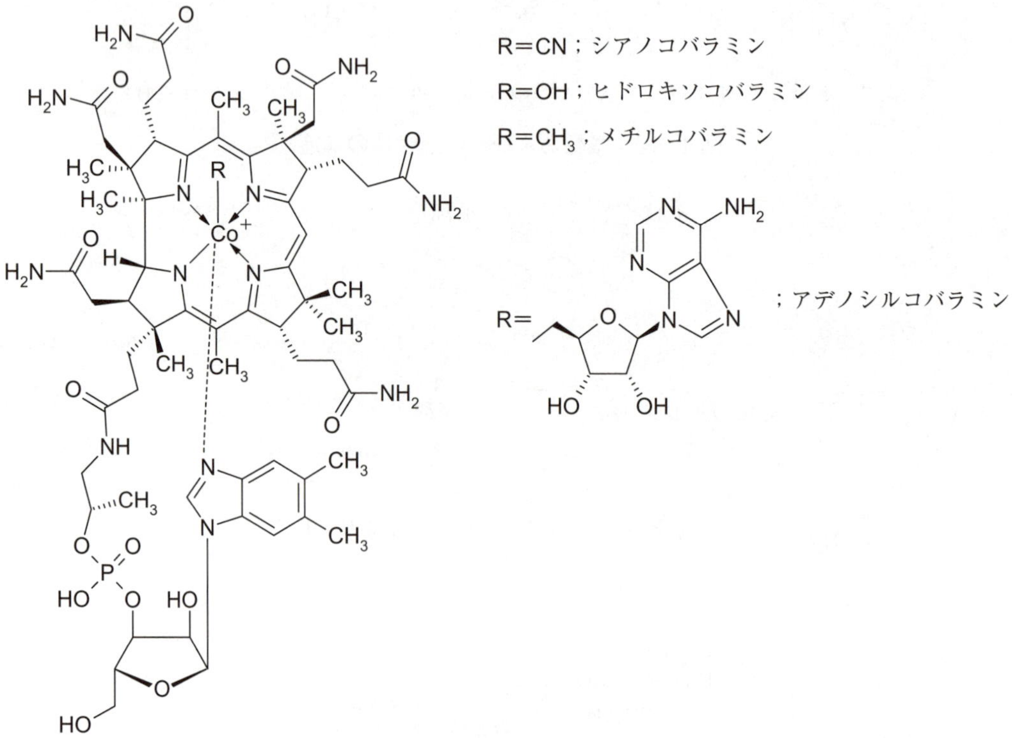

R＝CN；シアノコバラミン
R＝OH；ヒドロキソコバラミン
R＝CH_3；メチルコバラミン
R＝（5'-デオキシアデノシル）；アデノシルコバラミン

図 1-48　ビタミン B_{12} の構造

基の種類により，**シアノコバラミン cyanocobalamin**（R = CN），**ヒドロキソコバラミン hydroxocobalamin**（R = OH），**メチルコバラミン methylcobalamin**（R = CH_3），**アデノシルコバラミン adenosylcobalamin**（R = 5′-デオキシアデノシン）とよばれる．ビタミン B_{12} は水，アルコールに溶け，酸，アルカリ，光で分解する．

① 生理作用

メチルコバラミンはホモシステインからメチオニンが生成する**メチオニン合成酵素 methionine synthase** の補酵素，アデノシルコバラミンは**メチルマロニル CoA ムターゼ methylmalonyl-CoA mutase**（または**メチルマロニル CoA イソメラーゼ methylmalonyl-CoA isomerase**）の補酵素となる（図 1-49）．前者はメチル基転移反応により核酸合成に関与し，後者は異性化反応に関与する．

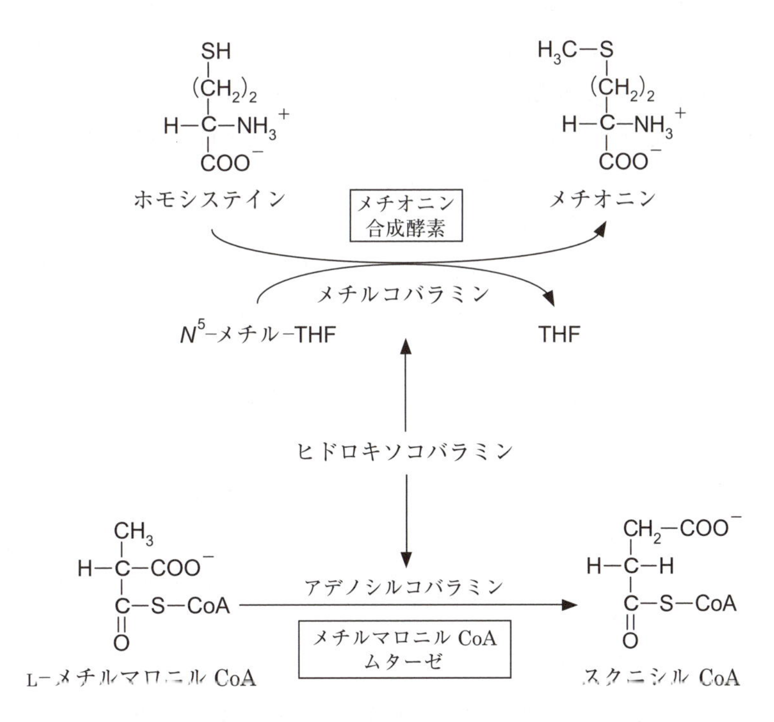

図 1-49　ビタミン B_{12} の関わる反応と葉酸との関連

② 欠乏症

ヒトにおけるビタミン B_{12} の欠乏症は，巨赤芽球性貧血で，葉酸欠乏と同一である．これは，ビタミン B_{12} と葉酸が共にメチオニン合成酵素の補酵素であり，ビタミン B_{12} の不足によりこの反応が阻害されると 5-メチル-THF が蓄積し，その結果 THF が不足し，葉酸欠乏状態になるためと考えられている．

ビタミン B_{12} は，胃壁から分泌される糖タンパク質である**内因子 intrinsic factor** に結合して

エンドサイトーシス endocytosis により腸管から吸収される．したがって，胃の全摘出などで内因子の生成が不足した場合などはビタミン B_{12} が欠乏する．また，ビタミン B_{12} は植物性食品にはほとんど含まれないため，厳格な菜食主義でも欠乏症が起こることがある．

ビタミン B_{12} 欠乏では，メチルマロニル CoA ムターゼ反応阻害の結果，血中メチルマロン酸 methylmalonic acid 濃度が上昇し，尿中に多量に排泄される．その他の症状としては，倦怠感，感覚異常のほか，記憶障害など中枢神経障害も知られている．

③ 含有食品

のり，しじみ，あさり，レバー，肉類などである．

9） ビタミン C（L-アスコルビン酸[*1]）

毛細血管からの内出血を伴う**壊血病 scurvy** は，かつて船員の疾患として知られていたが，**ビタミン C（L-アスコルビン酸 L-ascorbic acid）** は，この治療に有効な成分としてレモン汁などより単離された（図 1-50）．霊長類，モルモット以外の動物はグルコースから生合成できる．

L-アスコルビン酸（還元型ビタミン C）はエンジオール基を持つ六炭糖で，強い還元性を持つ．酸化されてデヒドロアスコルビン酸（酸化型ビタミン C）になるが，グルタチオンやシステインによって一部還元され L-アスコルビン酸にもどる（図 1-50）．

ビタミン C は水によく溶け，酸味と酸性を示すが，有機溶媒には溶けない．D-アスコルビン酸はビタミン作用を有さない．L-アスコルビン酸の立体異性体であるエリソルビン酸 erysorbic acid は，L-アスコルビン酸と比べて，ビタミン C 作用は弱いが抗酸化作用が強いため，食品添加物の酸化防止剤として用いられる（p. 153 食品添加物の項参照）．

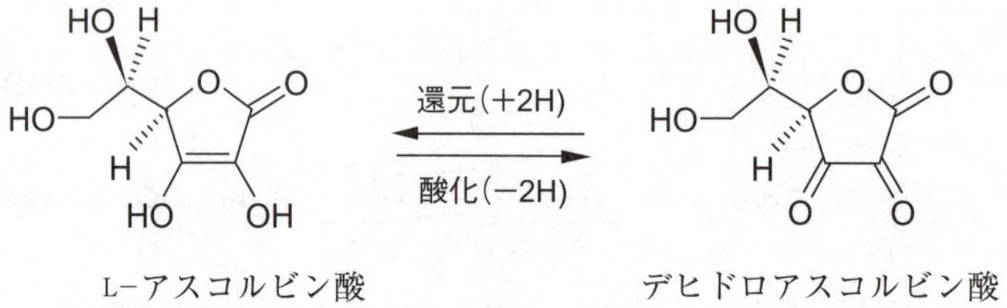

還元（+2H）
酸化（−2H）

L-アスコルビン酸　　デヒドロアスコルビン酸

図 1-50　ビタミン C（L-アスコルビン酸）の構造

① 生理作用

ビタミン C には多くの生理作用が知られているが，抗酸化反応と水酸化反応に関係するものが多い．そのほか，ビタミン C はカルニチンの生成，コレステロール代謝，薬物代謝活性，鉄の吸収など，多くの生体機能に関与している．代表的なものを以下に示す．

[*1] アスコルビン酸という名前は anti-scurvy の酸に由来する．

（i）　**抗酸化作用**

ビタミンCは，ビタミンEおよび還元型グルタチオンと共役して抗酸化作用を発現し，生体膜脂質の過酸化を防ぐ．このはたらきは，がんの予防と関係し，ビタミンCの摂取量と食道がん，咽頭がん，胃がんなどの発症率は負の相関関係があることが報告されている．

（ii）　**コラーゲン分子のプロリンの水酸化反応**

ビタミンCは，結合組織のタンパク質コラーゲンに含まれるプロリン残基の水酸化反応に関与し，**ヒドロキシプロリン hydroxyproline**（図1-51）の生成に関わる．コラーゲンは－X－Y－Gly－の繰り返し構造をとり，それを構成するアミノ酸の約2/9がプロリンで，その約半数が水酸化されている．この水酸化反応が不足すると，コラーゲン分子の会合（3本が束になる）が損なわれることにより，結合組織の形成が不十分となる．その結果，壊血病の症状である毛細血管壁の軟化が起こると考えられている．

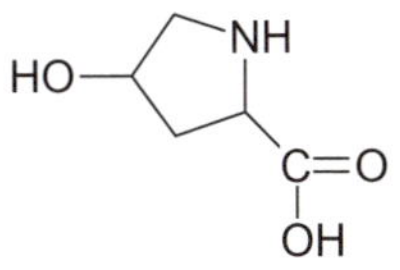

HO, NH, C=O, OH

4-ヒドロキシプロリン

図1-51　プロリンの水酸化体

（iii）　**ノルアドレナリン noradrenalin の生成反応**

副腎や神経組織でチロシンからノルアドレナリン noradrenalin が生成する過程で，ビタミンCはドーパミン dopamine の水酸化反応に関与する（図1-52）．

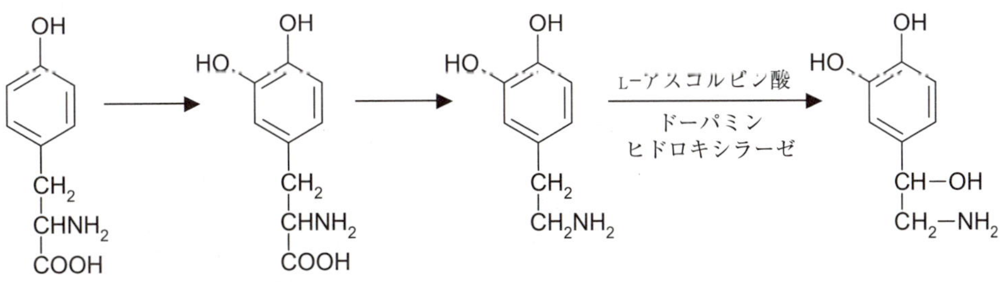

OH, CH_2, $CHNH_2$, COOH　→　OH, HO, CH_2, $CHNH_2$, COOH　→　OH, HO, CH_2, CH_2NH_2　→（L-アスコルビン酸／ドーパミン ヒドロキシラーゼ）→　OH, HO, CH－OH, CH_2－NH_2

チロシン　ジヒドロキシフェニルアラニン（DOPA）　ドーパミン　ノルアドレナリン（ノルエピネフリン）

図1-52　ドーパミンの水酸化反応におけるビタミンCの役割

② 欠乏症

ビタミンC欠乏による代表的疾患は壊血病で，主な症状は全身の点状・斑状出血，歯肉の腫脹・出血，ときに消化管出血などである．また，コラーゲンなどの結合組織の形成不全も特徴の1つである．症状の進行とともに，ヒステリー，抑うつ症などの精神症状が現れる．

③ 含有食品

かんきつ類，果汁，パセリ，野菜などであり，推奨量は成人で100 mgである．

10） その他のビタミン様化合物

ビタミン様化合物として，必須不飽和脂肪酸（ビタミンF），ユビキノン ubiquinone（補酵素Q），リポ酸，*myo*-イノシトール，コリン choline などがある．

いずれも重要な生体反応に関係し，不足すると欠乏症を伴うものもある．

C. ビタミンの吸収

脂溶性ビタミン類は脂肪酸ミセルとともに小腸から吸収されると考えられており，食品中の脂肪含量が脂溶性ビタミンの吸収に影響する．したがって，胆管障害などでは胆汁酸の分泌が低下するため，欠乏症が生じやすくなる．

水溶性ビタミンの吸収は単純拡散のほかに，それぞれのビタミンに特異的な輸送体のはたらきによると考えられている．ビタミンB_{12}は胃壁から分泌される内因子と結合し，小腸粘膜の受容体を介して吸収される．

D. ビタミン依存症

ビタミン依存症とは，生理的必要量をはるかに超えた量を投与しないとその欠乏に起因した臨床症状が改善されない遺伝性疾患であり，多くの場合，血中・組織中のビタミン量は正常である．最初にビタミンB_6依存症が発見され，水溶性ビタミンに多くみられる（表1-12）．

表1-12 ビタミン依存症

ビタミン	ビタミン依存症
B_1	楓糖尿病（メープルシロップ尿症），間欠性運動失調 高アラニン・高ビリルビン酸血症，Leigh脳症
B_6	痙攣，ビタミンB_6反応性貧血，シスタチオニン尿症 キサンツレン酸尿症
B_{12}	巨赤芽球性貧血，ビタミンB_{12}吸収障害 トランスコバラミンII欠損症，ビタミンB_{12}利用障害
D	ビタミンD不応性くる病

◆確認問題◆

1）レチノールの脂肪酸エステルは緑黄色野菜に多く含まれる．
2）ビタミンAの過剰症として，脳内圧亢進が知られている．
3）7-デヒドロコレステロールは紫外線によりビタミンD_2に変換される．
4）ビタミンB_1の欠乏症は，舌炎，口角炎である．
5）ビタミンB_2はリボフラビンとよばれる．
6）ナイアシンは組織内でNAD^+や$NADP^+$などの補酵素となる．
7）葉酸は腸内細菌が合成するので欠乏症はない．
8）ビタミンB_{12}の欠乏症として神経障害がある．
9）ビタミンEは核内受容体に結合して，ホルモンとしてはたらく．
10）ビタミンKが欠乏すると出血しやすくなる．
11）壊血病の予防にはビタミンDが効果的である．
12）葉酸とビタミンB_{12}はいずれが欠乏しても貧血となる．

【確認問題解答】

1）×　レチナールは動物のみに含まれ，植物はプロビタミンAのみを含む．
2）○
3）×　7-デヒドロコレステロールは紫外線によりビタミンD_3に変換される．
4）×　ビタミンB_1の欠乏症は，脚気やウェルニッケ・コルサコフ症候群などである．
5）○
6）○
7）×　葉酸の欠乏症は，巨赤芽球性貧血や胎児の神経管閉鎖障害・無脳症である．
8）○
9）×　ビタミンEは抗酸化活性による細胞膜脂質過酸化の防止や，抗不妊作用（ラット）などが主な作用である．
10）○
11）×　壊血病はビタミンC欠乏症である．
12）○　巨赤芽球性貧血．

1-1-6　無機質（ミネラル）

無機質（ミネラル）mineral は体内成分の約 3 ～ 4% を占める．そのうち，ナトリウム，カリウム，カルシウム，マグネシウム，リン，イオウ，塩素が無機質全体の約 70% を占め，これらは 1 日に 100 mg 以上補給される必要がある．これらの無機質は生体構成成分の炭素，水素，酸素，窒素などの主要元素と区別し，準主要元素とよばれる．このほかに，生命維持に一定量以上の摂取が必要とされる微量な無機質として，鉄，亜鉛，銅，マンガン，ヨウ素，セレン，クロム，モリブデン，コバルトがある．また，人体への役割は不明だが体内に存在する微量元素とし

表 1-13　無機質の生理作用，欠乏症，過剰症

	無機質	生理作用	欠乏症	過剰症	主な供給源
準主要元素	カルシウム（Ca）	骨成分，血液凝固，細胞間・細胞内情報伝達	くる病（小児），骨粗しょう症，骨軟化症	腎結石	乳製品，小魚
	リン（P）	骨成分，ATP，リン脂質成分，体液の液性の緩衝	骨形成不全	高リン酸血症，異所性石灰化	食品全般（加工食品に多く含まれる）
	ナトリウム（Na）	浸透圧および細胞膜電位の形成に寄与	脱水症状	高血圧，胃がんのリスク要因	味噌，醤油
	カリウム（K）	浸透圧および細胞膜電位の形成に寄与		心機能障害	果物，野菜全般
	マグネシウム（Mg）	骨・歯の成分，ATPase の補因子	（心疾患）	下痢	全粒小麦，豆，緑黄色野菜
微量元素	鉄（Fe）	ヘモグロビンの成分	貧血	亜鉛の吸収阻害，消化器障害	レバー，ほうれん草，海藻類
	亜鉛（Zn）	酵素の補因子，細胞増殖に関与	皮膚炎，味覚障害，成長障害	銅の吸収阻害による貧血	カキ，レバー，牛肉
	銅（Cu）	セルロプラスミン，ヘム合成に関与，SOD の成分	鉄不反応性貧血	接触性皮膚炎	レバー，ほうれん草，海藻類
	マンガン（Mn）	酵素の補因子	骨発育不全，生殖機能低下，中枢神経障害	パーキンソン病類似症状	穀類，緑黄色野菜，茶
	モリブデン（Mo）	酵素の補因子	神経症状	脳機能障害	豆類，海藻類，乳製品，肉類
	コバルト（Co）	ビタミン B_{12} の構成成分	貧血（巨赤芽球性貧血）	甲状腺疾患	動物性食品
	セレン（Se）	酵素の補因子	克山病（心筋症）	毛髪や爪の脆弱化	魚介類，卵類，肉類
	クロム（Cr）	耐糖因子の成分（Cr^{3+}）†，糖・脂質・タンパク質の代謝	耐糖能低下（Cr^{3+}），成長・生殖機能低下	鼻中隔穿孔（Cr^{6+}）	魚介類，肉類
	ヨウ素（I）	甲状腺機能	甲状腺腫	甲状腺腫	海藻類，魚介類
	フッ素	骨・歯の成分	虫歯，骨多孔症	斑状歯	飲料水

†クロム含有耐糖因子はいまだ見つかっていない（恐らく存在しない）．クロムによる耐糖能の改善は食事からの摂取量を大きく上回る量による薬理作用である．

てバナジウム，ケイ素，スズ，フッ素，ニッケル，ヒ素などがある．無機質の代表的な欠乏症と過剰症を表1-13に示す．

A. 生理作用

1)　水

水 water はヒトの体重の平均約60％を占め，その構成成分としては最も多い．生体内の約55％の水は細胞内液として，約45％が細胞間液やリンパ液，血漿などの細胞外液として存在する．生体内において水は，無機質や栄養分など水溶性物質の溶解・運搬・排泄や，電解質を溶解して体液のpH・浸透圧の調節にはたらく．さらに，汗や呼気として蒸発することにより熱を放散し，体温調節にも重要な役割を果たす．

通常，成人では1日あたり2,000～2,500 mLの水を摂取する必要があり，その内訳は飲料水として1,000～1,500 mL，食事の水分として800～1,000 mL，栄養素の酸化で生じる水分（代謝水）として約300 mLである．一方，尿として約1,500 mL（うち不可避尿として500 mL），**不感蒸泄**（汗や呼気中の水分）として約900 mL，糞便として約100 mLが体外に排泄され，体内の水分平衡が維持されている．しかし，腎細尿管障害や下痢，発熱などにより水分の消失量は多くなり，体内の水の約10％が失われると脱水症状が現れ，約20％が失われると死に至る．

2)　無機質

無機質は人体のほぼ全体に分布するが，それぞれの生理機能により大まかに分類することができる（表1-14）．また，無機質はその機能に応じて特定の組織に局在するものもある．

表1-14　主な無機質の生理機能

生理機能	無機質
主な生体の構成成分	P, S（H, O, C, N）
骨や歯の成分	P, Mg, Ca
酵素，ホルモン，ビタミンの成分	Mg, Ca, Cr, Mn, Fe, Cu, Zn, I, Se, Mo
浸透圧，pHの調節，神経活動，筋収縮	Na, K, Mg, P, Cl, Ca

① 骨組織の構成成分

無機質は，骨の約60％を占め，主成分はリン酸カルシウムと水酸化カルシウムの複合体である**ヒドロキシアパタイト hydroxyapatite**（$Ca_5(PO_4)_3(OH)$）で，骨に硬さを与えている．また，骨にはリン酸マグネシウムも含まれる．

② pH，浸透圧の調節

体液の電解質は主に無機イオンであり，体液の pH や浸透圧を一定に保つはたらきをしている．細胞外液の主な陽イオンはナトリウムイオン，陰イオンは塩素イオンおよび炭酸水素イオンであり，細胞内液の主な陽イオンはカリウムイオン，陰イオンはリン酸イオンである（図 1-53）．炭酸水素イオンおよびリン酸イオンは，それぞれ細胞外液と細胞内液の緩衝剤として機能し，体液の pH を一定（7.35 ～ 7.45）に保持することに寄与する．なお，細胞内液においてはタンパク質も緩衝剤として機能する．

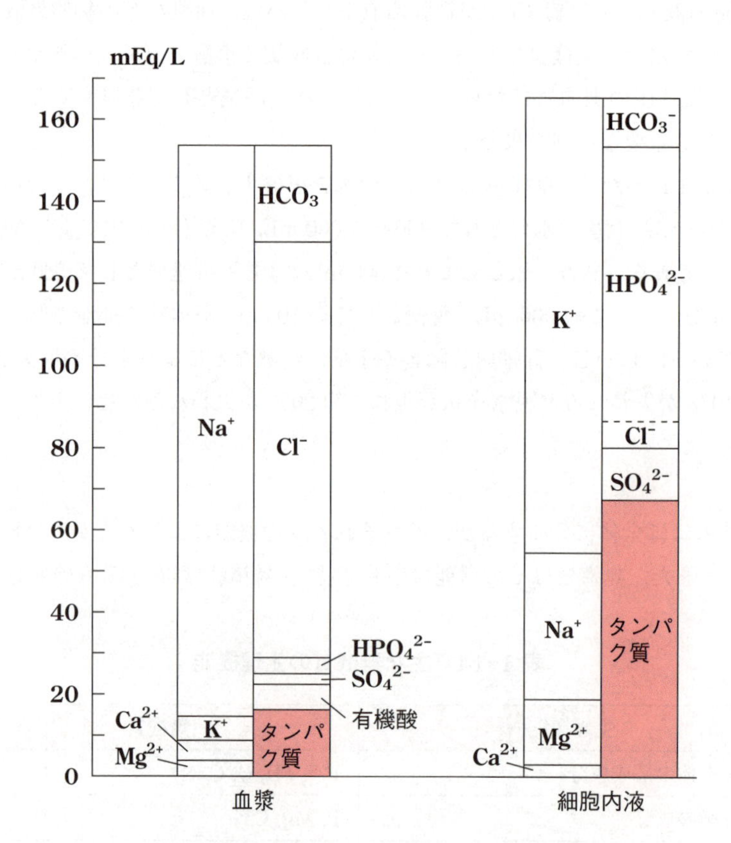

図 1-53　生体内におけるイオンの分布

③ 神経伝達

神経伝達におけるミネラルの主な機能としては，神経伝達物質の刺激によりナトリウムイオンが電位依存性ナトリウムチャネルを介して細胞内へ流入すること，ならびに脱分極に伴いカリウムイオンが電位依存性カリウムチャネルを介して細胞外へ排出されることである．また，神経伝達に関与する受容体の種類によりカルシウムイオンや塩素イオンも重要なはたらきをする．

B.　準主要元素

1）　カルシウム

カルシウム calcium は生体内の無機質中で最も量が多く（成人では1～1.4 g），その大部分（99%）が骨と歯にヒドロキシアパタイトとして存在する．また，体液中のカルシウムイオンは各種酵素の活性化や，筋肉の収縮，神経細胞の興奮，血液凝固などさまざまな生理作用に関与する．そのため，血液中のカルシウムの濃度は，ビタミンD，カルシトニン，副甲状腺ホルモン（パラトルモン）などにより，約10 mg/dL（2.5 mM）に厳密にコントロールされ，恒常性が保たれている．

食品からのカルシウムの吸収は高タンパク質食の場合に高くなる．また，牛乳に含まれるカゼインカルシウムは吸収効果の良いカルシウム形態である．一方，ホウレンソウやコーヒーに含まれる**シュウ酸 oxalic acid** や，穀物中の**フィチン酸 phytic acid**（図1-54）はカルシウムと不溶性の塩を作り，その吸収を抑制する．

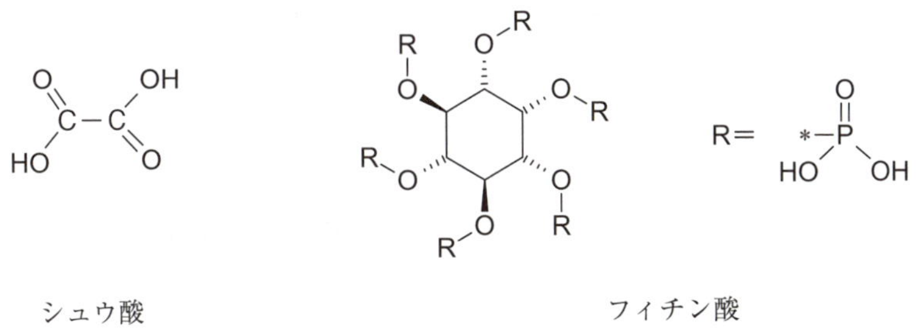

シュウ酸

フィチン酸

R=

図1-54　シュウ酸とフィチン酸の構造

生体におけるカルシウムの出納は，リンを過剰に摂取すると負になることから，カルシウムとリンの摂取比は1：1～1：2が望ましいとされている．したがって，加工食品などの高リン酸食品の過剰摂取には注意が必要である．

カルシウムが欠乏すると幼児ではくる病，成人では骨軟化症や骨粗しょう症になる．近年，高齢者や若年女性の骨粗しょう症が社会問題となっているが，骨粗しょう症では，単位体積あたりの骨塩（ヒドロキシアパタイト）の量が減少することにより骨が空洞化して脆弱化し，骨折しやすくなる．

① 推奨量（18～29歳）：男800 mg/日，女650 mg/日

② 耐容上限量（18～29歳）：2,500 mg/日

③ 含有食品：牛乳，チーズ，卵，豆類，魚介類など

2） リ ン

リン phosphorus は，その大部分（80%）がカルシウムとともにヒドロキシアパタイトを形成し，骨，歯に存在する．また，その約 10% はリン脂質や核酸などとして，タンパク質，脂質，糖質と結合して存在し，さまざまな生化学的機能の維持に寄与している．特に ATP に代表される有機リン酸エステルは，物質の代謝やエネルギー代謝に重要な役割を果たす．また，リン酸イオン（PO_4^{3-}）として体液の pH 調節にも関与する．

リンはカルシウムの代謝と関係が深いので，摂取するリンとカルシウムのバランスがとれていることが望ましい．

① 目安量（18 ～ 29 歳）：男 1,000 mg/日，女 800 mg/日

② 耐容上限量（18 ～ 29 歳）：3,000 mg/日

③ 含有食品：カルシウムと同じ

3） ナトリウム

ナトリウム sodium イオンは細胞外液の主な陽イオンであり，塩素イオンあるいは炭酸水素イオンと結合して，酸-塩基平衡を維持し pH を調節する．また，ナトリウムイオンは体液の浸透圧を維持し，生体内の水分の適正な保持に関与する．さらに，神経細胞の興奮性においてナトリウムイオンは重要なはたらきを担っている．

ヒトは主に食塩（NaCl）としてナトリウムイオンを摂取しているが，1 日 10 g 以上の食塩の摂取は高血圧の原因となり，また胃がん発症のリスクが増加する．摂取した塩化ナトリウムのほとんどは尿中または汗として排泄される．

① 推定平均必要量 600 mg/日（食塩として 1.5 g/日）

② 目標量（食塩として）（18 ～ 29 歳）：男 7.5 g 未満/日，女 6.5 g 未満/日

高血圧および慢性腎臓病（CKD）の重症化予防のための食塩相当量は男女とも 6.0 g 未満/日

4） カリウム

カリウム potassium イオンは細胞内液の主要な陽イオンであり，ナトリウムイオンと同様に，体液の pH や浸透圧の調節に関与する．また，ナトリウムイオンと協調して神経細胞の興奮性に関与する．

カリウムの摂取量は，高血圧，脳卒中，骨密度低下の予防と相関がある．ナトリウムの摂取量が増加するとナトリウムだけでなくカリウムの排泄量も増加するので，ナトリウムとカリウムの摂取比は 2 以下が適正とされる．

① 目安量（18 ～ 29 歳）：男 2,500 mg/日，女 2,000 mg/日

② 目標量（18 ～ 29 歳）：男 3,000 mg/日以上，女 2,600 mg/日以上

5） 塩　素

塩素 chlorine は一般に食塩 NaCl として摂取される．塩化物イオンは主に細胞外液に存在し，ナトリウムイオンとともに体液の浸透圧維持に関わる．また，一部，胃液中に胃酸（塩酸）として存在する．

① 目標量（食塩として）（18 ～ 29 歳）：男 7.5 g 未満/日，女 6.5 g 未満/日

6） マグネシウム

生体内の**マグネシウム magnesium** の大部分（70%）は，リン酸塩や炭酸塩として骨，歯に存在する．体液中の遊離マグネシウムイオンは，心筋・骨格筋の収縮においてカルシウムイオンと拮抗的に作用する．

摂取したマグネシウムイオンの 50 ～ 70% が能動輸送により吸収される．また，細胞内のマグネシウムイオンは**アルカリホスファターゼ alkaline phosphatase**，タンパク質リン酸化酵素など 300 種以上の酵素の活性化に関与する．

① 欠乏症：虚血性心疾患の発症リスクが高くなるとの疫学研究がある．

② 過剰症：下痢

③ 推奨量（18 ～ 29 歳）：男 340 mg/日，女 270 mg/日

④ 含有食品：豆類，海藻類，穀物など

C. 微量元素

1） 鉄

鉄 iron は体内に 3 ～ 4 g 含まれ，血液のヘモグロビンに約 65%（フェロ鉄，Fe^{2+}），筋肉のミオグロビンに約 5%（フェロ鉄），また肝臓，脾臓，骨髄に鉄貯蔵タンパク質である**フェリチン ferritin** や**ヘモジデリン hemosiderin** に結合して貯蔵鉄（フェリ鉄，Fe^{3+}）として存在する（約 1 g）．フェリ鉄は血液中で**トランスフェリン transferrin** に結合して全身を循環し，各組織に輸送され受容体を介して細胞に取り込まれ利用される（図 1-55）．

鉄はヘモグロビンなどとして酸素運搬，シトクロム，カタラーゼなどの鉄含有酵素の成分として，エネルギー代謝や酸化還元反応に関与する．

食品中の鉄のほとんどはフェリ鉄であるが，食品中のビタミン C などの還元物質で還元されフェロ鉄となり，小腸上部で吸収される．鉄の吸収率は食品によって異なり，非ヘム鉄では数%であるのに対し，ヘモグロビンなどのヘム鉄では 20 ～ 30% である（図 1-55）．

穀類に含まれる**フィチン酸**や茶の**タンニン tannin** などは，鉄と不溶性の塩をつくるので，鉄の吸収率を低下させる．また，鉄の吸収は，生理的な鉄の必要度に応じて腸管性の調節を受ける（図 1-55）．

① 欠乏症：貧血など
② 過剰症：亜鉛の吸収阻害，消化器障害など
③ 推奨量（18～29 歳）：男 7.5 mg/日，女（月経なし）6.5 mg/日
④ 耐容上限量（18～29 歳）：男 50 mg/日，女 40 mg/日
⑤ 含有食品：レバー，貝類，豆類，パセリ，ホウレンソウ，ゴマ，アーモンドなど

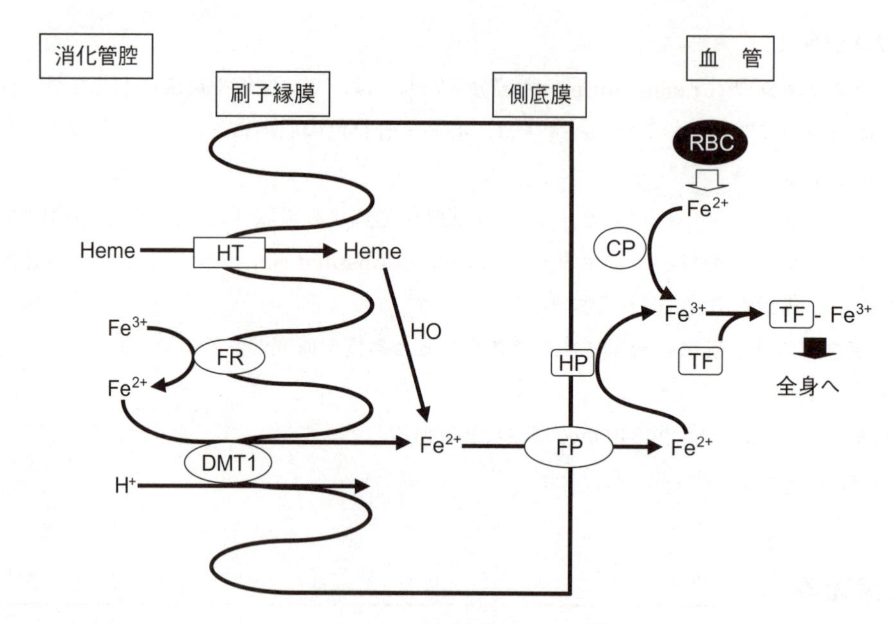

図 1-55　鉄の吸収および代謝

RBC: 赤血球，CP: セルロプラスミン，TF: トランスフェリン，DMT1: 二価金属イオントランスポータ 1（divalent metal transporter 1），FP: フェロポーチン，FR: フェロレダクターゼ，HP: ヘファスチン，HO: ヘムオキシゲナーゼ，HT: ヘムトランスポータ

2）銅

銅 copper は主に骨，筋肉，肝臓，血液に存在する．銅は乳児の成長，脳の発達，赤血球や白血球の成熟，宿主の防御機構，コレステロールや糖の代謝に必要とされる．銅の生体内に含まれる量は約 80 mg とわずかだが（体重の 0.0001%程度），**スーパーオキシドジスムターゼ superoxide dismutase（SOD）**，**モノアミンオキシダーゼ monoamine oxidase**，**シトクロム c オキシダーゼ cytochrome c oxidase**，**チロシナーゼ tyrosinase**，**カタラーゼ catalase** などの重要な酵素の構成成分である．血液中では**セルロプラスミン ceruloplasmin** に結合して存在し（図 1-55），細胞内ではその約 60% が**メタロチオネイン methallothionein** や SOD と結合している．

銅は鉄と同様にヘモグロビン合成に必要であるため，その欠乏により貧血が起こる．

① 欠乏症：貧血（鉄投与で改善されない），白血球減少，成長障害，**メンケス病**（消化管から門脈血への銅の輸送に関わるタンパク質ATP7Aの劣性遺伝病で，知能や身体の発育遅延とともに，特有の毛髪異常を呈する）など

② 過剰症：**ウイルソン Wilson 病**（銅の肝臓から胆汁への排泄に関与するタンパク質ATP7Bの劣性遺伝病で，銅が肝臓に蓄積し肝障害を引き起こす）など

③ 推奨量（18～29歳）：男0.9 mg/日，女0.7 mg/日

④ 耐容上限量（18～29歳の男女）：7 mg/日

⑤ 含有食品：海産物，肉，アーモンド，キノコなど

3） 亜　鉛

亜鉛 zinc は，生体内のほとんどの組織においてタンパク質などの高分子と結合して存在し，種々の重要な機能を果たしている．具体的には，亜鉛は**カルボキシペプチダーゼ**，**アルカリホスファターゼ**，**炭酸脱水酵素 carbonate dehydratase** などの活性化や，遺伝子発現の制御に関わり，細胞分裂や細胞増殖に必須である．

亜鉛は糖質，脂質，タンパク質の代謝や骨代謝，中枢神経機能，味覚・嗅覚受容体の機能に重要な役割を担う．

① 欠乏症：皮膚炎，味覚障害，成長障害など

② 過剰症：銅の吸収阻害による貧血など

③ 推奨量（18～29歳）：男11 mg/日，女8 mg/日

④ 耐容上限量（18～29歳）：男40 mg/日，女35 mg/日

⑤ 含有食品：カキ，牛肉，レバーなど

4） ヨウ素

ヨウ素 iodine は体内に約20 mg程度含まれ，その約半分は甲状腺に局在し，**甲状腺ホルモン**の構成成分となる（図1-56）．甲状腺ホルモンは，サイログロブリンの分解により生成し，基礎代謝の増加，体温上昇，グルコースの利用増大などを示す．

ヨウ素は海藻類に多く含まれ，これらを多く摂取している日本人での欠乏はまれである一方，過剰症が報告されている．

① 欠乏症：甲状腺腫（ヒマラヤや南米などの山岳地帯では頻発），**クレチン症 cretinism**（先天性甲状腺機能不全）など

② 過剰症：甲状腺腫，甲状腺機能亢進など

③ 推奨量（18～29歳）：130 μg/日

④ 耐容上限量（18～29歳の男女）：3,000 μg/日

⑤ 含有食品：海藻類，牛乳など

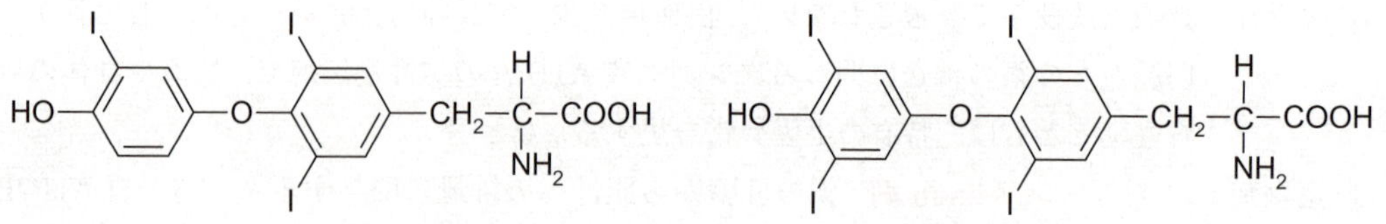

図 1-56　甲状腺ホルモンの構造

5)　マンガン

マンガン manganese は，体内に約 15 mg 程度が存在し，すべての組織に微量ながら含まれる．マンガンは**アルギニン分解酵素 arginase**，**ピルビン酸カルボキシラーゼ pyruvate carboxylase** などの栄養素の代謝に関わる酵素や **Mn-SOD** など，多くの酵素の構成成分となっている．

① 欠乏症：骨の発育不全，糖質・脂質代謝異常，糖尿病，肥満など
② 過剰症：パーキンソン病と類似の症状を呈する．
③ 目安量（18 ～ 29 歳）：男 4.0 mg/日，女 3.5 mg/日
④ 耐容上限量（18 ～ 29 歳の男女）：11 mg/日
⑤ 含有食品：植物性食品（ショウガ，シソ，海藻，緑黄色野菜，豆類など）

6)　セレン

セレン selenium は成人では体内に 14 mg 程度含まれ，アミノ酸である**セレノシステイン selenocysteine** や**セレノメチオニン selenomethionine** として機能する（図 1-57）．ヒトではセレノシステインを含むタンパク質（含セレノタンパク質）は 20 種以上存在し，**グルタチオンペルオキシダーゼ glutathion peroxidase** はその 1 つであり，活性酸素除去反応に関与する．

セレンは安全域が狭く，中毒も起こしやすい．土壌中のセレン含有量は地域により顕著な差があり，中国の一部地域ではセレン欠乏により心筋症を主徴とする風土病（**克山病 Keshan disease**）が知られている．

① 欠乏症：心筋症，筋力低下，脱毛，発がんなど
② 過剰症：急性中毒では下痢，嘔吐などの消化器障害，慢性毒性は脱毛，爪の脆弱化，皮膚がんなど
③ 推奨量（18 ～ 29 歳）：男 30 μg/日，女 25 μg/日
④ 耐容上限量（18 ～ 29 歳）：男 450 μg/日，女 350 μg/日
⑤ 含有食品：魚介類，玉ねぎ，穀類，肉類など

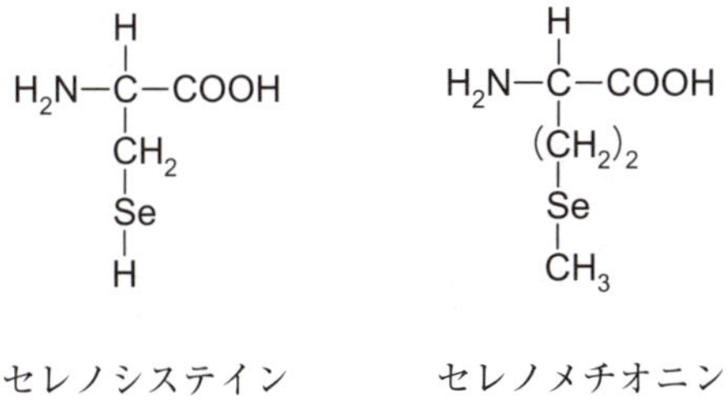

セレノシステイン　　セレノメチオニン

図1-57　セレンを含むアミノ酸

7）クロム

成人では2～10 mgの**クロム chromium**が，肝臓，腎臓，血液，脾臓，胎盤，肺などに局在するが，その含量は加齢に伴い減少することが知られている．生体内のクロムは大部分が3価（Cr^{3+}）で存在し，タンパク質，核酸，低分子化合物と結合している．

3価クロム（Cr^{3+}）がインスリン受容体の活性化に関与し，グルコース耐性因子（耐糖因子）として機能するため，その欠乏は**耐糖能低下**を引き起こす．また，脂質代謝にも関与する．なお，6価クロム（Cr^{6+}）は毒性が強く，食品汚染金属として問題となる（p. 235食品汚染金属の項参照）．

① 欠乏症：耐糖能低下，脂質代謝異常，高血圧など

② 目安量（18～29歳）：10 μg/日

③ 耐容上限量（18～29歳の男女）：500 μg/日

④ 含有食品：カキ，レバー，穀類，豆類，きのこ類，コショウなど

8）モリブデン

モリブデン molybdenumは微量元素の中では唯一の第2遷移元素である．地殻中では少ないが海水では多い元素として知られる．成人では4～5 mgが主に骨，皮膚，肝臓，腎臓に存在する．モリブデンは，プリン代謝に関係するキサンチンオキシダーゼ xanthine oxidaseなどの重要な酸化酵素の補因子**モリブドプテリン molybdopterin**（図1-58）として機能する．

① 欠乏症：神経症状（神経過敏，昏睡など）など

② 過剰症：脳機能障害など

③ 推奨量（18～29歳）：男30 μg/日，女25 μg/日

④ 耐容上限量（18～29歳）：男600 μg/日，女500 μg/日

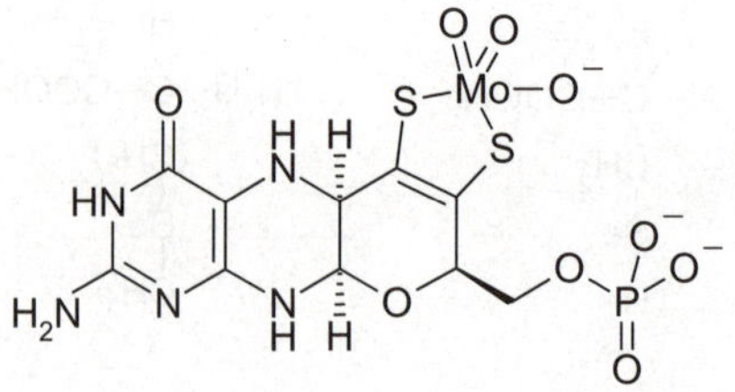

図 1-58　モリブドプテリンの構造

9）コバルト

コバルト cobalt は，成人では体内に約 1 mg 存在し，ビタミン B_{12} の構成因子として機能している．コバルトは腸内細菌によるビタミン B_{12} の合成に必要であるため，その欠乏は巨赤芽球性貧血を引き起こす．

コバルトは，魚貝類，肉類，卵などに含まれる．

10）その他の微量元素

① フッ素

フッ素 fluorine は骨や歯に多く存在する．推定される生理機能としてはヒドロキシアパタイトの水酸基との置換によるエナメル質の安定性向上がある．また，フッ素イオンが歯垢細菌の増殖を抑制し，虫歯予防効果があるとされるが，高濃度（1 mg/kg 以上）のフッ素を含む水を長時間摂取すると斑状歯などの有害性が出ることが報告されており，有効域が狭いのが特徴である（p. 236 食品汚染金属の項参照）．

フッ素の欠乏症としては虫歯，過剰症としては**斑状歯**が知られている．フッ素を含有する食品として魚介類，海藻などがある．

◆確認問題◆

1）カルシウムの吸収はシュウ酸により促進される．
2）ビタミン C は鉄の吸収を促進する．
3）セレンの先天性代謝異常としてメンケス病が知られている．
4）モリブデンはグルタチオンペルオキシダーゼの構成成分である．
5）亜鉛が不足すると味覚異常が起こることがある．
6）クロムの欠乏は糖尿病のリスクを増大させる．
7）ヨウ素は海産物に多く含まれる．

8）畜肉や魚肉に含まれる鉄は，野菜に含まれる鉄より消化管からの吸収率が高い．
9）銅の欠乏による貧血は，鉄の補給により改善される．
10）コバルトはビタミンB_2の構成成分である．

【確認問題解答】

1）×　シュウ酸やフィチン酸はカルシウムと不溶性の塩を形成するため，その吸収を抑制する．
2）○
3）×　メンケス病は銅の先天性代謝異常であり，セレン欠乏は心筋症などである．
4）×　モリブデンはモリブドプテリンの補因子であり，グルタチオンペルオキシダーゼの構成成分はセレンである．
5）○
6）○　3価クロムはインスリン受容体の活性化に関与し，グルコース耐性因子（耐糖因子）として機能するため，その欠乏は耐糖能低下を引き起こす．
7）○　日本人は海産物をよく摂取するため，ヨウ素の欠乏症はまれであるが，過剰症が起こることがある．
8）○　ヘム鉄の方が非ヘム鉄より吸収性がよい．
9）×　銅の欠乏は，鉄抵抗性貧血を引き起こす．
10）×　コバルトはビタミンB_{12}の構成成分である．

1-2　食事摂取基準と栄養摂取量

1-2-1　エネルギー代謝

ヒトが生命を維持し活動するためには，食品からエネルギーを獲得しなければならない．摂取した食品の栄養素の大部分は酸化分解されて，二酸化炭素，水および尿素に変換され，その際に発生する化学エネルギーを，ヒトは生命活動に利用している．

A.　エネルギー単位

エネルギーの標準的な単位は**カロリー calorie**（**cal**）である．1 cal は，1 気圧のもとで純水 1 g を 1℃ 昇温させるのに必要な熱エネルギー量である．栄養関係領域で扱われるエネルギー量ではキロカロリー(kcal) が一般的である．最近は，熱量を表す単位として物理的仕事量ジュール（J）が用いられるようになり，1 kcal は 4.184 kJ に相当する．

B.　食品のエネルギー

食品のもつ物理的燃焼熱は，食品を酸素存在下で燃焼させ発生する熱量を**ボンブ熱量計**を用いて測定される．この装置は，密封した容器内で秤量した試料に電気火花で火をつけ燃焼させ，その際の容器内の水の上昇温度から産生された熱エネルギーを測定する．三大栄養素を燃焼させたときの発熱量は，それぞれ平均で 1 g あたり，炭水化物（糖質）4.1 kcal，タンパク質 5.65 kcal，脂質 9.45 kcal であるが，実際に摂取した栄養素から利用できる熱量は，未消化による損失や，最終代謝産物（例えば，タンパク質は尿素が尿中に排泄される）として残るエネルギー量などの未利用エネルギーを差し引いたものとなる（表 1-15）．

これらのことを考慮して求めた各栄養素の利用エネルギーは，**アトウォーター係数 Atwater's factor** とよばれ，それぞれ 1 g あたり，炭水化物（糖質）4 kcal，脂質 9 kcal，タンパク質 4 kcal である（表 1-15）．これらは食品のエネルギー値を求める際にエネルギー換算値として，適用すべき換算係数が明らかでない食品に適用される．

食品のカロリーは，次項に示す測定の方法で食品中の水分，灰分，粗タンパク質量，粗脂肪量を求め，食品の総重量からそれらの値を差し引いて炭水化物量を算出し，それぞれのアトウォーター係数または食品ごとのカロリー換算係数を乗じて求める．

炭水化物 = 食品の総重量 − (水分 + 灰分 + 粗タンパク質量 + 粗脂肪量)

食品のカロリー（kcal/100 g）= 炭水化物量（g/100 g）× 4（kcal/g）
+ 粗脂肪量（g/100 g）× 9（kcal/g）+ 粗タンパク質量（g/100 g）× 4（kcal/g）

表 1-15　栄養素のエネルギー

成　分	物理的燃焼熱 kcal/g	消化吸収率 %	排泄熱量 kcal/g	Atwater 係数 kcal/g
タンパク質	5.7	92	1.25	4
脂　　質	9.4	95	—	9
炭水化物	4.1	97	—	4

1）食品成分の測定法

通常，食品の成分の測定は，無機成分（水分，灰分），窒素化合物（主にタンパク質），炭水化物（糖質，食物繊維），脂質，ビタミン類について行われる．成分値は可食部 100 g あたりの数値(g/100 g)で表される．日本食品標準成分表 2015 には，日本で食される代表的な食品 2,191 品目について，可食部 100 g あたりの各種 52 項目の含量が示されている．

水分の測定は，加熱乾燥法，蒸留法，カール・フィッシャー法などで行われる．灰分の測定は，食品を 550℃ の温度で加熱して有機物を燃焼させ，残留した無機物質を定量して行う（乾式灰化法）．無機質の定量は主に原子吸光法が用いられる（表 1-16）．窒素化合物の定量はセミミクロケルダール法，脂質の定量は，エーテル抽出法（ソックスレー法）で行われる．

表 1-16　無機質の測定法

成　分	試料調製法	測定法
ナトリウム，カリウム	希酸抽出法または乾式灰化法	原子吸光法
鉄*，亜鉛，銅**，マンガン	乾式灰化法	原子吸光法
カルシウム***，マグネシウム	乾式灰化法	干渉抑制剤添加−原子吸光法
リン	乾式灰化法	バナドモリブデン酸吸光光度法または モリブデンブルー吸光光度法
ヨウ素	アルカリ分解法	ICP 質量分析法
セレン，クロム，モリブデン	マイクロ波による酸分解法	ICP 質量分析法

* 一部，1,10−フェナントロリン吸光光度法
** 微量の場合は，キレート抽出による濃縮後，原子吸光法
*** 一部，過マンガン酸カリウム容量法
ICP：高周波誘導結合プラズマ

2） セミミクロケルダール法

セミミクロケルダール法 semimicro Kjeldahl method は，図 1-59 の装置を用いて，食品中のタンパク質性窒素をアンモニアとして遊離させ，酸性溶液に捕集後，それを滴定して定量する．具体的には，タンパク質性窒素を含む食品を，分解フラスコ（A）中で，硫酸および分解促進剤（硫酸銅と硫酸カリウムの混合物）で加熱分解し，窒素をアンモニアとする（① 分解）．ついで，濃水酸化ナトリウム水溶液を加えてアルカリ性とし，アンモニアを遊離させ，水蒸気蒸留により 4% ホウ酸溶液（B）に捕集する（② 蒸留および ③ 捕集）．捕集液を希硫酸で滴定しアンモニア量を求め（④ 滴定），窒素係数を乗じて粗タンパク質量を算定する．**窒素係数**は，タンパク質の平均窒素含量が 16% であることから 6.25 であるが，いくつかの食品では数値が与えられている（表 1-17）．各操作段階の反応を下に示す．

① 分解：含窒素化合物 $\xrightarrow[\text{分解促進剤}]{H_2SO_4}$ NH_4HSO_4

② 蒸留：$NH_4HSO_4 + 2NaOH \longrightarrow NH_3 + Na_2SO_4 + 2H_2O$

③ 捕集：$NH_3 + H_3BO_3 \rightleftarrows NH_4BO_2 + H_2O$

④ 滴定：$2NH_3 + H_2SO_4 \longrightarrow (NH_4)_2SO_4$

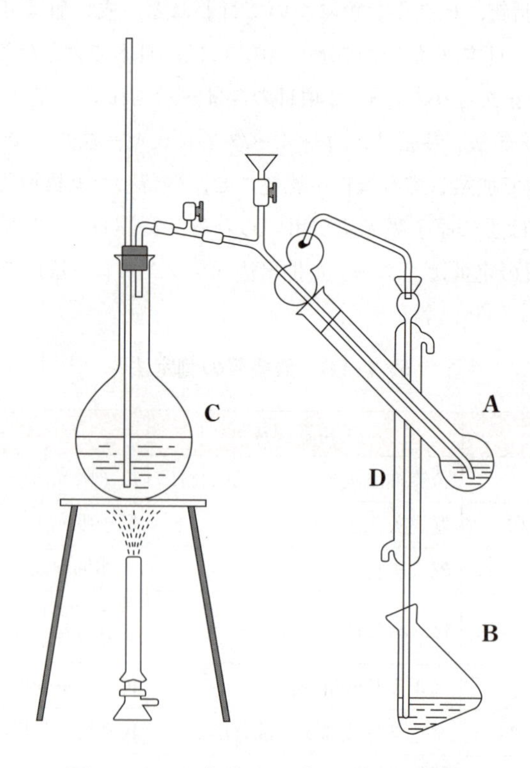

図 1-59 セミミクロケルダール装置

A：分解フラスコ　B：吸収フラスコ　C：水蒸気発生装置　D：リービッヒ冷却管

表 1-17　代表的な食品の窒素係数

食　品	窒素係数	食　品	窒素係数
卵	6.25	うどん	5.70
肉	6.25	落花生	5.46
牛乳，乳製品	6.38	大豆，大豆製品	5.71
米	5.95	ご　ま	5.30
小　麦（全粒）	5.83	アーモンド	5.18
小麦粉（歩留 80%以下）	5.70	小　豆	6.25
とうもろこし	6.25	一　般	6.25
そ　ば	6.31		

3）エーテル抽出法（ソックスレー法）

粗脂肪には，中性脂質，リン脂質，糖脂質，ステロールなどが含まれ，脂質量として表わされる．粗脂肪の定量には，一般に**エーテル抽出法**（**ソックスレー Soxhlet 法**）が適用され，ソックスレー抽出器（図 1-60）を用いる．本法の概略を以下に記す．

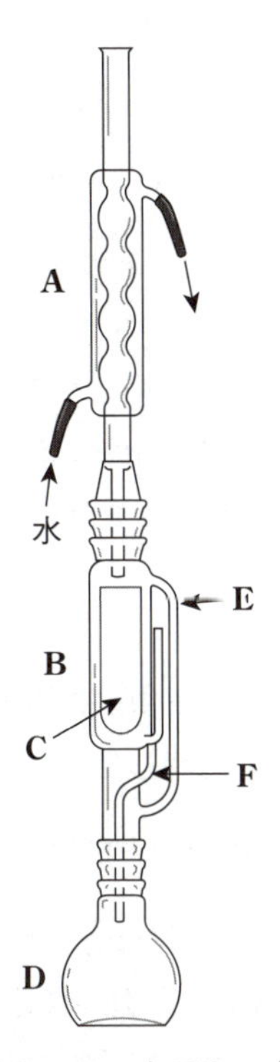

図 1-60　ソックスレー抽出器

A：冷却器　B：抽出管　C：円筒ろ紙　D：受器　E：側管　F：サイホン

粉末にした試料を円筒ろ紙（C）に量り取り，乾燥後，図の装置の抽出管（B）に装着する．乾燥した受器（D）にエーテルを半量入れ湯浴で加温する．蒸発したエーテルが冷却器（A）で冷却され抽出管（B）に滴下するように温度を調節する．一定量以上に溜まるとエーテルはサイホンの原理で受器に戻る．これが繰り返され試料中の脂質が抽出される．8時間後，受器のエーテルを蒸発させ，乾燥後に重量を量り，初期重量との差を粗脂肪量とする．

C.　エネルギー代謝量の測定

1）　呼吸商

ある一定時間内に体内でエネルギーとして利用された糖質，脂質，タンパク質の量を見積もるために用いられるのが**呼吸商 respiratory quotient**（**RQ**）であり，それは単位時間あたりに消費された酸素量に対する排出された二酸化炭素量の体積比として，次式で計算される．

RQ = 単位時間あたりの二酸化炭素排出量/単位時間あたりの酸素消費量

糖質（グルコース）が完全に酸化されると，発生する二酸化炭素量と消費される酸素量は等しく，RQ は 1.0 となる．

$$C_6H_{12}O_6 + 6O_2 = 6CO_2 + 6H_2O$$

また，脂質であるグリセロールトリパルミテートの RQ は，102/145 = 0.703 である．

$$2C_{51}H_{98}O_6 + 145O_2 = 102CO_2 + 98H_2O$$

タンパク質は体内で完全に燃焼しないので，その RQ の算出は複雑であるが，0.802 と計算される．

このように栄養素の種類によって RQ の値が異なることから，体内で糖質のみが消費されたとき，RQ は 1 となり，また，飢餓時のように，脂質の消費の割合が増えると，RQ は 0.7 に近づく．したがって，RQ から，消費された栄養素の割合を推定することができる．

2）　非タンパク質呼吸商

タンパク質が体内で燃焼すると，タンパク質由来の窒素は尿中に尿素として排泄されるので，尿中の尿素に由来する窒素量から，体内で燃焼したタンパク質量が次式で算出される．

タンパク質分解量 = 尿中窒素排出量 × 6.25

この値とタンパク質の RQ（0.8）から，タンパク質の燃焼のために消費された酸素量と排出された二酸化炭素量が求まる．この値を RQ から引いて求めたものが**非タンパク質呼吸商 non-protein RQ**（**NPRQ**）である．この非タンパク質呼吸商の値から，一定時間に分解された糖質と脂質の量の比が求まり（表 1-18），これと非タンパク質性の酸素消費量から，分解した糖質と脂質の量が計算できる．先に求めたタンパク質分解量と合わせて，全体の栄養素の消費量が求まるので，これにアトウォーター係数を掛けて，このとき体内で発生したエネルギー量が計算できる．

表 1-18　非タンパク質呼吸商と糖質・脂質分解による発生エネルギー

非タンパク質呼吸商	糖質（%）	脂質（%）	エネルギー（kcal/O_2 L）
0.70	0.0	100.0	4.686
0.72	4.8	95.2	4.702
0.80	33.4	66.6	4.801
0.82	40.3	59.7	4.825
0.98	82.7	12.8	5.022
1.00	100.0	0.0	5.047

3）基礎代謝量

安静にしているときも，体温を保つ，呼吸をする，心臓を動かすなど，さまざまな生命活動のためにエネルギーが消費される．これを**基礎代謝 basal metabolism**（**BM**）とよび，このときのエネルギー消費量を**基礎代謝量**（kcal/日）という．基礎代謝量は，空腹時 20℃ で安静に横たわって睡眠中に発生する熱量であるが，実際には，食後 12 時間以上経過した早朝空腹時に，仰臥位で安静・覚醒状態で適正室温（約 25℃）において測定される．基礎代謝量は，男性では 15～17 歳で，女性では 12～14 歳で最も大きい（表 1-19）．

基礎代謝基準値（kcal/kg/日）とは，体重あたりの基礎代謝量である．基礎代謝基準値は生後 2 歳までが最も高く（表 1-19），それ以降低下し，20 歳前後から一定となる（図 1-61）．

基礎代謝量は，性別，年齢，体格，職業，生活環境，栄養状態などにより異なり，大きな個人差がある．同年齢では女性より男性が高い．基礎代謝の大部分は体表面から放散される体熱量に相当するので，基礎代謝量は体表面積の大きさに比例する（約 1,000 kcal/m^2）．また，感染などで発熱し体温が高いと基礎代謝量は高くなり（10～13%/℃），栄養状態が悪いと低下する．基礎代謝量は気温によっても影響され，気温が低いと体温を維持するために高くなる．

4）食事誘発性熱産生

食事摂取後は，吸収された栄養素をもとにして各組織での代謝が活発となり，熱産生が起こる．このような熱産生を**食事誘発性熱産生 diet induced thermogenesis**（**DIT**）という．食事誘発性熱産生は，食後 2～3 時間で最高となり，その後減少し，10 時間後にはもとに戻る．発生したエネルギーは熱として消費され，筋肉活動のための仕事のエネルギーにはならない．

代謝の増加率は栄養素の種類により異なり，タンパク質が 20～30% と最も大きく，炭水化物が 5～15%，脂質が 0～3% である．日本人の平均的な食事での食事誘発性熱産生は約 10% である．

表 1-19　参照体重における基礎代謝量

性　別	男　性			女　性		
年齢（歳）	基礎代謝基準値（kcal/kg 体重/日）	参照体重（kg）	基礎代謝量（kcal/日）	基礎代謝基準値（kcal/kg 体重/日）	参照体重（kg）	基礎代謝量（kcal/日）
1〜2	61.0	11.5	700	59.7	11.0	660
3〜5	54.8	16.5	900	52.2	16.1	840
6〜7	44.3	22.2	980	41.9	21.9	920
8〜9	40.8	28.0	1,140	38.3	27.4	1,050
10〜11	37.4	35.6	1,330	34.8	36.3	1,260
12〜14	31.0	49.0	1,520	29.6	47.5	1,410
15〜17	27.0	59.7	1,610	25.3	51.9	1,310
18〜29	23.7	64.5	1,530	22.1	50.3	1,110
30〜49	22.5	68.1	1,530	21.9	53.0	1,160
50〜64	21.8	68.0	1,480	20.7	53.8	1,110
65〜74	21.6	65.0	1,400	20.7	52.1	1,080
75 以上	21.5	59.6	1,280	20.7	48.8	1,010

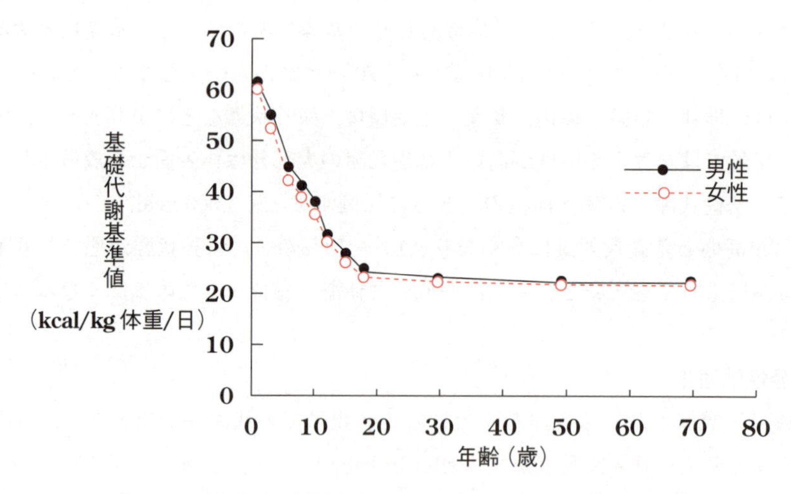

図 1-61　基礎代謝基準値と年齢（歳）との関係の概念図

1-2-2　日本人の食事摂取基準

A. 方　針

日本人の食事摂取基準 dietary reference intakes for Japanese は，健康な個人ならびに集団を対象として，国民の健康の保持・増進，生活習慣病の予防のために参照するエネルギーおよび栄養素の摂取量の基準を示すものである．2020 年度版の使用期間は，2020（令和 2）年度から 2024（令和 6）年度までの 5 年間である．

2013（平成 25）年度に開始した健康日本 21（第二次）では，高齢化の進展や糖尿病等有病者数の増加などを踏まえ，主要な生活習慣病の発症予防と重症化予防の徹底を図るとともに，社会生活を営むために必要な機能の維持および向上を図ることなどが基本的方向として掲げられている．こうしたことから，「日本人の食事摂取基準」(2020 年版）では，栄養に関連した身体・代謝機能の低下の回避の観点から，健康の保持・増進，生活習慣病の発症予防および重症化予防に加え，高齢者の低栄養予防やフレイル予防も視野に入れて策定を行うこととした．

1）対象とする個人ならびに集団の範囲

食事摂取基準の対象は，健康な個人ならびに健康な人を中心として構成されている集団であり，高血圧，脂質異常，高血糖，腎機能低下のリスクを有していても自立した日常生活を営んでいる者も含まれる．具体的には，歩行や家事などの身体活動を行っているものであり，体格（**body mass index：BMI**，BMI＝体重（kg）/(身長（m))^2）が標準より著しく外れていない者とする．

2）策定の対象とするエネルギーおよび栄養素

健康増進法に基づき，厚生労働大臣が定めるものとされている熱量および栄養素を表 1-20 に示した．

3）指標の目的と種類

① エネルギー

エネルギーについては，エネルギー摂取の過不足の回避が目的であり，エネルギーの摂取量および消費のバランス（**エネルギー収支バランス**）の維持を示す指標として，BMI が採用された（図 1-62）．当面目標とする BMI の範囲は，観察疫学研究の結果から得られた総死亡率，疾患別の発症率と BMI との関連，死因と BMI との関連，さらに日本人の BMI の実態に配慮し，総合的に判断された（表 1-21）．

エネルギー消費量が一定であれば，エネルギー必要量よりもエネルギーを多く摂取すると体重

表 1-20　健康増進法に基づき定める食事摂取基準

1	国民がその健康の保持増進を図る上で摂取することが望ましい熱量に関する事項	
2	国民がその健康の保持増進を図る上で摂取することが望ましい栄養素量に関する事項	
	イ	国民の栄養摂取の状況からみて，その欠乏が国民の健康の保持増進に影響を与えているものとして，厚生労働省令で定める栄養素
		タンパク質
		n-6 系脂肪酸，n-3 系脂肪酸
		炭水化物，食物繊維
		ビタミン A，D，E，K，B_1，B_2，B_6，B_{12}，C，ナイアシン，葉酸，パントテン酸，ビオチン
		カリウム，カルシウム，マグネシウム，リン，鉄，亜鉛，銅，マンガン，ヨウ素，セレン，クロム，モリブデン
	ロ	国民の栄養摂取の状況からみて，その過剰な摂取が国民の健康の保持増進に影響を与えているものとして，厚生労働省令で定める栄養素
		脂質，飽和脂肪酸，コレステロール
		糖類（単糖類又は二糖類であって，糖アルコールでないものに限る.）
		ナトリウム

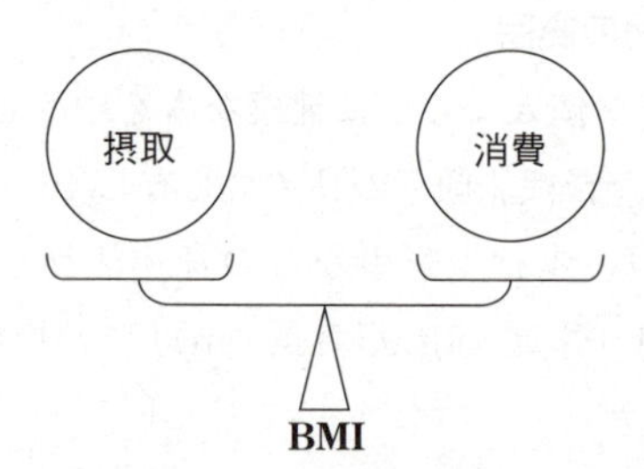

図 1-62　エネルギー収支バランスの基本概念

表 1-21　目標とする BMI の範囲（18 歳以上）[1,2]

年齢（歳）	目標とする BMI（kg/m^2）
18〜49	18.5〜24.9
50〜64	20.0〜24.9
65〜74 [3]	21.5〜24.9
75 以上 [3]	21.5〜24.9

[1] 男女共通．あくまでも参考として使用すべきである．

[2] 観察疫学研究において報告された総死亡率が最も低かった BMI を基に，疾患別の発症率と BMI の関連，死因と BMI との関連，喫煙や疾患の合併による BMI や死亡リスクへの影響，日本人の BMI の実態に配慮し，総合的に判断し目標とする範囲を設定．

[3] 高齢者では，フレイルの予防および生活習慣病の発症予防の両者に配慮する必要があることも踏まえ，当面目標とする BMI の範囲を 21.5 〜 24.9 kg/m^2 とした．

は増加し，少なく摂取すると体重は減少する．したがって，理論的にはエネルギー必要量には「範囲」は存在しないこととなり，これは栄養素の場合とは大きく異なるエネルギーに特有の特徴である．また，エネルギー必要量に及ぼす要因は，性，年齢階級，身体活動レベル以外にも数多く存在し，それらは個人間差として無視することはできない．

自由な生活下におけるエネルギー必要量を正確に測定することはきわめて難しい．現在，自由な生活を営みながら一定期間のエネルギー消費量を最も正確に測定する方法として**二重標識水法**がある．これは一定量の二重標識水（重酸素と重水素からなる水）を対象者に飲ませ，尿中に排泄される重酸素と重水素の濃度の比の変化量からエネルギー消費量を算出する方法である．しかしながら，この方法による測定は高価であり，特殊な測定機器も必要であるため，広く用いることはできない．

そのため，エネルギーの摂取基準は，**推定エネルギー必要量 estimated energy requirement（EER）**として表され，成人（18歳以上）では，

推定エネルギー必要量（kcal/日）＝基礎代謝量（kcal/日）×身体活動レベル

として算出される（表1-22）．なお，小児，乳児および妊婦，授乳婦に関する推定エネルギー必要量では，成長や妊娠継続，授乳に必要なエネルギー量を付加量として加える必要があるため，上述の式に当てはめて算出することはできない．

成人の**身体活動レベル physical activity level（PAL）**は，健康な日本人の成人で測定したエネルギー消費量を推定基礎代謝量で除することによって求められた（表1-23）．

エネルギー摂取量とエネルギー消費量は，個人の生物学的要因や外的要因で規定される部分と意図的にコントロールできる部分を有し，また，相互に関連しあっている（図1-63）．健康の維持・増進，生活習慣病の予防を目指してエネルギー摂取量を計画的に管理するに当たっては，これらの因子の影響をよく理解し，エネルギー摂取量のコントロールを容易にするよう配慮することが望ましい．

また，日本人の食事摂取基準では，**エネルギー産生栄養素バランス**も示されている（表1-24）．タンパク質，脂質，炭水化物の栄養素バランスは，エネルギーを産生する栄養素ならびにその構成成分の摂取不足を回避するとともに，生活習慣病の発症と重症化の予防を目的とするものである．エネルギー産生栄養素バランスは，タンパク質の量を最初に，次に脂質の量，そしてその残余を炭水化物として定めるのが適切と考えられる．

表 1-22　推定エネルギー必要量

性　別	男　性			女　性		
身体活動レベル[1]	Ⅰ	Ⅱ	Ⅲ	Ⅰ	Ⅱ	Ⅲ
0～5（月）	—	550	—	—	500	—
6～8（月）	—	650	—	—	600	—
9～11（月）	—	700	—	—	650	—
1～2（歳）	—	950	—	—	900	—
3～5（歳）	—	1,300	—	—	1,250	—
6～7（歳）	1,350	1,550	1,750	1,250	1,450	1,650
8～9（歳）	1,600	1,850	2,100	1,500	1,700	1,900
10～11（歳）	1,950	2,250	2,500	1,850	2,100	2,350
12～14（歳）	2,300	2,600	2,900	2,150	2,400	2,700
15～17（歳）	2,500	2,800	3,150	2,050	2,300	2,550
18～29（歳）	2,300	2,650	3,050	1,700	2,000	2,300
30～49（歳）	2,300	2,700	3,050	1,750	2,050	2,350
50～64（歳）	2,200	2,600	2,950	1,650	1,950	2,250
65～74（歳）	2,050	2,400	2,750	1,550	1,850	2,100
75 以上（歳）[2]	1,800	2,100	—	1,400	1,650	—
妊婦（付加量）[3] 初期				＋50	＋50	＋50
中期				＋250	＋250	＋250
後期				＋450	＋450	＋450
授乳婦（付加量）				＋350	＋350	＋350

[1] 身体活動レベルは，低い，ふつう，高いの 3 つのレベルとして，それぞれⅠ，Ⅱ，Ⅲで示した．
[2] レベルⅡは自立している者，レベルⅠは自宅にいてほとんど外出しない者に相当する．レベルⅠは高齢者施設で自立に近い状態で過ごしている者にも適用できる値である．
[3] 妊婦個々の体格や妊娠中の体重増加量，胎児の発育状況の評価を行うことが必要である．

表 1-23　身体活動レベル別にみた活動内容と活動時間の代表例

身体活動レベル	低い（Ⅰ）	ふつう（Ⅱ）	高い（Ⅲ）
	1.50（1.40〜1.60）	1.75（1.60〜1.90）	2.00（1.90〜2.20）
日常生活の内容	生活の大部分が座位で，静的な活動が中心の場合	座位中心の仕事だが，職場内での作業・接客等，あるいは通勤，買い物・家事，軽いスポーツ等のいずれかを含む場合	移動や立位の多い仕事への従事者，あるいは，スポーツ等の余暇における活発な運動習慣を持っている場合
中程度の強度（3.0〜5.9 メッツ*）の身体活動の 1 日当たりの合計時間（時間/日）	1.65	2.06	2.53
仕事での 1 日当たりの合計歩行時間（時間/日）	0.25	0.54	1.00

*メッツ（metabolic equivalent）：座位安静時代謝量の倍数として表した各身体活動の強度の指標

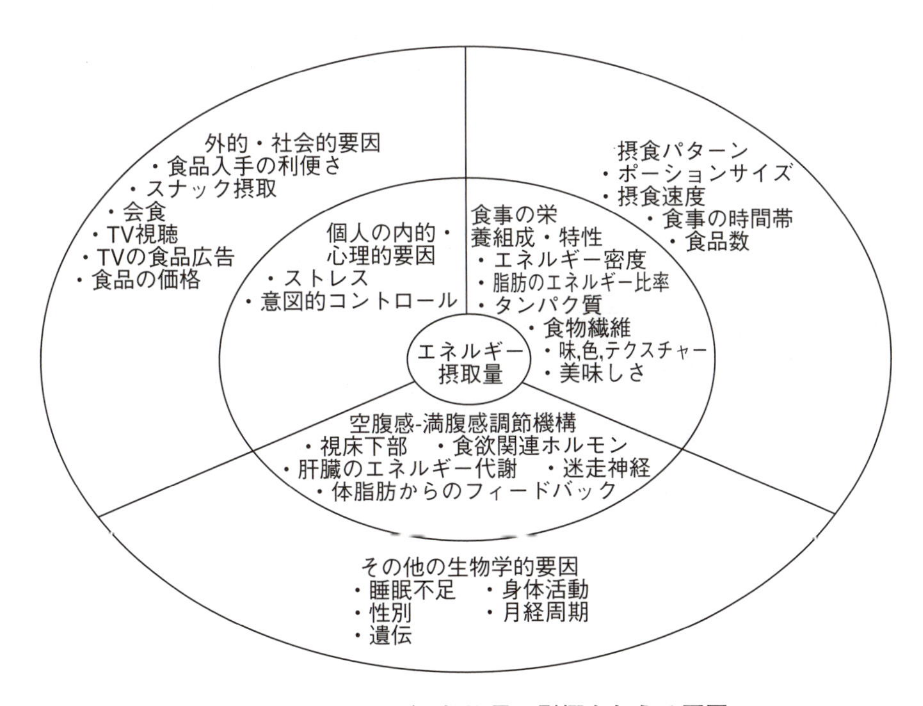

図 1-63　エネルギー摂取量に影響を与える要因

表 1-24　エネルギー産生栄養素バランスの食事摂取基準（%エネルギー）

年齢等	男性				女性			
	目標量[1,2]				目標量[1,2]			
	タンパク質[3]	脂質[4]		炭水化物[5,6]	タンパク質[3]	脂質[4]		炭水化物[5,6]
		脂質	飽和脂肪酸			脂質	飽和脂肪酸	
0～11（月）	—	—	—	—	—	—	—	—
1～2（歳）	13～20	20～30	—	50～65	13～20	20～30	—	50～65
3～14（歳）	13～20	20～30	10 以下	50～65	13～20	20～30	10 以下	50～65
15～17（歳）	13～20	20～30	8 以下	50～65	13～20	20～30	8 以下	50～65
18～49（歳）	13～20	20～30	7 以下	50～65	13～20	20～30	7 以下	50～65
50～64（歳）	14～20	20～30	7 以下	50～65	14～20	20～30	7 以下	50～65
65～74（歳）	15～20	20～30	7 以下	50～65	15～20	20～30	7 以下	50～65
75 以上（歳）	15～20	20～30	7 以下	50～65	15～20	20～30	7 以下	50～65
妊婦　初期					13～20	20～30	7 以下	50～65
中期					13～20			
後期					15～20			
授乳婦					15～20	20～30	7 以下	50～65

[1] 必要なエネルギー量を確保した上でのバランスとすること．
[2] 各栄養素の範囲に関しては，おおむねの値を示したものであり，弾力的に運用すること．
[3] 65 歳以上の高齢者について，フレイル予防を目的とした量を定めることは難しいが，身長・体重が参照体位に比べて小さい者や，特に 75 歳以上であって加齢に伴い身体活動量が大きく低下した者など，必要エネルギー摂取量が低い者では，下限が推奨量を下回る場合があり得る．この場合でも，下限は推奨量以上とすることが望ましい．
[4] 脂質については，その構成成分である飽和脂肪酸など，質への配慮を十分に行う必要がある．
[5] アルコールを含む．ただし，アルコール摂取を勧めるものではない．
[6] 食物繊維の目標量を十分に注意すること．

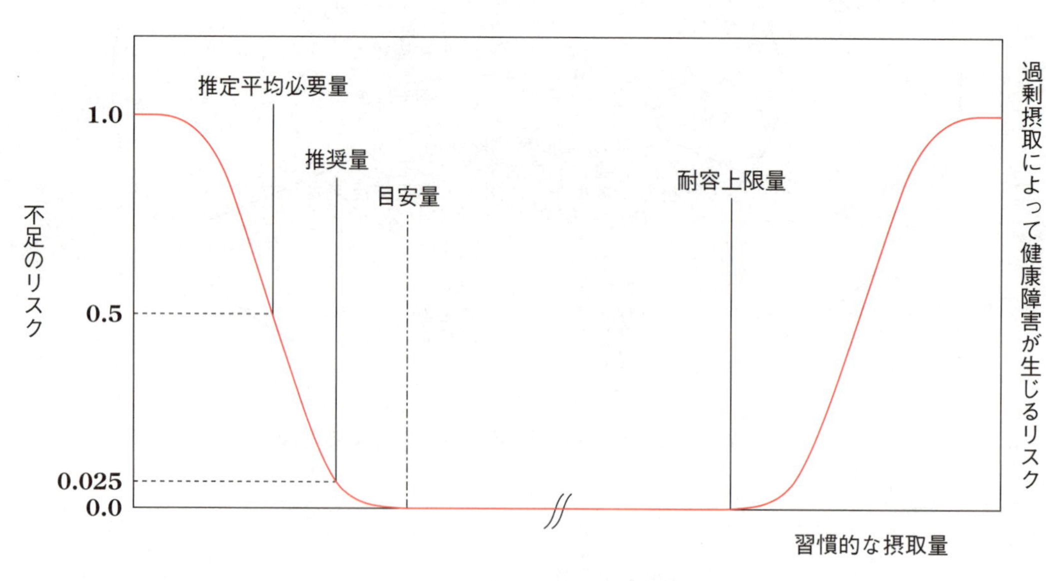

図 1-64　食事摂取基準の概念図

② 栄養素

栄養素の指標として，**推定平均必要量**，**推奨量**，**目安量**，**目標量**および**耐容上限量**が設定されている（図1-64）．この中で，健康の維持・増進と欠乏症予防のために，「推定平均必要量」と「推奨量」の2つが，そしてこの2指標を設定することができない栄養素に関しては「目安量」が設定されている．また，過剰摂取による健康障害を未然に防ぐことを目的として「耐容上限量」を，さらに，生活習慣病の予防を目的として食事摂取基準を設定する必要のある栄養素については「目標量」が設定されている（表1-25）．

表1-25　栄養素の指標の目的と種類

目　的	指標の種類
摂取不足の回避	推定平均必要量，推奨量 これらを設定できない場合の代替指標：目安量
過剰摂取による健康被害の回避	耐容上限量
生活習慣病の予防	目標量

（i）**推定平均必要量 estimated average requirement（EAR）**

ある母集団における平均必要量の推定値．ある母集団に属する50%の人が必要量を満たすと推定される1日の摂取量である．

（ii）**推奨量 recommended dietary allowance（RDA）**

ある母集団に属するほとんどの人（97～98%）が，1日の必要量を満たすと推定される1日の摂取量．理論的には，（推定平均必要量の平均値＋2×推定平均必要量の標準偏差）として算出される．しかし，実験から標準偏差を求めることは，ほとんどできないため，推定平均必要量×（1＋2×変動係数）＝推定平均必要量×推奨量安定係数）として求められている．

iii）**目安量 adequate intake（AI）**

特定の集団における，ある一定の栄養状態を維持するのに十分な量．十分な科学的根拠が得られず，「推定平均必要量」が算定できない場合に，特定の集団において不足状態を示す人がほとんど観察されない量として与えられる．

（iv）**耐容上限量 tolerable upper intake level（UL）**

健康障害をもたらすリスクがないとみなされる習慣的な摂取量の上限を与える量．

（v）**目標量 tentative dietary goal for preventing life-style related diseases（DG）**

生活習慣病の発症予防を目的として，現在の日本人が当面目標とすべき摂取量．

各栄養素の特徴を考慮して次の3種類の策定方法が用いられた．

・望ましいと考えられる摂取量よりも現在の日本人の摂取量が少ない場合，範囲の下の値だけを算定：食物繊維，カリウム

・望ましいと考えられる摂取量よりも現在の日本人の摂取量が多い場合，範囲の上の値だけを算

定：飽和脂肪酸，ナトリウム（食塩相当量）

・生活習慣病の予防を目的とした複合的な指標として構成比率を算定：エネルギー産生栄養素バランス（タンパク質，脂質，炭水化物（アルコールを含む）が，総エネルギー摂取量に占めるべき割合）

4）策定した食事摂取基準

1歳以上について基準を策定した栄養素と指標を表1-26に示した．

「日本人の食事摂取基準」(2020年版) における2015年版からの主な変更点は，以下の通りである．

(i) 高齢者の年齢区分を見直し，高齢者を65歳以上とし，次の3区分とした．

・50〜64歳（高齢者としない）

・65〜74歳

・75歳以上

(ii) 食事摂取基準で扱う生活習慣病を，高血圧，脂質異常症，糖尿病および慢性腎臓病を基本とすることとした．

(iii) 中高年層（50歳以上）のタンパク質の目標量（下限）を男女ともに引き上げた．

(2015年版：13〜20%エネルギー→2020年版：50〜64歳14〜20%エネルギー，65歳以上15〜20%エネルギー)

(iv) ビタミンDの目安量を1歳以上の男女各年齢層で引き上げた．

(2015年版18歳以上5.5 μg/日→2020年版：8.5 μg/日)

(v) ナトリウムの食塩相当量の目標量を引き下げた．

(2015年版：18歳以上男性8.0 g/日未満，女性7.0 g/日未満→2020年版：7.5 g/日未満，女性6.5 g/日未満)　※高血圧および慢性腎臓病（CKD）の重症化予防のための食塩相当量は男女とも6.0 g/日未満

(vi) 微量元素（クロム）に関する成人の耐容上限量を新たに設定した．

(2020年版：18歳以上500 μg/日)

表 1-26　基準を策定した栄養素と指標[1]（1 歳以上）

栄養素			推定平均必要量（EAR）	推奨量（RDA）	目安量（AI）	耐容上限量（UL）	目標量（DG）
タンパク質[2]			○$_{b}$	○$_{b}$	—	—	○[3]
脂　質		脂質	—	—	—	—	○[3]
		飽和脂肪酸[4]	—	—	—	—	○[3]
		n-6 系脂肪酸	—	—	○	—	—
		n-3 系脂肪酸	—	—	○	—	—
		コレステロール[5]	—	—	—	—	—
炭水化物		炭水化物	—	—	—	—	○[3]
		食物繊維	—	—	—	—	○
主要栄養素バランス[2,3]			—	—	—	—	○[3]
ビタミン	脂溶性	ビタミン A	○$_{a}$	○$_{a}$	—	○	—
		ビタミン D[2]	—	—	○	○	—
		ビタミン E	—	—	○	○	—
		ビタミン K	—	—	○	—	—
	水溶性	ビタミン B_1	○$_{c}$	○$_{c}$	—	—	—
		ビタミン B_2	○$_{c}$	○$_{c}$	—	—	—
		ナイアシン	○$_{a}$	○$_{a}$	—	○	—
		ビタミン B_6	○$_{b}$	○$_{b}$	—	○	—
		ビタミン B_{12}	○$_{a}$	○$_{a}$	—	—	—
		葉酸	○$_{a}$	○$_{a}$	—	○[6]	—
		パントテン酸	—	—	○	—	—
		ビオチン	—	—	○	—	—
		ビタミン C	○$_{x}$	○$_{x}$	—	—	—
ミネラル	多量	ナトリウム[5]	○$_{a}$	—	—	—	○
		カリウム	—	—	○	—	○
		カルシウム	○$_{b}$	○$_{b}$	—	○	—
		マグネシウム	○$_{b}$	○$_{b}$	—	○[6]	—
		リン	—	—	○	○	—
	微量	鉄	○$_{x}$	○$_{x}$	—	○	—
		亜鉛	○$_{b}$	○$_{b}$	—	○	—
		銅	○$_{b}$	○$_{b}$	—	○	—
		マンガン	—	—	○	○	—
		ヨウ素	○$_{a}$	○$_{a}$		○	—
		セレン	○$_{a}$	○$_{a}$	—	○	—
		クロム	—	—	○	○[6]	—
		モリブデン	○$_{b}$	○$_{b}$	—	○	—

[1] 一部の年齢区分についてだけ設定した場合も含む.
[2] フレイル予防を図る上での留意事項を表の脚注として記載.
[3] 総エネルギー摂取量に占めるべき割合（% エネルギー））.
[4] 脂質異常症の重症化予防を目的としたコレステロールの量と，トランス脂肪酸の摂取に関する参考情報を表の脚注として記載.
[5] 高血圧および慢性腎臓病（CKD）の重症化予防を目的とした量を表の脚注として記載.
[6] 通常の食品以外の食品からの摂取について定めた.
$_{a}$ 集団内の半数の者に不足又は欠乏の症状が現れ得る摂取量をもって推定平均必要量とした栄養素.
$_{b}$ 集団内の半数の者で体内量が維持される摂取量をもって推定平均必要量とした栄養素.
$_{c}$ 集団内の半数の者で体内量が飽和している摂取量をもって推定平均必要量とした栄養素.
$_{x}$ a〜c 以外の方法で推定平均必要量が定められた栄養素.

5）活用の基本的考え方

健康な個人または集団を対象として，健康の維持・増進，生活習慣病の予防のための食事改善に，食事摂取基準を活用する場合は，**PDCAサイクル**に基づく活用を基本とする（図1-65）.

6）食事摂取状況のアセスメント

エネルギーならびに各栄養素の摂取状況のアセスメントは，食事調査（陰膳方式など）によって得られる摂取量と食事摂取基準の各指標値を比較することによって行う．ただし，エネルギー摂取量の過不足のアセスメントには，BMIまたは体重変化量を用いる.

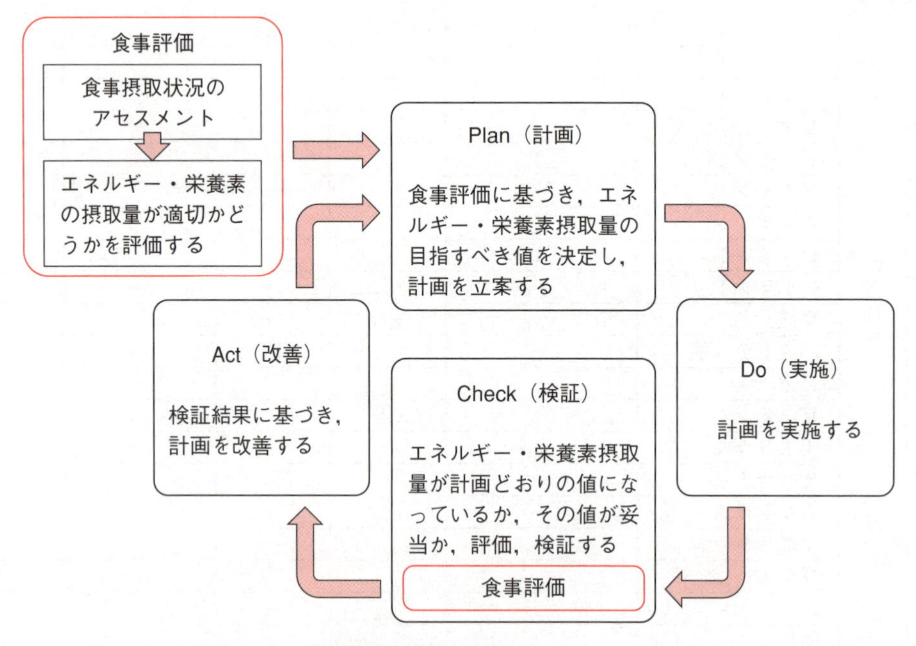

図1-65　食事摂取基準の活用とPDCAサイクル

1-2-3　日本人の栄養摂取状況

わが国では健康増進法に基づき国民健康・栄養調査を毎年実施している．2017（平成29）年度国民健康・栄養調査の摂取量の結果を表1-27および図1-66に示す.

1950（昭和25）年と2017（平成29）年の調査結果を比較すると，摂取エネルギーは2098 kcalから1897 kcalと少し減少し，タンパク質は，80.0 gから69.4 gと，減少している．脂質は18.3 gから59.0 gへ大きく増加し，炭水化物は逆に415 gから255.4 gへ大きく減少している．脂質が大きく増加し，炭水化物が大きく減少したことは，食事の内容が大きく変化したことを示す．特に，動物性脂質摂取の増加は，肥満や糖尿病などの生活習慣病の1つの要因となっている.

表 1-27　2017（平成 29）年度国民健康・栄養調査結果（栄養素摂取量）

（男女計，年齢階級別，1人1日当たりの平均値）

		総　数	1～6歳	7～14歳	15～19歳	20～29歳	30～39歳	40～49歳	50～59歳	60～69歳	70～79歳	80歳以上
解析対象者	人	6,962	373	512	283	418	639	978	864	1,186	1149	560
エネルギー	kcal	1,897	1,253	2,023	2,184	1,912	1,911	1,915	1,924	1,996	1,909	1,736
タンパク質	g	69.4	42.8	72.1	78.8	68.3	67.2	67.4	71.7	74.7	72.9	65.0
うち動物性	g	37.8	24.1	41.7	47.0	38.8	36.4	36.3	39.6	39.8	38.5	33.6
脂質	g	59.0	39.8	67.0	73.1	63.9	60.9	61.5	60.9	61.8	54.7	47.2
うち動物性	g	30.0	20.7	36.9	40.1	32.3	30.5	30.9	30.7	30.3	27.5	24.0
飽和脂肪酸	g	16.22	12.29	21.08	20.73	17.53	16.80	16.70	16.23	16.37	14.50	12.79
一価不飽和脂肪酸	g	20.34	13.10	22.46	25.97	22.70	21.57	21.79	21.11	21.31	18.36	15.47
n-6 系脂肪酸	g	10.03	6.19	10.39	11.77	10.61	10.43	10.47	10.47	10.89	9.55	8.16
n-3 系脂肪酸	g	2.18	1.19	1.98	2.18	2.01	2.07	2.09	2.31	2.51	2.41	2.08
コレステロール	mg	319	195	312	407	343	317	307	339	347	322	277
炭水化物	g	255.4	177.0	275.0	292.1	253.4	256.4	251.7	250.5	262.7	264.3	252.2
食物繊維	g	14.4	8.4	13.6	13.0	12.3	12.8	13.2	14.3	16.4	17.4	15.5
うち水溶性	g	3.4	2.0	3.3	3.1	3.0	3.1	3.2	3.4	3.8	4.0	3.5
うち不溶性	g	10.5	6.1	9.9	9.5	8.9	9.4	9.6	10.4	12.0	12.7	11.4
ビタミンA	μgRE	519	450	528	530	468	477	468	494	560	584	543
ビタミンD	μg	6.9	3.8	5.7	6.1	5.0	5.6	5.8	7.3	8.0	9.0	8.3
ビタミンE	mg	6.6	4.1	6.4	6.8	6.2	6.4	6.4	6.8	7.4	7.1	6.2
ビタミンK	μg	229	116	188	218	199	204	214	245	267	264	244
ビタミンB_1	mg	0.87	0.53	0.93	1.00	0.85	0.85	0.86	0.88	0.94	0.89	0.81
ビタミンB_2	mg	1.18	0.80	1.31	1.24	1.11	1.05	1.10	1.19	1.27	1.27	1.18
ナイアシン	mg	14.4	7.3	12.5	14.1	13.5	14.0	14.7	15.7	16.1	15.5	13.3
ビタミンB_6	mg	1.12	0.67	1.06	1.12	1.01	1.02	1.05	1.15	1.25	1.27	1.15
ビタミンB_{12}	μg	5.6	3.2	5.2	4.9	4.6	4.7	4.9	5.8	6.4	6.9	6.1
葉酸	μg	281	152	235	255	244	237	255	286	323	344	317
パントテン酸	mg	5.53	3.80	6.19	6.05	5.16	5.17	5.20	5.59	5.90	5.89	5.42
ビタミンC	mg	94	47	70	74	69	66	76	88	114	134	123
ナトリウム	mg	3,749	2,075	3,403	3,726	3,626	3,700	3,727	3,824	4,158	4,080	3,719
食塩相当量	g	9.5	5.3	8.6	9.5	9.2	9.4	9.5	9.7	10.6	10.4	9.4
カリウム	mg	2,250	1,380	2,224	2,109	1,904	1,978	2,050	2,279	2,544	2,631	2,388
カルシウム	mg	514	394	673	495	428	428	446	498	553	582	546
マグネシウム	mg	240	139	228	222	205	219	225	248	273	275	246
リン	mg	988	651	1,088	1,058	906	924	929	1,008	1,070	1,066	959
鉄	mg	7.5	4.3	6.8	7.4	6.9	6.8	7.1	7.7	8.4	8.7	7.7
亜鉛	mg	8.1	5.3	8.9	9.6	8.1	8.1	7.9	8.2	8.4	8.2	7.5
銅	mg	1.12	0.68	1.10	1.18	1.06	1.08	1.07	1.14	1.22	1.23	1.14
脂肪エネルギー比率	%	27.7	27.6	29.6	30.0	29.8	28.5	28.7	28.3	27.7	25.5	24.2
炭水化物エネルギー比率	%	57.5	58.8	56.1	55.4	55.7	57.3	57.1	56.6	57.2	59.1	60.8
動物性タンパク質比率	%	52.7	54.1	57.0	58.0	55.2	52.0	51.8	53.4	51.9	51.1	50.0
穀類エネルギー比率	%	40.4	40.8	40.3	43.9	43.3	43.6	42.2	39.9	37.8	38.2	40.3

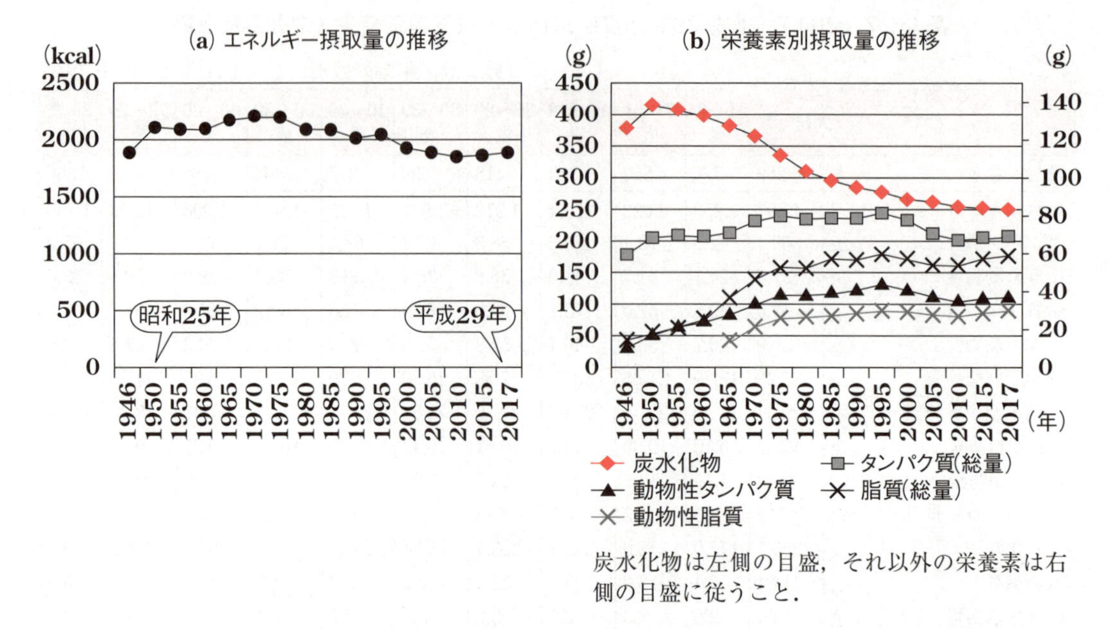

図 1-66　エネルギーおよび栄養素の摂取量の推移（1946（昭和 21）年〜2017（平成 29）年）

A.　エネルギー摂取と肥満

エネルギー摂取の平均摂取量を見ると，戦後，食生活は大きく変化し，糖質エネルギー比率が減少する一方，脂質エネルギー比率は増加している（図 1-67）．総エネルギー摂取量は 1975（昭和 50）年以降，ほぼ適正レベルで推移している．しかし，エネルギー摂取量に占める脂質エネルギー比率は，依然，増加傾向にあり，2015（平成 27）年度の国民健康・栄養調査では，肥満者（BMI ≧ 25）の割合は，男性 30.7%，女性 21.9% である（図 1-68）．脂質の過剰摂取は，肥満，高脂血症，心疾患などの生活習慣病や乳がん，大腸がんなどリスク要因となり，改善が必要である．

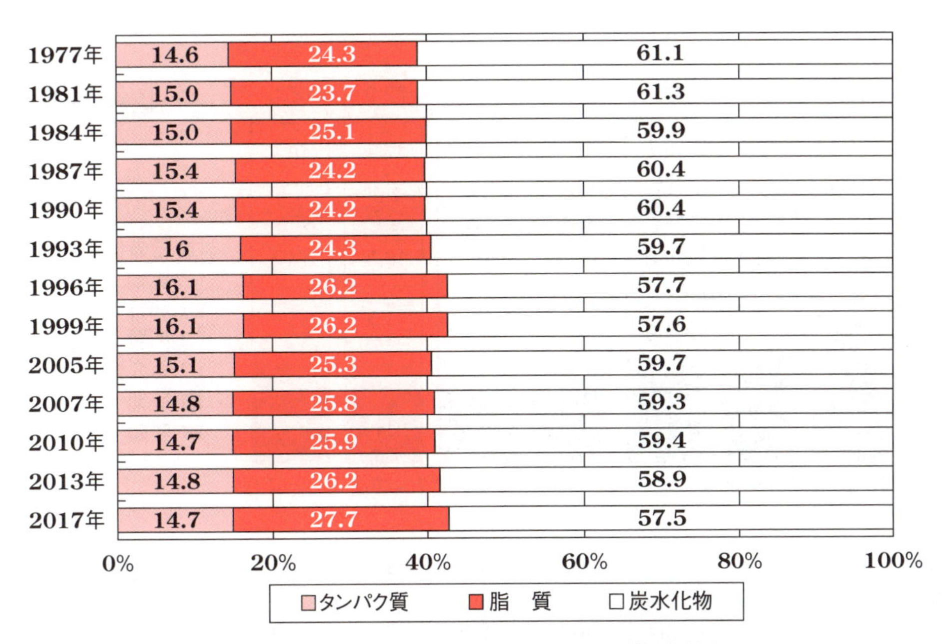

図1-67　エネルギーの栄養素別摂取構成割合

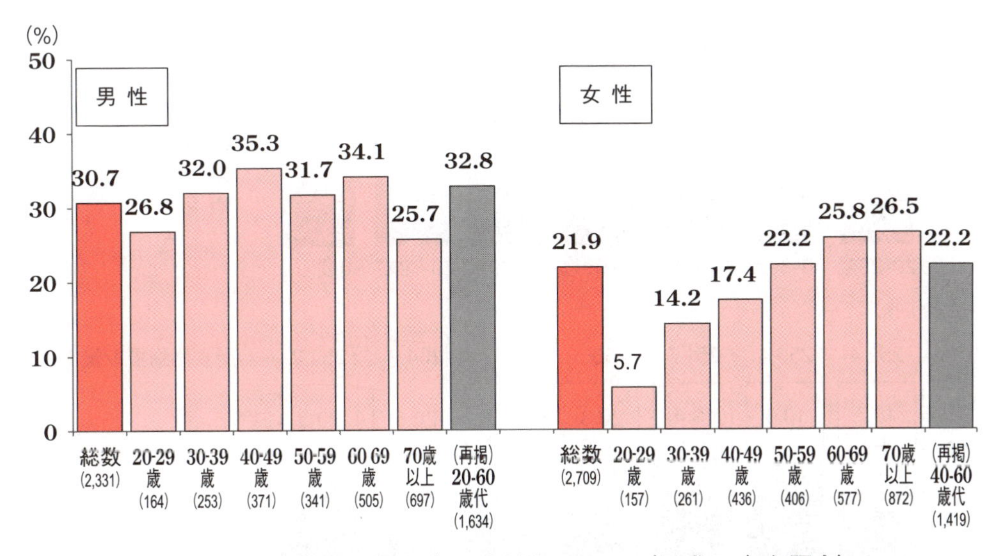

図1-68　肥満者の割合（20歳以上，2017（平成29）年調査）

B.　タンパク質，脂質，炭水化物

タンパク質摂取量を年代別に見ると（図1-69），中高年で高いが若年層，高齢者で低い．食品群別摂取構成比で見ると，高齢者で魚介類・豆類からの摂取が増加している．一方，若年層では，肉類からの摂取が多く，魚介類からの摂取が少ない．

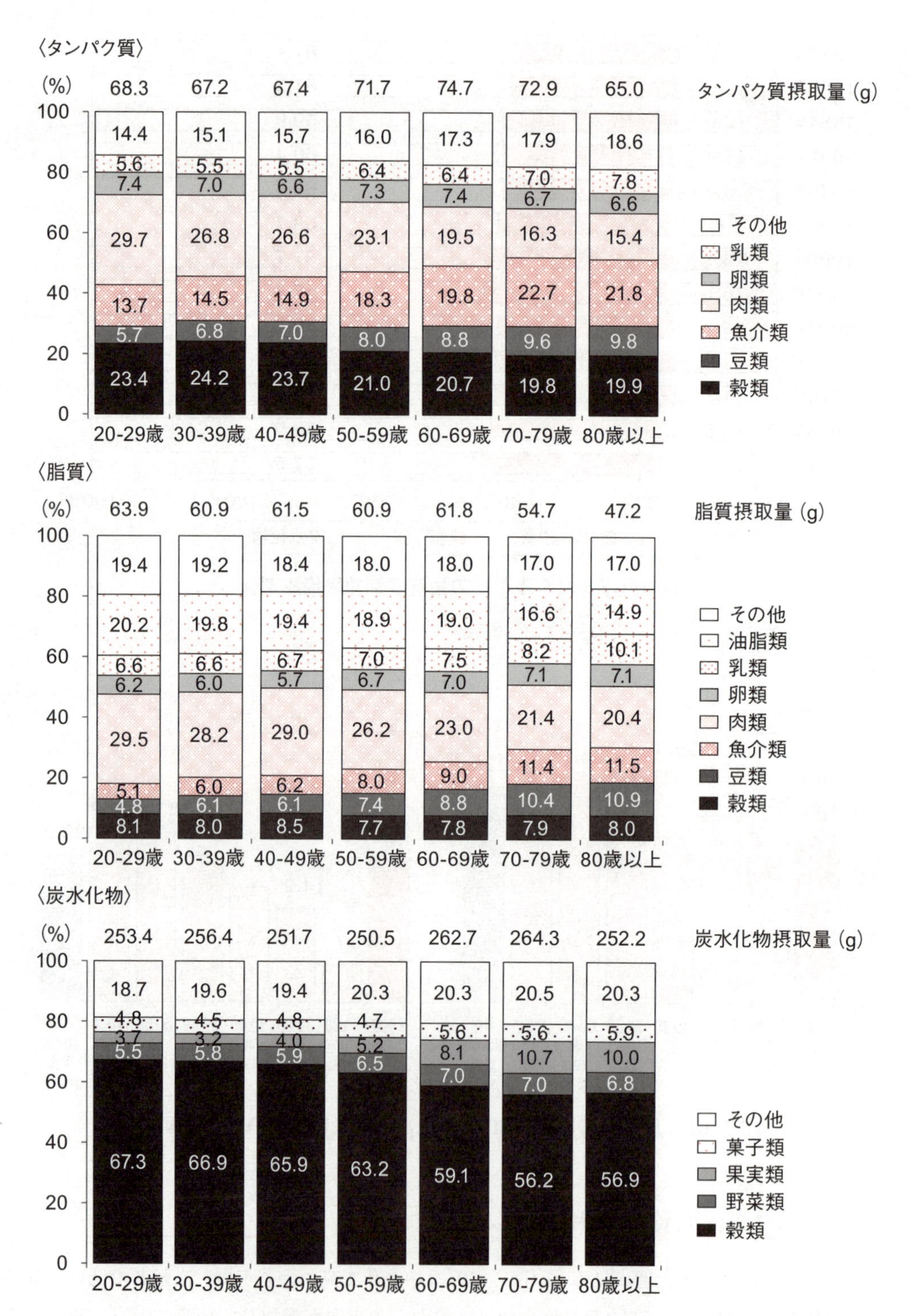

図 1-69　タンパク質，脂質および炭水化物の食品群別摂取構成（20 歳以上，男女計・年齢階級別）

脂質摂取量は，年齢とともに減少している．食品群別摂取構成比で見ると若年層で肉類からの摂取が大きく，高齢者では魚介類・豆類からの摂取が多い．

年代別炭水化物の摂取量はほぼ一定であるが，食品群別摂取構成比で見ると，穀類由来の摂取量が年齢とともに低下し，逆に，野菜や果実由来のものが増加している．穀類の適量摂取は脂質の過剰摂取の予防にもつながることから，改善が望まれる．

C.　食物繊維

食物繊維摂取量は多くの生活習慣病の発症率または死亡率との有意な負の関連が報告されている．例えば，食物繊維をほとんど摂取しない場合に比べて，20 g/日程度摂取していた群では心筋梗塞や2型糖尿病の発症率の低下が観察されている．血中総コレステロールおよびLDLコレステロールとの負の関連も報告されているが，これは水溶性食物繊維に限られる．また，食物繊維摂取量が排便習慣（健康障害としては便秘症）に影響を与える可能性も示唆されている．以上の点を踏まえ，成人（18歳～65歳）の食物繊維の摂取基準（目標量）は男性21 g/日以上，女性18 g/日以上，と設定された．2017（平成29）年度の調査結果では，総数として14.4 g/日であるが，若年層（20～29歳）では12.3 g/日であり，より多く摂取できるような食習慣が望まれる．

D.　カルシウム

カルシウムは骨形成に必須であり，成人での推奨量は20歳代男性800 mg，女性650 mgであるが，2017（平成29）年度の栄養調査では，国民1人当たりの平均では，514 mgと不足している（図1-70）．特に，20歳代では，男性434 mg，女性420 mgと不足が顕著である．また，骨吸収により骨からカルシウムが溶出しやすくなる中高年層でもカルシウム不足が問題となる．

カルシウムの摂取不足は骨粗しょう症の発症要因である．日本の骨粗しょう症患者数は，潜在的には1,000万人前後という数字もある．したがって，カルシウムのよい供給源である牛乳や，

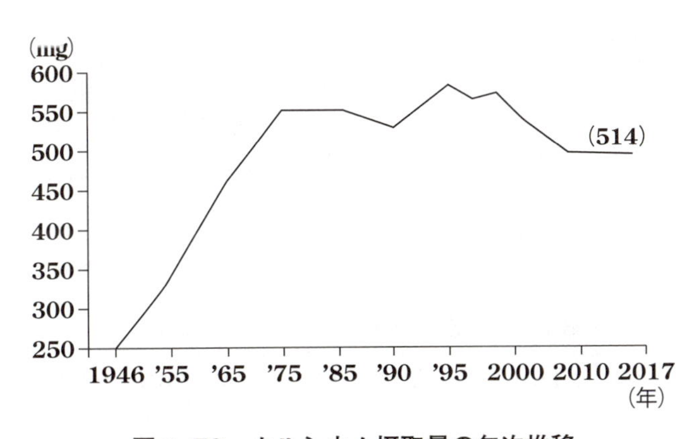

図1-70　カルシウム摂取量の年次推移

その吸収を助けるビタミンDの摂取が重要である．また，リン酸やシュウ酸はカルシウムと不溶性の塩をつくりその消化管からの吸収を妨げるので，それらを多く含む食品の摂取には注意が必要である．

E. 鉄

鉄は，ヘモグロビンや各種酵素の構成成分であり，欠乏によって貧血や運動機能，認知機能などの低下を招く．

鉄は消化管からの吸収率が低く，阻害因子として作用する食品成分も多い．カルシウムや穀物中のフィチン酸なども阻害因子であり，米を主食とするわが国では相対的に鉄が不足傾向にある．ヘム鉄は非ヘム鉄（無機鉄）に比べ吸収がよいので，食肉の摂取は貧血の予防となる．

F. ナトリウムおよびカリウム

ナトリウムの食事摂取基準の推定必要量は成人で600 mg/日，目標量は，食塩として，成人男性で7.5 g/日未満，女性で6.5 g/日未満であるが，近年の平均食塩摂取量は10 g前後で推移している（図1-71）．また，食塩摂取量は，年齢とともに増加し60歳代で最も高い．高血圧および慢性腎臓病（CKD）の重症化予防と治療のための食塩摂取量は6 g/日とされており，より一層の減量が必要である．

高血圧の有病率は食塩摂取量の多い地方で特に高いが，カリウムの摂取はナトリウムの排出を促すので，ナトリウムとカリウムの摂取量のバランスが重要である．カリウムの摂取目安量は成人男性で2,500 mg/日であるが，2017（平成29）年度の調査では平均で2,250 mg/日と不足している．また，食塩摂取過多は胃がんのリスク要因であることから，ナトリウム摂取量を減らすことが必要である．

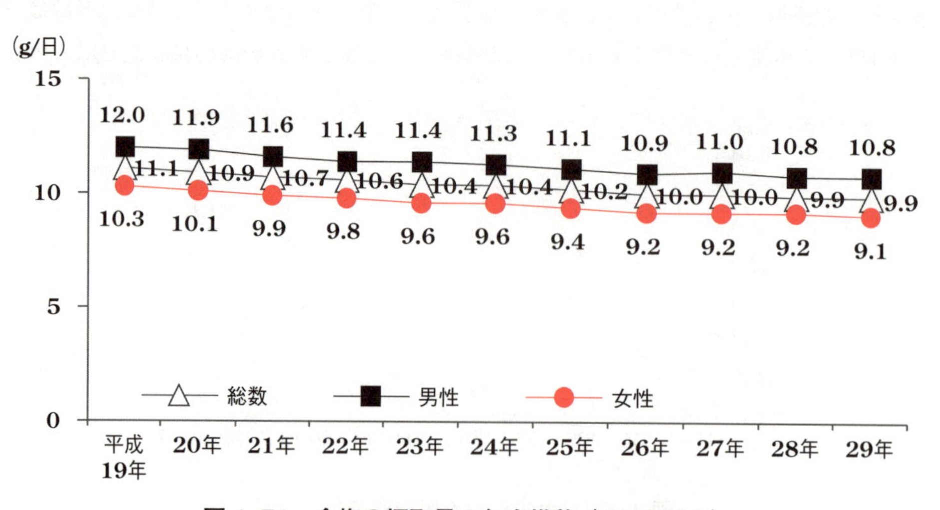

図1-71　食塩の摂取量の年次推移（20歳以上）

コラム　腸内細菌叢と栄養素摂取バランス

2013年に *Science* 誌に発表された Ridaura らの研究（doi: 10.1126/science.1241214）において，肥満（BMI＝31－33）と痩身（BMI＝20－26）の異なる特徴を有する成人女性の双子から採取した腸内細菌を無菌（germ-free）マウスに移植し1週間飼育したところ，それぞれ肥満と痩身の特徴を示すことが明らかにされた．また，これら肥満および痩身マウスを同じケージで飼育すると肥満マウスの脂肪組織量と体脂肪量の増加は抑制され，それは糞食による肥満型の腸内細菌叢が痩身型のそれに類似したものに変化したこと起因するが，これは米国国民健康栄養調査に基づき，飽和脂肪（saturated fat）を低三分位，果物・野菜を高三分位とした餌を与えて飼育したマウスにおいてのみ生じ，その逆の組成の餌の場合には認められなかった．これらのことは，肥満と痩身の特徴の違いは，少なくとも一部，腸内細菌叢の組成に起因すること，そしてプロバイオティクスやプレバイオティクスにより腸内細菌叢を肥満型から痩身型に変化させるには，バランスよく栄養素を摂取すること，すなわち適切なプレバイオティクスが重要であることを示している．

1-2-4　主要食品群別摂取量

植物性食品は，1日に摂取される総カロリーの76%を占めており，ビタミンA，ビタミンB_1やビタミンCも日本人1人1日当たりの総摂取量の50%以上を占める重要な食品群である（表1-28）．

動物性食品は，日本人の1日の総摂取量の25%，カロリーは23%と少ないが，タンパク質では植物性食品を上回り，脂質では同量となっている．また，畜肉，魚肉に含まれるヘム鉄は，野菜に含まれる非ヘム鉄より吸収が良いといった特徴などがあることから，重要な食品群である（表1-29）．年齢階層別の主要食品別摂取量（2017（平成29）年）を表1-30に示す．

表 1-28　植物性食品

		特徴のある成分
穀　類	米	米タンパク質の生物価は 86，アミノ酸スコアは 68 と，利用度は良いが栄養度はあまり良くない 制限アミノ酸はリシンである（豆類を一緒に摂取するとよい） 精米度が高いと糖質の割合が増え，タンパク質，脂質の割合が減る
	小　麦	制限アミノ酸はリシンであるため，児童の学校給食用パンはリシンが強化されている
いも類	ジャガイモ	ビタミン B_1，ビタミン C，カリウムが多い ジャガイモの緑化した皮部，発芽部分には，毒性を有するアルカロイド配糖体であるソラニン，チャコニンが含まれているため，発芽防止を目的とした ^{60}Co の γ 線照射が許可されている
	サツマイモ	ビタミン C を比較的多く含む
油脂類	植物油	不飽和脂肪酸（オレイン酸，リノール酸など）を多く含む
豆　類	大　豆	リシンを多く含むので，穀類の制限アミノ酸を補うことができる 豆類の制限アミノ酸は含硫アミノ酸である
緑黄色野菜	ニンジン，ホウレン草，ピーマン，トマトなど	カルシウム，リン，カリウム，カロテン，ビタミン C が多い ブロッコリーにはビタミン K が多く含まれる
根菜類	大根，タマネギなど	カルシウム，カリウム，ビタミン C が多い 根菜類の地上部である葉にはクロロフィルが多い
海草類	わかめ，こんぶなど	糖質，カルシウム，カリウム，ナトリウム，カロテンを多く含む 糖質は非消化性なので，カロリーはゼロである マンナン，アルギン酸，フコイジンなどの多糖類は食物繊維と同様の働きをする ヨウ素に関して，日本人は牛乳摂取量が少なく，海草類から主に摂取している

表 1-29　動物性食品

		特徴のある成分
魚介類		タンパク質，脂質，カルシウム，ナトリウム，ビタミン A が多い
	生　魚	背の青い魚（アジ，イワシ，サバ）は，不飽和脂肪酸（n-3 系）のエイコサペンタエン酸（EPA），ドコサヘキサエン酸（DHA）を多く含む マグロは食物連鎖により，さらに多くの n-3 系不飽和脂肪酸を含む
	甲殻類	エビやカニの殻の成分であるキチンは，食物繊維と同様の働きをする
肉　類	牛　肉 豚　肉 鶏　肉 および その加工品	タンパク質の生物価は，牛肉：78，豚肉：74，鶏肉：94 であり，アミノ酸スコアは 100 であるが，トリプトファン，メチオニン含量のみやや少ない 豚脂（ラード），牛脂（ヘット）ともに飽和脂肪酸のトリアシルグリセロールを多く含む
卵　類	鶏卵が主	タンパク質の生物価は高く，アミノ酸スコア 100 と理想的なタンパク質である 卵黄はビタミン D 含量が高い 卵白に含まれるアビジンはビオチンと結合してビオチンの吸収を阻害する
乳　類	牛　乳 乳製品	タンパク質の生物価は高く，アミノ酸スコア 100 と理想的なタンパク質である カルシウム，リン，カリウムの含量が高い 脂質は微細な脂肪球で，その周りをカゼインが取り巻く乳化状態となっている カルシウムの良い補給源である

表1-30　食品群別摂取量（全国，年齢階層別）（平成29年国民健康・栄養調査より）

（g，1人1日当たり平均値）

	総数	1～6歳	7～14歳	15～19歳	20～29歳	30～39歳	40～49歳	50～59歳	60～69歳	70～79歳	80歳以上	（再掲）20歳以上	（再掲）65～74歳	（再掲）75歳以上
解析対象者（人）	6,962	373	512	283	418	639	978	864	1,186	1,149	560	5,794	1287	1071
穀類	421.8	268.7	445.2	530.8	457.2	461.5	442.3	422.9	416.9	401.5	390.4	424.3	407.4	397.4
いも類	52.7	37.4	59.9	57.2	48.3	51.2	45.6	51.2	53.8	58.9	58.4	52.8	54.9	59.0
砂糖・甘味料類	6.8	3.6	6.8	6.3	6.0	6.3	6.5	6.1	7.3	7.9	8.1	7.0	7.5	8.3
豆類	62.8	30.1	56.3	48.4	47.8	52.8	57.1	67.0	74.4	77.9	68.2	66.2	75.0	73.3
種実類	2.6	1.1	1.8	1.3	1.7	2.0	2.3	2.6	3.6	3.5	3.1	2.9	3.5	3.3
野菜類	276.1	144.7	247.7	252.0	242.8	244.8	257.2	288.4	320.0	320.1	292.8	288.2	320.7	303.3
緑黄色野菜	83.9	49.0	70.3	75.8	66.8	78.1	75.9	85.7	95.6	100.9	94.3	87.7	97.5	95.7
果実類	105.0	86.3	91.5	79.5	64.8	52.1	62.2	79.3	130.9	170.9	157.9	108.7	149.0	169.3
きのこ類	16.1	6.7	14.3	11.0	12.8	14.4	14.3	18.1	20.2	19.4	15.9	17.2	19.6	17.7
藻類	9.9	6.1	8.2	8.1	8.0	7.5	8.2	9.3	10.7	14.5	11.9	10.4	12.6	13.3
魚介類	64.4	30.4	46.2	50.6	49.5	51.1	53.3	68.8	79.7	85.9	72.4	68.8	83.7	78.0
肉類	98.5	58.4	111.9	157.7	129.4	114.7	115.0	105.2	92.4	75.3	63.0	97.0	81.3	68.3
卵類	37.6	21.0	31.3	50.2	39.7	36.5	34.8	40.6	43.2	38.4	34.3	38.6	40.9	36.8
乳類	135.7	195.8	320.7	154.3	97.2	94.2	91.0	111.5	122.6	133.9	140.1	114.6	128.6	139.4
油脂類	11.3	7.0	11.5	14.7	13.4	12.6	12.5	12.1	12.4	9.6	7.4	11.4	11.0	7.9
菓子類	26.8	27.5	39.2	29.6	27.0	23.7	24.4	24.1	27.4	25.8	25.9	25.5	26.4	25.7
嗜好飲料類	623.4	233.3	328.1	440.1	546.1	657.8	696.0	728.5	750.0	684.4	581.6	683.5	725.0	615.8
調味料・香辛料類	86.5	43.5	71.7	76.4	81.6	87.9	88.8	94.0	96.7	94.0	83.2	91.1	95.8	87.4

◆確認問題◆

1）食事摂取基準は「欠乏症」の予防を目的とし，3年ごとに改訂される．

2）「推定平均必要量」を摂取していれば，不足することはほとんどない．

3）目標量は「生活習慣病の予防のために目標とすべき摂取量」である．

4）現在，平均的な日本人の摂取量で不足している栄養素は，カルシウムだけである．

5）食塩の過剰摂取は，特に大腸がんのリスクを増大させる．

6）現在，平均的なエネルギー摂取では，糖質からのエネルギーは50%以下である．

7）基礎代謝基準値は10歳代の年齢で最高値を示す．

8）日本人の動物性脂肪と植物性脂肪の摂取比は適正といわれる0.5である．
9）三大栄養素の中で，脂質は食事誘発性熱産生に関与する代謝増加率が最も高い．
10）消費する酸素量を生成する二酸化炭素量で除した値を呼吸商という．

【確認問題解答】

1）× 目的は「国民の健康の維持・増進，生活習慣病の予防」であり，5年ごとに改訂される．
2）× 推定平均必要量は，ある母集団に属する50％の人が必要量を満たすと推定される1日の摂取量である．
3）○
4）× カリウムも不足．
5）× 食塩の過剰摂取は胃がんのリスクを増大させる．
6）× 60％程度である．
7）× 基礎代謝基準値は1～2歳で最大である．
8）× 現状は1～2である．
9）× タンパク質が最も高く，次いで脂質が高い．
10）× 呼吸商は，生成する二酸化炭素量を消費する酸素量で除した値である．

1-3　栄養療法

これまで**栄養療法 nutrition therapy** は，患者に不足するエネルギーや栄養素などを単に補給するといった位置づけであったが，近年では患者を治癒へと導く積極的な治療法の１つであり，急性期から回復期，さらには終末期医療においても極めて重要であると認識されている．この栄養療法を適切に実施するための**栄養サポートチーム nutrition support team（NST）**の中で薬剤師は，生理学，生化学，栄養学，薬理学，薬物動態学などの科学的根拠に基づいて患者個々の病態に適した栄養療法を提案・実践するとともに，使用薬物との相互作用などに関して指導するという役割も担っている．

NST により実施される栄養療法の大原則は，“When the gut works, use it !”，すなわち可能な限り患者の消化器官を使って経口摂取できるようにすることで患者 QOL を向上させることである．実際に，日本集中医療学会が 2016 年に作成した「日本版重症患者の栄養療法ガイドライン」において，経腸栄養が静脈栄養の場合と比べて最終的な転帰の改善には至らないが，感染症の抑制や病院滞在期間の短縮，医療費の面での優位性のあることから，施行可能である限りは経腸栄養を優先することが勧められるとしている．

1-3-1　栄養管理の進め方

NST の対象者は，栄養管理を必要とするすべての患者であり，それは次のように PDCA サイクルに基づいて進められる．

1）栄養スクリーニング
2）栄養アセスメント
3）栄養管理の計画（Plan）
4）栄養管理の実施（Do）
5）栄養状態の評価（Check）
6）栄養管理計画の修正（必要に応じて）（Act）
7）退院後の栄養管理法の指導

栄養スクリーニングでは，患者の栄養管理の適応を，病歴，身体観察などに基づいた主観的包括的評価 subjective global assessment（SGA）により判定する（表 1-31）．患者の体重変化率は簡便に評価できる指標の１つであり，１週間で 2% 以上，１か月で 5% 以上，３か月で 7.5% 以上，6か月で 10% 以上の変化があった場合は，栄養障害の可能性が高いと考えられる．患者の身体観

表 1-31　主観的包括的評価（SGA）

A. 病歴
1. 体重変化　過去 6 ヶ月の体重減少：　　　kg（減少率：　　　%） 過去 2 週間の体重変化：□ 増加，□ 無変化，□ 減少
2. 食物摂取の変化　□ 無変化 □ 変化：期間（　　）週（　　　　　） タイプ；□ 不十分な固形食，□ 液体食，□ 絶食
3. 消化器症状　□ なし，□ 悪心，□ 嘔吐，□ 下痢，□ 食欲不振
4. 生活機能状態　□ 機能不全なし □ 機能不全：期間（　　）週（　　　　　）
5. 疾患と栄養必要量の関係 初期診断： 代謝亢進に伴う必要量 / ストレス：□ なし，□ 軽度，□ 中等度，□ 高度
B. 身体（スコア表示：0 = 正常，1 = 軽度，2 = 中等度，3 = 高度）
皮下脂肪の喪失（上腕三頭筋皮下脂肪厚）スコア： 筋肉喪失（四頭筋，三角筋）スコア： 浮腫 スコア：
C. 主観的包括的評価
□ A. 栄養状態良好，□ B. 中等度の栄養不良，□ C. 高度の栄養不良

（日本静脈経腸栄養学会，コメディカルのための静脈・経腸栄養手技マニュアル，南江堂 2004，34-44 より引用・改変）

察から推測される栄養状態を表 1-32 に示す．

栄養スクリーニングで栄養管理が適応となった患者は，客観的栄養評価 objective data assessment（ODA），すなわち普遍的な栄養状態を静的栄養指標，現時点または 1 週間以内の栄養状態を動的栄養指標に基づき評価され，栄養障害の程度を診断される（表 1-33）．栄養障害の区分は以下のように分けられる．

1）特定の栄養素（ビタミン，微量元素，必須脂肪酸など）の過剰または欠乏

2）数種類の栄養素の過剰または欠乏（過栄養，栄養失調・飢餓など）

3）栄養素バランスの不均衡（アミノ酸インバランスなど）

栄養アセスメントの結果に基づき栄養管理の計画，すなわち必要栄養素とその投与方法が決定される．現在汎用されている栄養療法と投与経路のアルゴリズム（ASPEN（American Society for Parenteral and Enteral Nutrition）ガイドライン）を図 1-72 に示す．

既に述べたように，消化器官が安全に使用できる場合は**経腸栄養法 enteral nutrition（EN）**が第一選択となる．経腸栄養法は，**経口栄養法**と**経管栄養法**に分けられ，経管栄養において，4

表1-32　身体観察から推測される栄養状態

身体観察	所　見	栄養状態
体格	骨格異常	ビタミンD欠乏
	るいそう	エネルギー欠乏
	肥満	エネルギー過剰
皮膚	皮膚異常	各種ビタミン・微量元素欠乏，脱水
	柑皮症	カロテン過剰
頭髪	脱色	タンパク質・ビタミンB_{12}・銅欠乏
	脱毛傾向	タンパク質・亜鉛欠乏
爪	爪甲の横溝	タンパク質欠乏
	スプーン様の爪	鉄欠乏性貧血
眼瞼・眼球	黄色腫	高脂血症
	眼球陥凹	高度の脱水，消耗性疾患
	眼瞼結膜の異常	貧血
口唇・口腔	口角の亀裂・びらん	ビタミンB群欠乏
舌	萎縮	鉄欠乏性貧血
	舌炎	ビタミンB群欠乏
四肢	浮腫	タンパク質欠乏

（近藤和雄，中村丁次，臨床栄養学I基礎編，第一出版，2005，13-40より引用・改変）

表1-33　栄養アセスメントに用いられる指標

静的栄養指標	動的栄養指標
1. 身体計測指標	1. 血液生化学的指標
1）身長・体重	1）Rapid turnover protein
体重変化率	トランスフェリン
日常体重との比率	レチノール結合タンパク質
標準体重との比率	トランスサイレチン（プレアルブミン）
BMI	ヘパプラスチンテスト
2）皮厚：上腕三頭筋皮下脂肪厚	2）タンパク質代謝動態
3）筋囲：上腕筋囲，上腕筋面積	窒素平衡
4）体脂肪率	尿中3-メチルヒスチジン量*2
2. 血液生化学的指標	3）アミノ酸代謝動態
1）総タンパク質，アルブミン，総コレステロール，コリンエステラーゼ	アミノグラム（血漿アミノ酸濃度） Fisher比
2）クレアチニン身長係数*1	BCAA/Tyr比
3）血中ビタミン・微量元素濃度	2. 間接熱量計
4）末梢血中総リンパ球数	1）安静時エネルギー消費量
3. 皮内反応	2）呼吸商
1）遅延型皮膚過敏反応	3）糖利用率

*1 クレアチニン身長係数：骨格筋タンパク質量の指標
*2 尿中3-メチルヒスチジン量：骨格筋タンパク質の異化の指標
（東口高志，NSTの運営と栄養療法，医学芸術社2006，48-61より引用・改変）

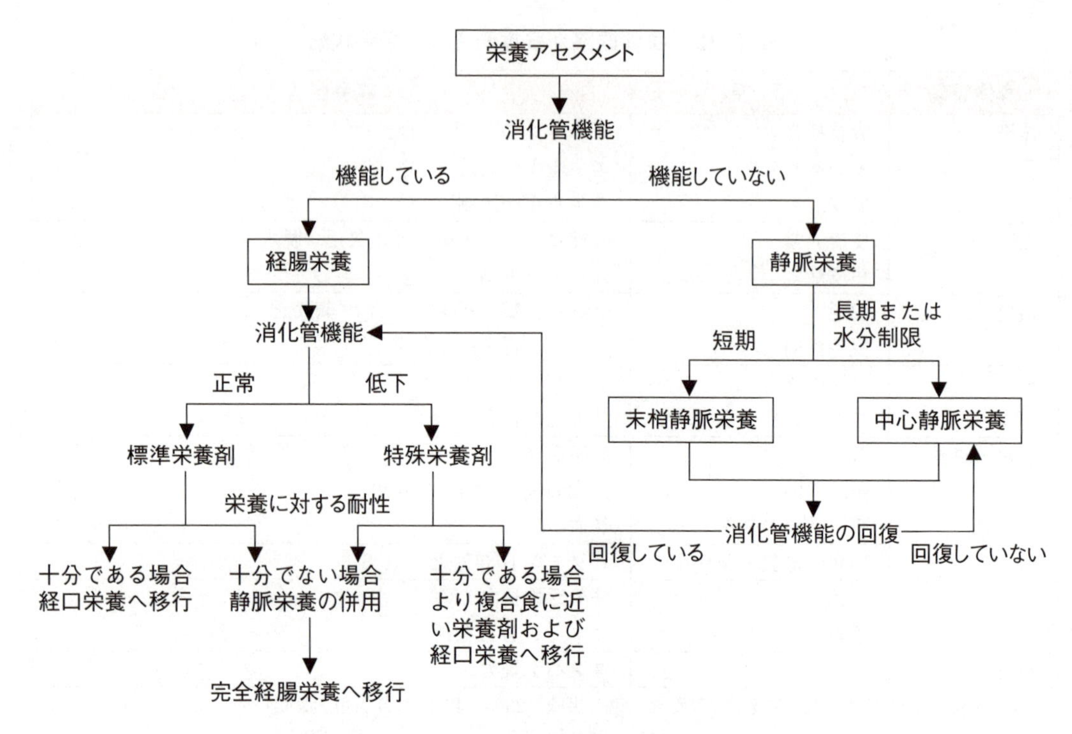

図 1-72　栄養療法と投与経路のアルゴリズム

（ASPEN ガイドライン，JPEN, 26（1）, Sup: 8SA, 2002 より引用）

週間未満の短期間の場合は経鼻法が，それ以上の長期間の場合は経瘻孔法が選択される．**静脈栄養法 parenteral nutrition（PN）**では，一般的に 2 週間未満の短期間の場合は**末梢静脈栄養法 peripheral parenteral nutrition（PPN）**，長期間や水分制限が必要な場合には**中心静脈栄養法 total parenteral nutrition（TPN）**が選択される．経腸栄養法と静脈栄養法の特徴を表 1-34 に示す．

静脈栄養法が適用された症例において，消化管機能が回復した場合には速やかに経管栄養，そして経口栄養に移行させることが基本である．また，経管栄養法が適用された症例でも，最終的には経口栄養に移行することが目標となる．これは静脈栄養時の絶食によって生じる腸管上皮の萎縮（図 1-73），免疫能の低下に加え，腸管バリアの崩壊に起因した腸内細菌の体循環への移行による感染症（**バクテリアルトランスロケーション bacterial translocation**）を防ぐことなどを目的とする．さらに，経口栄養，すなわち食物摂取は咀嚼，唾液分泌，嚥下などの生理機能の賦活化だけでなく，味覚，嗅覚，視覚，聴覚，触覚，温度感覚などの感覚機能の刺激による心理的充足を介した患者 QOL の向上に繋がるため極めて重要である．

表 1-34　経腸栄養法と静脈栄養法の特徴

	経腸栄養	静脈栄養	
		PPN	TPN
手技・管理	複雑	簡単	複雑
カテーテル関連血流感染症	なし	まれ	あり
感染性合併症	少ない	少ない	あり
消化能	製剤により必要	不要	不要
吸収能	必要	不要	不要
消化器系合併症	あり	なし	なし
代謝性合併症	少ない	まれ	あり
腸管粘膜萎縮	少ない	絶食下ではあり	
胆汁うっ滞	なし	絶食下ではあり	
Bacterial translocation	少ない	絶食下ではあり	

（井上善文ら，経腸栄養剤の種類と選択，フジメディカル出版 2005，9-15 より引用・改変）

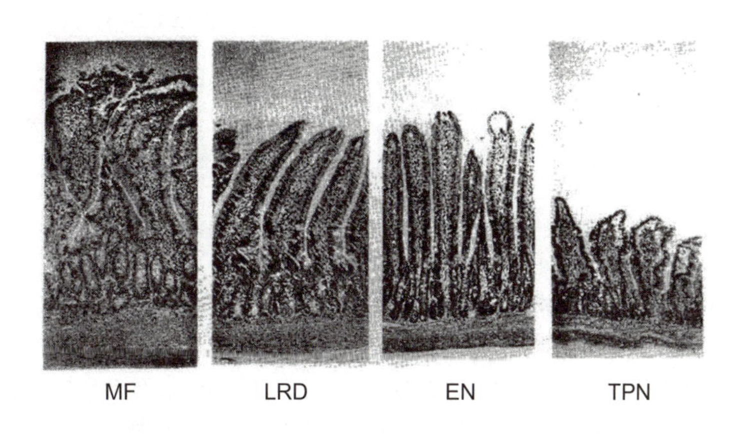

図 1-73　各種栄養法による空腸構造の変化

Wistar 系雄性ラットを繁殖用飼料（MF），低残渣食（LRD），成分栄養（EN）または中心静脈栄養（TPN）を用いて2週間栄養管理したときの空腸構造の変化を示す．

（西正晴ら，日本外系連合学会誌，19(4)，105-109，1994 より引用）

1-3-2　経腸栄養法

経腸栄養法の適応は，小腸が機能していることが原則で，経口摂食不能や嚥下困難，意識障害などを呈する患者が対象となる．経腸栄養法のうち，経管栄養法である経鼻法と経瘻孔法は，図1-74（A）に示すように栄養剤を消化器官に到達させる経路が異なるが，いずれの場合も可能な限り消化器官を使うことを目的とするため，患者の消化器官の機能に応じて，食道，胃，十二指腸，空腸などにカテーテルが留置される．栄養剤はカテーテルを介して投与されるが，製剤は室温に戻したのち，一定速度で投与する．なお，特に経管栄養法の場合，投与前後に器材（容器，チューブなど）の洗浄・殺菌を行い，衛生操作を徹底する必要がある．

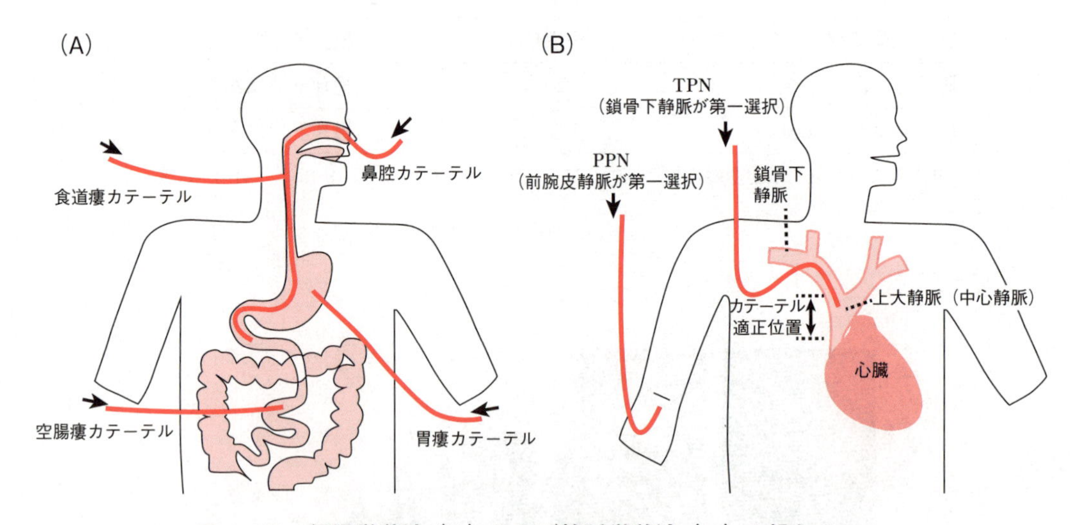

図 1-74　経腸栄養法（A）および静脈栄養法（B）の投与ルート

経腸栄養法に用いられる濃厚流動食および経腸栄養剤の特徴を表1-35に示す．経腸栄養剤は**医薬品，医療機器等の品質，有効性及び安全性の確保等に関する法律（薬機法）**により規定される医薬品であり医師の処方に基づき使用されるのに対し，濃厚流動食は食品衛生法により規定される食品であるため個人購入が可能である．これら栄養剤の適応は患者の消化器官機能の状態により判断され，半消化態経腸栄養剤は上部消化管の通過障害，慢性膵炎などの患者，消化態経腸栄養剤は上部消化管縫合不全や，急性膵炎などの患者に用いられる．しかしながら，図1-73に示すように，消化の必要性が低い栄養剤は，それが高い栄養剤よりも腸管上皮を萎縮させる程度が大きいことから，患者の消化器官機能の回復などに応じて，特に繊維成分を含む栄養剤に切り替えていくことが望ましいとされている．

表 1-35　濃厚流動食と経腸栄養剤の特徴

		濃厚流動食	半消化態経腸栄養剤	消化態経腸栄養剤	成分栄養剤
組成	窒素源	タンパク質	タンパク質	アミノ酸，ペプチド	アミノ酸
	糖質	デンプン	デキストリン	デキストリン	デキストリン
	脂質	多い	やや少ない	やや少ない	極めて少ない
繊維成分		あり / なし	あり / なし	なし	なし
味・匂		比較的良好	比較的良好	不良	不良
消化		必要	必要	一部不要	一部不要
残渣		あり	あり	極めて少ない	極めて少ない
浸透圧		低い	比較的低い	高い	高い

（曽和融生ら，PEG（胃瘻）栄養，フジメディカル出版 2004，42-47 より引用・改変）

1-3-3　静脈栄養法

A.　特　徴

静脈栄養法で用いる輸液の主な目的は，体液管理（水・電解質の補給）と栄養補給であり，その他として薬剤投与ルートの確保，特殊病態の治療などがあり，これら目的に応じた輸液剤・投与方法が用いられる（図 1-74（B），表 1-36）.

PPN の利点として，(1) 特殊な手技を必要としない，(2) カテーテル穿刺・留置に伴う危険性や合併症が少ない，などである一方，欠点としては (1) 十分なエネルギー量が投与できない，(2) 高濃度液による血管痛や静脈炎が生じやすい，(3) 頻回の針の差し替えや穿刺した腕が自由にならないなど，ある程度の苦痛が生じる，とされている．また，PPN が好ましくない症例として，高度の栄養不良状態，長期栄養管理を必要とする場合，水分制限のある腎疾患・心疾患患者，末梢静脈の確保が困難な場合などがあげられる.

これに対し TPN は，必要なエネルギーや栄養素を十分量投与できるので，栄養状態の維持・改善を図ることが可能であり，強力な栄養管理の手段となっている．TPN による栄養補給には，一時的な補給により治療成績を向上させることを目的とする場合と，恒久的な補給による栄養状態を維持・改善させることを目的とする場合があり，恒久的栄養補給は在宅 TPN（**在宅中心静脈栄養法 home parenteral nutrition**（HPN））の実施において重要な役割を果たす．なお，TPN が禁忌または適切でない病態として，老人性脳障害，神経・脳疾患による嚥下障害，菌血症，一般状態不良時，極端ながん末期状態などがあげられる.

表 1-36　静脈投与法の比較

	体液管理	栄養補給	
		PPN	TPN
目的	主として水・電解質の補給	1週間から10日程度の栄養維持	非経口的な完全栄養補給
適用	タンパク質の異化を抑制する目的で最低限のエネルギーを補給	必要エネルギー量として経口摂取が不十分な場合	経口摂取が1週間以上なされていない場合 タンパク質異化亢進の状態
投与熱量	400 ～ 500 kcal/day	600 ～ 1200 kcal/day	1200 ～ 2500 kcal/day
輸液剤	水・電解質輸液 5 ～ 7.5% 糖質液 ビタミン剤	水・電解質輸液 5 ～ 10% 糖質液 電解質補正液 10 ～ 20% 脂肪乳剤 アミノ酸製剤 ビタミン剤	TPN 基本液 20 ～ 50% 糖質液 高濃度アミノ酸製剤 10 ～ 20% 脂肪乳剤 ビタミン剤 微量元素製剤
浸透圧比*	0.5 ～ 2.4	3 以下	4 ～ 7 程度

＊生理食塩液に対する浸透圧比
（北岡建樹，よくわかる輸液療法のすべて，永井書店 2003，113-114 より引用・改変）

B.　輸液処方設計

輸液処方は，その患者に必要なエネルギーおよび栄養素が過不足なく投与されるように設計する．輸液処方設計のための栄養素などの1日あたり基準必要量が示されているが（表 1-37），これらは病態によって変動するため患者個々の状態に応じた処方設計が必須となる．

この中で，アミノ酸，脂質および糖質の投与量は次の順に決定される．

1）アミノ酸投与量（g/day）= 体重（kg）× 傷害係数
2）脂質投与量（g/day）= 0.5 ～ 1.0 g/kg 体重
3）糖質投与量（kcal/day）=（総投与エネルギー量）−（アミノ酸および脂質エネルギー量）

なお，傷害係数は，患者の身体的傷害の程度に応じた係数であり，飢餓状態 0.6 ～ 0.9，軽度手術 1.1，重症感染症や発熱（1℃ごと）1.2 ～ 1.3，高度手術 1.5 ～ 1.8 などと設定されている．

また，静脈栄養を実施する際には**非タンパク質カロリー/窒素（non protein calorie（NPC）/nitrogen（N））比**の設定にも注意が必要である．NPC/N 比は，投与されたアミノ酸が生体内で有効に利用されることを表す指標であり，これは窒素 1 g に対して 150 kcal のエネルギー補給がある場合に最も効率的にタンパク質が合成されることに基づく．輸液の適切な NPC/N 比は疾患や病態により異なるが，通常生体にとって適切とされる NPC/N 比は 150 ～ 200 程度とされて

表1-37　成人に対する輸液処方設計における基準必要量

輸液成分	基準必要量（1日あたり）
水分	30 ～ 40 mL/kg *
アミノ酸	0.8 ～ 2.0 g/kg *
エネルギー量	20 ～ 35 kcal/kg *
脂質	2.5 g/kg *以下
糖質	7 g/kg *以下
Na^{+}	1 ～ 2 mEq/kg *
K^{+}	1 ～ 2 mEq/kg *
Cl^{-}	酸塩基平衡の維持に必要な量
Ca^{2+}	10 ～ 15 mEq
Mg^{2+}	8 ～ 20 mEq
P	20 ～ 40 mmol
Zn	2.5 ～ 5.0 mg

* kg：患者の標準体重または現体重の軽い方を用いる
（ASPEN ガイドライン（JPEN, 26（1), 24-26, 2002）より引用）

いる．これに対し，重症感染症などの侵襲が大きい場合は，体タンパク質異化が亢進するため NPC/N 比は 100 程度と低くなる．また腎不全などの場合，アミノ酸投与量が制限される一方で，体タンパク質異化が亢進しており多くのエネルギー量が必要となるため，NPC/N 比を 300 ～ 500 程度に高く設定する．

輸液処方設計におけるその他の注意点として，ビタミン B_1 の補給（p. 46 コラム参照），カリウムの濃度と投与速度（p. 168 コラム参照），微量元素の補給（表 1-13（p. 62）参照），配合変化（p. 117 コラム参照）などがあげられる．

1-4　食品の変質と保存

食品成分は，その生産，保存，流通，調理，製造などの過程において，種々の物理的，化学的および生物学的要因によって変質することがある．このような変質は，ときに有害物質の生成を伴い，食品としての機能を損なうだけでなく，その安全性にも影響する．

本節では，食品中の栄養素の変質による有害物質の生成とその予防的対処法について解説する．

1-4-1　食品の変質

食品はそのまま放置しておくと微生物，酵素，光，熱，酸素などによって，タンパク質，糖質，脂質などの食品成分が変化して，最終的には食用に耐えられなくなる．このような現象を**変質 spoilage** という．中でも，食品中に含まれるタンパク質は微生物によって分解されることにより，異臭を放ち，有害物質を生じる場合があり，これを特に**腐敗 putrefaction** とよぶ．糖質，脂質などでは化学的な反応による変質が主なものであり，これを**変敗 deterioration** という．一方，変質の中で，糖質が酵母などの微生物によって分解され，有機酸，アルコールなど有用な物質を生成する過程を**発酵 fermentation** といい，変敗とは区別される．

A.　腐　敗

腐敗はタンパク質の微生物による変質であるので，その原因は食品に付着・増殖した微生物による食品成分の代謝である．このような腐敗を引き起こす細菌を**腐敗細菌**といい，病原細菌，食中毒細菌とは区別する．

タンパク質を主成分とする食品では，腐敗細菌によりタンパク質がペプチド，アミノ酸に分解されることにより，悪臭が発生し，有害な産物が生成されることがある．

1）　腐敗に影響する因子

① 温度および pH

腐敗細菌の多くは，中温（25 ~ 40℃）に至適温度を持つものが多い．しかし，細菌の中には低温で増殖するものもあり，冷蔵保存下でも食品は腐敗することがある．

食品に関わる細菌の生育の至適 pH はそれぞれ異なり，細菌では pH 7 付近，カビでは pH 6 付近である．一般の微生物の増殖可能限界の pH は 4 ~ 5 であるが，乳酸菌やカビの中には pH 5 以下でも増殖するものがあり注意を要する．

② 水　分

細菌の増殖には水が必須であり，食品中の水分含量は腐敗の重要な因子となる．食品中の水は水分子の運動性の違いにより，**自由水 free water** と**結合水 bound water** に分類される．自由水は純水に近い性質を持ち，自由に運動し，乾燥により蒸発しやすく，0℃で凍結する．一方，結合水は，タンパク質や糖質などの食品中の成分と水素結合などの相互作用しているため，運動性が低く，0℃でも凍結しない．

細菌は食品中の自由水を利用することから，食品の腐敗は食品中の自由水の含量によって影響される．このような食品中の細菌が利用できる水分量は，**水分活性 water activity（Aw）**で表される．水分活性は，純水の蒸気圧を基準として，食品を入れた密閉容器の蒸気圧の相対値で示されるため，純水の水分活性は1，無水物のそれは0となる．

$$Aw = P / P_0$$

Aw：水分活性，P：食品の蒸気圧，P_0：純水の蒸気圧

食品成分と水が相互作用すると結合水の量が増え，蒸発しにくくなるため蒸気圧は低下する．一方，自由水が増加すると蒸気圧は上昇する．肉，魚，野菜，パン，バターなどの水分活性は1.00 ～ 0.90，ジャム，塩漬魚，練乳などは0.90 ～ 0.70，チーズ，チョコレート，菓子などは0.70 ～ 0.50である．

微生物は水分活性が高いほど増殖しやすい．一般微生物の増殖可能限界である最低水分活性は，細菌では0.90，酵母0.88，カビ0.80であり，これ以下では増殖できない．

一般に，食品の腐敗が単一の細菌の汚染によって起こることはまれで，何種類もの細菌が時期をずらして連続的に増殖し，腐敗が進行する．このような経時的な菌相の交代は，環境（温度，水分活性，pH，食品成分など）に適した菌が最初に増殖し，それにより変化した環境に応じて別の菌が増殖するために起こる．

2）腐敗の分解反応と産物

食品中のタンパク質は，食品の腐敗の進行とともに，細菌の産生するプロテアーゼ protease，ペプチダーゼ peptidase によりアミノ酸に分解される．さらにアミノ酸は細菌由来の酵素により脱炭酸反応や脱アミノ反応を受け，腐敗アミン，アンモニア，硫化水素，インドール，スカトールなどの有機化合物が生成し，中には有害なもの，悪臭を放つものもある．

① 腐敗アミン

アミノ酸が脱炭酸酵素で代謝されることによって生じるアミンを**腐敗アミン**といい，その代表的なものとして**アグマチン agmatine**，**カダベリン cadaverine**，**ヒスタミン**，**チラミン tyramine**，**トリプタミン tryptamine** などがある（図1-75）．

（i）ヒスタミン

ヒスタミンは，**ヒスチジン**から生じる**不揮発性塩基窒素**である．ヒスタミンは，気管支収縮，

毛細血管拡張，血管透過性の亢進などのアレルギー症状を引き起こす生理活性物質であるため，**アレルギー様食中毒**の原因の1つとなる．

(ii) **チラミン**

チラミンは，チロシンの脱炭酸によって生じる（図1-75）．チラミンは交感神経を刺激し，ノルアドレナリンの放出を促すことにより，血圧を上昇させる．通常，チラミンは，ミトコンドリア外膜に存在するモノアミンオキシダーゼによって代謝・不活性化されるため，問題とならない．

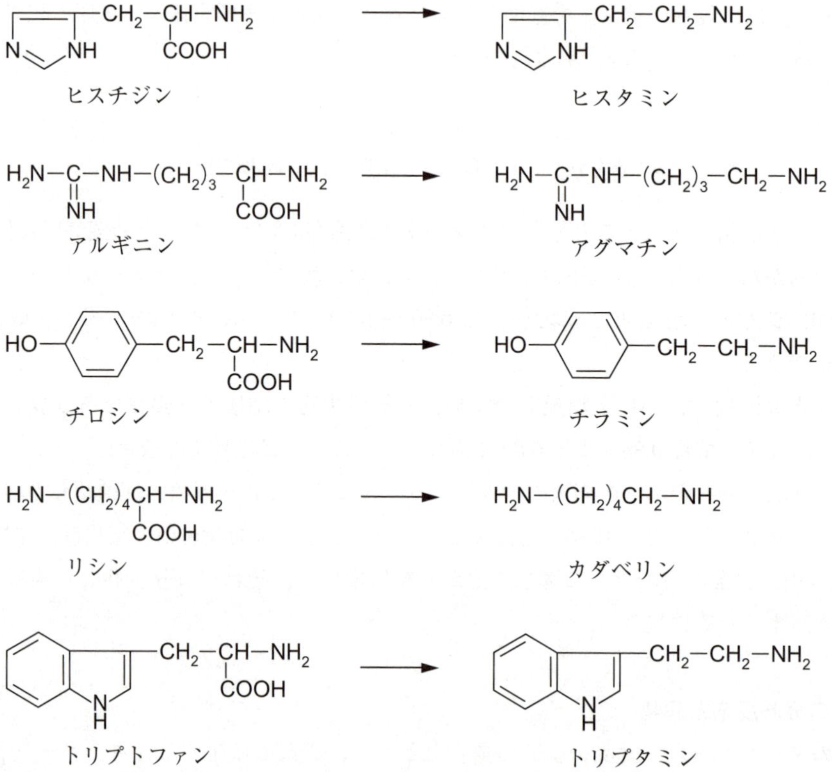

ヒスチジン（イミダゾール環$-CH_2-CH(COOH)-NH_2$）→ ヒスタミン（イミダゾール環$-CH_2-CH_2-NH_2$）

アルギニン $H_2N-C(=NH)-NH-(CH_2)_3-CH(COOH)-NH_2$ → アグマチン $H_2N-C(=NH)-NH-(CH_2)_3-CH_2-NH_2$

チロシン $HO-C_6H_4-CH_2-CH(COOH)-NH_2$ → チラミン $HO-C_6H_4-CH_2-CH_2-NH_2$

リシン $H_2N-(CH_2)_4CH(COOH)-NH_2$ → カダベリン $H_2N-(CH_2)_4CH_2-NH_2$

トリプトファン（インドール環$-CH_2-CH(COOH)-NH_2$）→ トリプタミン（インドール環$-CH_2-CH_2-NH_2$）

図1-75　アミノ酸の脱炭酸反応と産物

② **その他の腐敗の分解反応**

(i) **脱アミノ反応**

アミノ酸の脱アミノ反応により，α-ケト酸 RCOCOOH や α-ヒドロキシ酸 RCH(OH)COOH などの悪臭や異味の原因となる有機酸とともに，代表的な**揮発性塩基窒素**であるアンモニアが生成する．

(ii) **含硫アミノ酸の分解**

システインなどの含硫アミノ酸の分解により，メルカプタンとともに，硫化水素，アンモニアなどが生成し，悪臭の原因となる（図 1-76）.

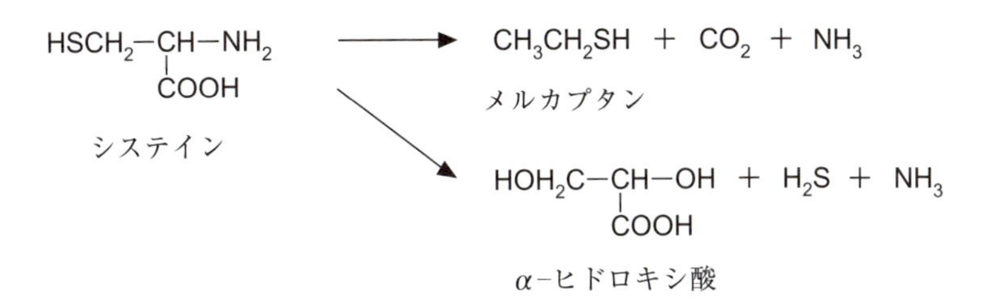

図 1-76　システインの分解反応と産物

コラム　チラミンと MAO 阻害剤との相互作用

セレギリン（旧：デプレニル）などのパーキンソン病治療薬や抗結核薬である**イソニアジド**などは，モノアミンオキシダーゼ（MAO）阻害活性を有する．そのため，MAO によってチラミンの代謝が阻害され，その作用が増強される．したがって，**MAO 阻害剤**を服用している患者が，チラミン含量の高いチーズ，赤ワイン，醤油などの食品を多量に摂取すると，血圧の異常な上昇による脳内出血が起こることがあり，死亡例も報告されているので，注意が必要である．

コラム　アレルギー様食中毒

食品が細菌汚染によって腐敗し，ヒスタミンなどの化学伝達物質が生成されることがある．これを摂取することで，じんましん，紅潮や頭痛などのアレルギー様症状が現れる．これを**アレルギー様食中毒**とよぶ．

腸内細菌科のモルガン菌 *Protcus morganii* は腐敗細菌の一種であり，食品中のヒスチジンを脱炭酸反応によりヒスタミンに変換する．そのため，サバのようなタンパク質にヒスチジン含量が多い魚では，アレルギー様症状の発生頻度が高くなることがある．マグロ，カツオなどの赤身の魚からもアレルギー様食中毒が報告されている．食品 1 g あたりヒスタミンを 4 mg 以上含有するもの，あるいはそれ以下であってもアグマチンなどの他の腐敗アミンが共存するものでは，アレルギー様食中毒が発生する危険性がある．

アレルギー様食中毒は，食後 4 時間以内に発症するが，多くの場合 12 時間程度で回復する．このようなアレルギー様食中毒の原因はヒスタミンであるため，その治療にはジフェンヒドラミンやマレイン酸クロルフェニラミンなどの抗ヒスタミン剤が用いられる．

(iii) トリプトファンの分解

トリプトファンが分解されると，アンモニア，二酸化炭素とともに悪臭の原因であるスカトール，さらにインドールが生じる（図 1-77）.

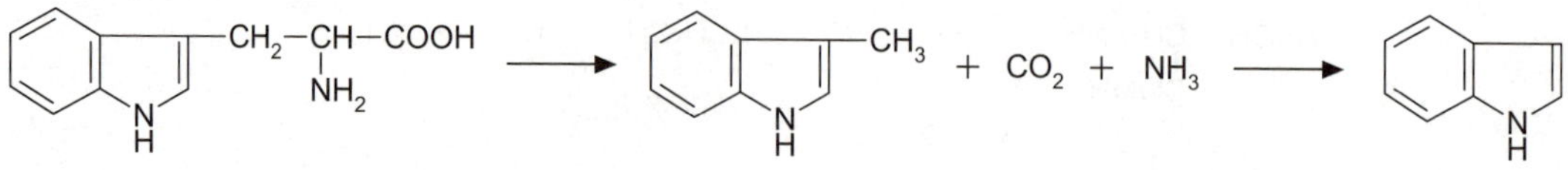

$$\text{トリプトファン (indole-}CH_2-CH(NH_2)-COOH) \longrightarrow \text{スカトール (indole-}CH_3) + CO_2 + NH_3 \longrightarrow \text{インドール}$$

トリプトファン　　スカトール　　インドール

図 1-77　トリプトファンの分解反応と産物

(iv) トリメチルアミンオキシドの還元

魚介類などの海産生物の旨味（甘味）成分である**トリメチルアミンオキシド trimethylamine oxide**（**TMAO**）は，TMAO レダクターゼにより還元され，生臭さの原因である**トリメチルアミン trimethylamine**（**TMA**）となる（図 1-78）.

$$(CH_3)_3NO \longrightarrow (CH_3)_3N$$

トリメチルアミンオキシド　　トリメチルアミン

図 1-78　トリメチルアミンオキシドの還元

コラム　魚臭症候群

魚介類の生臭さの原因である TMA はその摂取後，肝臓に存在する異物代謝酵素（フラビン含有モノオキシゲナーゼ 3，FMO3）によって酸化され，臭いのほとんどない TMAO となり尿中に排泄される．しかし，この *FMO3* 遺伝子に**一塩基多型 single nucleotide polymorphism**（**SNP**）などがある場合，FMO3 の活性が消失または低下する．そのため，TMA から TMAO への代謝能の低下に伴って，TMA が体内に蓄積し，尿，汗，呼気などに排泄されることとなり，体から魚臭や生ゴミ臭を生じるようになる．これを**魚臭症候群**（**トリメチルアミン尿症 trimethylaminurea**）という．

魚臭症候群は根治的な治療法がないため，魚臭症候群患者は，TMA 前駆物質であるコリン choline，レシチン lecithin などの含有量が多い食品（海産魚介類，卵黄，乳製品，豆類，肉類など）の摂取を控えるように努力することとなる．

(v) **ATP 関連化合物**

食肉や魚肉に含まれる ATP は，ATP アーゼなどの酵素によって代謝され，AMP やうま味成分であるイノシン 5′-リン酸（5′-イノシン酸）となる．生成したイノシン 5′-リン酸は，さらに酵素によって代謝され，うま味を有さないイノシンやヒポキサンチンとなる．

3）腐敗の判定

腐敗の判定には，以下の 3 種の試験がある．

① 感覚的試験：色，臭い，味，硬軟などの判定
② 微生物学的試験：腐敗の感知（初期腐敗：食品中の生菌数 10^8/cfu/g）
③ 化学的試験： i）有機酸（ギ酸，酢酸，酪酸など）の測定
　ii）揮発性塩基窒素（アンモニア，TMA など）の測定
　（初期腐敗：30 mg/100 g 程度，TMA では 4 ～ 6 mg/100 g）
　iii）不揮発性塩基窒素（ヒスタミンなど）の測定
　（ヒスタミン 4 mg/g 以上でアレルギー様食中毒発生の危険性）

4）食品の保存

食品の変質を防ぐには，一定の条件で保存することが重要である．微生物，酵素，そして化学反応による変質に大きく影響する因子は，pH，温度そして水分である．したがって，これら因子をコントロールすることで，食品の変質を防ぐことができる．変質の防止法の例を表 1-38 に示す．

表 1-38　変質の防止法

	方　法
水分活性の低下	脱水・乾燥
	塩蔵・糖漬
静菌・殺菌	冷蔵・冷凍
	加　熱
	保存料の添加
pH の低下	酢　漬
その他	くん煙法（ホルムアルデヒド，クレオソートによる防止）
	真空包装，缶詰，脱酸素剤の添加
	紫外線*1・放射線*2 の照射

*1 紫外線（260 nm 付近）照射の効果は，物質の表面に限られることから，一般的な食品の殺菌には適さない．そのため，紫外線は，飲料水，室内の空気，包丁，まな板などの調理器具の殺菌に用いられる．

*2 放射線は，物質の透過性が優れ，殺菌効果も高く，大量の食品を同時に処理できることから，殺菌，殺虫，発芽防止などの食品の保存には極めて有効な手段となる．しかし，栄養成分の変性，有害物質の生成など，照射の安全性については，まだ結論が出されていない．したがって，日本では，一般の食品の殺菌・保存を目的とした放射線の使用は認められていない．しかし，ジャガイモの発芽防止の目的に限って，^{60}Co の γ 線照射が認められている．

B. 食品の褐変現象

食品の嗜好性や栄養価に影響を及ぼす褐変現象は，酵素的なものと，非酵素的なものに分けられる．

1） 酵素的褐変反応

リンゴ，バナナ，モモなどは皮をむいて放置すると褐変する．これは食品中に含まれる没食子酸，カテキン類やその他の**ポリフェノール化合物**が，**ポリフェノールオキシダーゼ polyphenol oxidase** により酸化され**オルトキノン体**となり，さらにそれが重合して，茶褐色，黒褐色の**メラニン melanin 色素**となることによる．このような食品の褐変を**酵素的褐変反応**という（図 1-79）．一般に，タンニン含量の高い食品では酵素的褐変反応が進行しやすい．

ポリフェノールオキシダーゼは，カテコラーゼやチロシナーゼなどの酸化酵素群の総称であり，これらによる褐変反応は，水に浸す（酸化に関与する酸素の遮断），食塩水に浸す（酵素の失活），加熱（酵素タンパク質の変性）などによって抑制することができる．

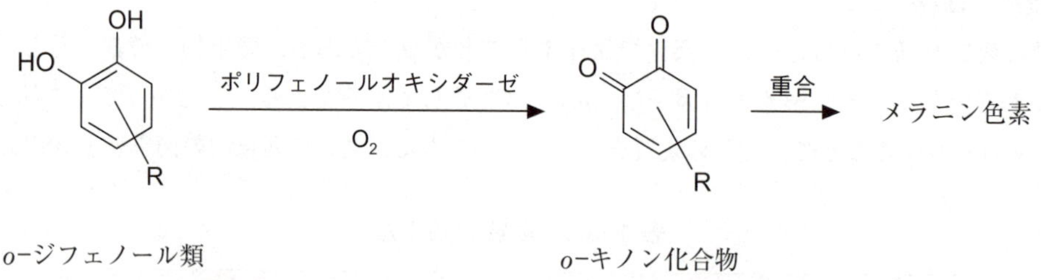

図 1-79 ポリフェノールオキシダーゼによる褐変反応

2） 非酵素的褐変反応

① メイラード反応

食品などの褐変現象の中で，非酵素的反応の代表的なものとして**メイラード反応 Maillard reaction** があげられる．メイラード反応では，アミノ酸，ペプチド，タンパク質などのアミノ化合物と，糖の還元末端あるいは脂肪酸アルデヒド，芳香族アルデヒドなどのカルボニル化合物との反応が最初に起こることから，メイラード反応は**アミノカルボニル反応**ともよばれる．一般の食品にはこれらの化合物が多く含まれるため，メイラード反応は多くの食品で起こりうる反応である．

メイラード反応では，アミノ化合物のアミノ基と還元糖などのカルボニル基が**シッフ塩基**を形成し，アミノレダクトンやアミノケトンなどの**アマドリ転移化合物**や，オソンや 3-デオキシオソンなどの**ジカルボニル化合物**となり，それらが重合することによって，着色物質である

メラノイジン melanoidin が生成する（図1-80）．このような反応は，室温または低温では徐々に起こるが，加熱により促進される．メイラード反応は，温度，水分，pHの調整や酸素の除去などにより防止できる．

このようなメイラード反応による着色は，醤油，味噌，パン，クッキー，蜂蜜，かまぼこなどの食品に好ましい色調を与えるが，着色の好ましくない食品（粉乳など）もある．一方，食品中に含まれるタンパク質のリシン残基や，中心静脈栄養などに用いられる輸液に含まれるリシンのε-アミノ基がグルコースなどの還元糖とメイラード反応を起こすと，リシンの必須アミノ酸としての栄養価が低下することになる．

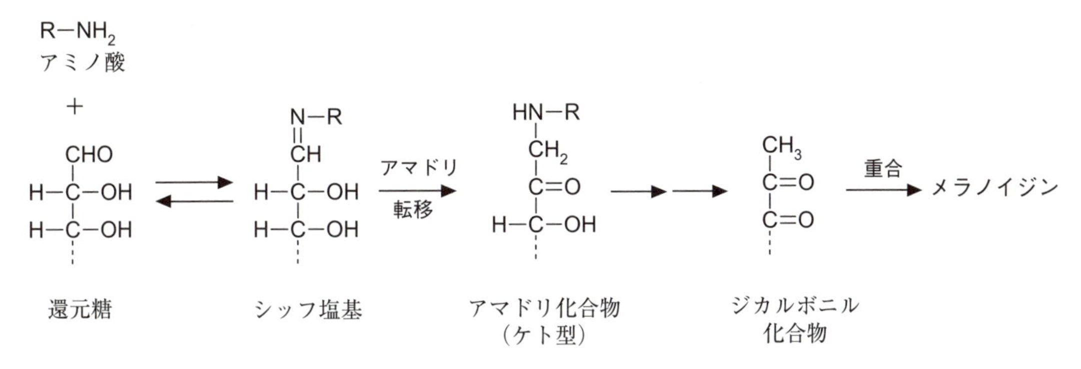

図1-80　メイラード反応によるメラノイジンの生成

コラム　メイラード反応

メイラード反応は生体内でも起こりうる反応であり，特に糖尿病患者では起こりやすく，**AGE産物 advanced glycation endproduct**（**終末糖化産物**）が生成する．血糖値の指標に用いられる**糖化ヘモグロビン**（**HbA1c**）はAGE産物の1つである．このようなAGE産物は，**AGE受容体**を介して一酸化窒素やサイトカインなどの生成を促し，毛細血管障害を起こすなどして，糖尿病血管合併症の成因となる．

メイラード反応は，アミノ酸と糖質を含む輸液中においても起こる．そのため，臨床現場で用いられる輸液製剤では，メイラード反応を防止するために，アミノ酸と糖質を分けて輸液バッグに封入し，使用時にそれを混合するようにしたものがある．

また，トリプトファンやシステインは，光と酸素の存在下で酸化されると，それぞれ重合体や，難溶性のシスチンを生成する．また，糖質は分解し，重合体を形成したり，着色したりすることがある．そのため，輸液製剤の含有成分によっては，その使用中は遮光しなければならない場合がある．

② ストレッカー分解

メイラード反応の副反応として**ストレッカー分解 Strecker degradation** が起こる．この反応では，メイラード反応により生じたジカルボニル化合物が加熱下で α-アミノ酸と反応し，その生成物が脱水，脱炭酸することよって，アミノレダクトンとアルデヒドとなる（図 1-81）．

アミノレダクトンから生じる**ピラジン類**やアルデヒド類は，その食品に特有の芳香，いわゆる焙煎香を与える．その例として，醤油，ビーフステーキ，かば焼などの匂いの主成分があげられる．

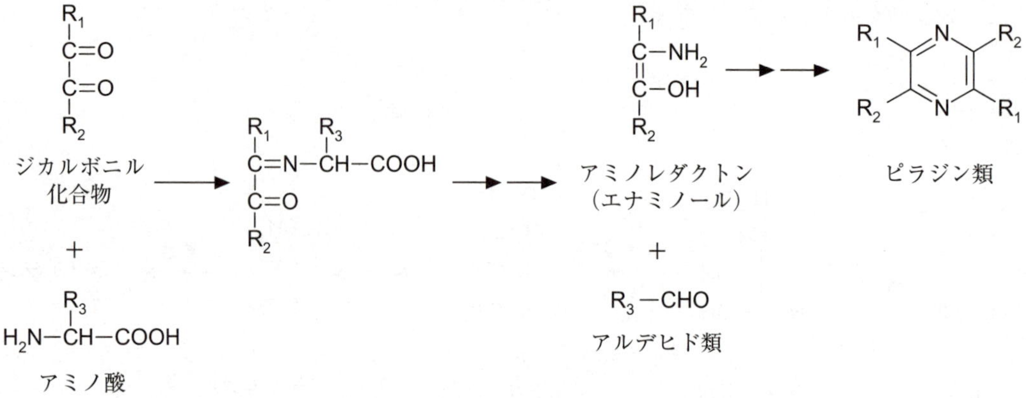

図 1-81　ストレッカー分解

③ カラメル化反応

カラメル化反応とは，糖類が加熱されて相互に反応して還元性の高分子化合物であるカラメルとなり，褐色化する反応をいう（図 1-82）．

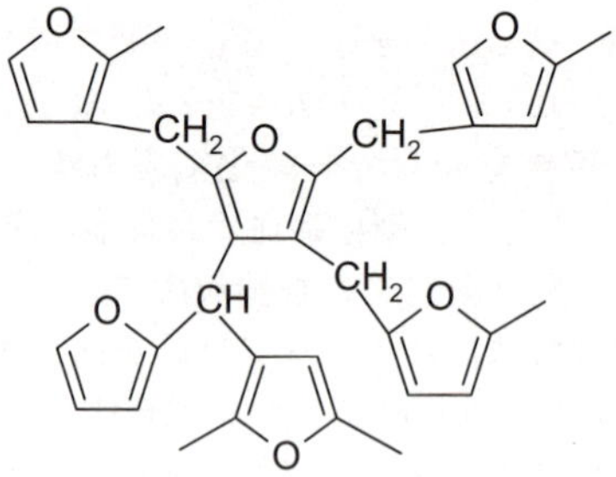

図 1-82　カラメルの推定構造

④ アスコルビン酸の褐変

アスコルビン酸は酸化されることでデヒドロアスコルビン酸となり，さらに 2,3-ジケトグロン酸に加水分解され，それが α-アミノ酸と反応して赤色色素の形成を経て褐変する．

C.　油脂の変質

1）　酸化の機構

食品中の油脂は，熱，光，空気などにより酸化され，不快臭を発し，色の変化，粘度の増加が起こる．この現象を油脂の変敗または**酸敗 rancidity** といい，その主な要因は，油脂中の不飽和脂肪酸の**自動酸化 autooxidation** である．

油脂の自動酸化は，（1）開始反応，（2）連鎖反応，（3）終結反応の3つの過程に分けられる（図1-83）．

（1）**開始反応**：熱，光などによって高度不飽和脂肪酸の二重結合にはさまれた**活性メチレン基**から水素が引き抜かれ，脂肪酸は**アルキルラジカル alkylradical** となる．この反応は起こりにくく徐々に進行するので，この過程は**誘導期**とよばれる．

（2）**連鎖反応**：生成したアルキルラジカルの二重結合が移動して共役し，それに酸素が結合することで**ペルオキシラジカル peroxyradical** となる．ペルオキシラジカルは不安定で反応性の高いため，近隣の脂肪酸の活性メチレン基から水素を引き抜いて速やかに**ヒドロペルオキシド hydroperoxide**（**一次生成物**）となる．一方，水素を引き抜かれた近隣の脂肪酸は新たなアルキルラジカルとなり，再び他の脂肪酸から水素を引き抜く．この反応が次々に起こり，ラジカル生成は連鎖的に進行する．また，ラジカル同士が結合し，重合体となることで非ラジカル生成物も生じる．

（3）**終結反応**：ヒドロペルオキシドは常温で徐々に分解するが，光，熱，特に鉄などの遷移金属イオンの存在下では速やかに分解され，アルデヒド，ケトン，カルボン酸などのカルボニル化合物（**二次生成物**）となる．

油脂の自動酸化の速度は，油脂を構成する脂肪酸の活性メチレン基の数に比例して大きくなる（オレイン酸（二重結合1，活性メチレン基0）＜リノール酸（二重結合2，活性メチレン基1）＜リノレン酸（二重結合3，活性メチレン基2）＜エイコサペンタエン酸（二重結合4，活性メチレン基3）＜ドコサヘキサエン酸（二重結合6，活性メチレン基5））．

油脂が酸敗することにより発生する不快臭（酸敗臭）は，揮発性のカルボニル化合物，特に**マロンアルデヒド（マロンジアルデヒド）malonaldehyde** などの遊離アルデヒドの生成に起因する．また，重合体が多く生成することにより，油脂の粘度は上昇する．

そのほかに毒性が問題となるものとして，**アクロレイン acrolein** や **4-ヒドロキシノネナール 4-hydroxynonenal** がある．4-ヒドロキシノネナールはタンパク質を修飾し，強い細胞毒性を示すことが知られている．

油脂の自動酸化

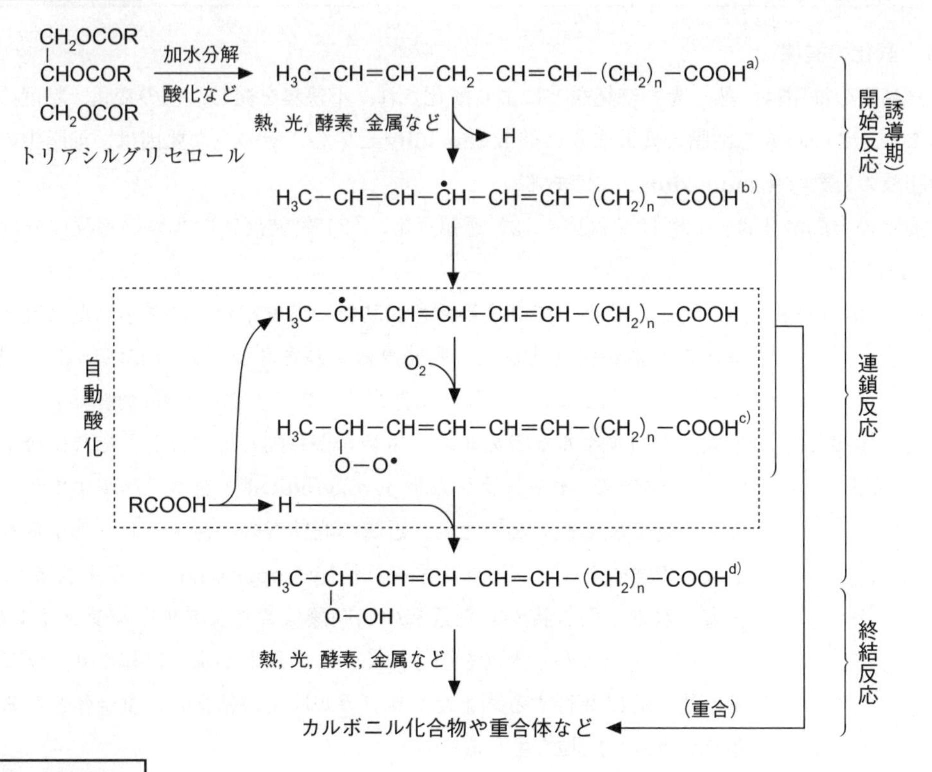

油脂の変質試験

（酸　価）

$$H_3C-CH=CH-CH_2-CH=CH-(CH_2)_n-COOH^{a)} + KOH$$

$$\longrightarrow H_3C-CH=CH-CH_2-CH=CH-(CH_2)_n-COOK + H_2O$$

（過酸化物価）

$$H_3C-\underset{\displaystyle O-OH}{\underset{|}{CH}}-CH=CH-CH=CH-(CH_2)_n-COOH^{d)}$$

$$\xrightarrow[H_2O]{KI} H_3C-\underset{\displaystyle OH}{\underset{|}{CH}}-CH=CH-CH=CH-(CH_2)_n-COOH + I_2 + KOH$$

（ヨウ素価）

$$-(CH_2)_n-CH=CH-CH_2-CH=CH-CH_3^{e)}$$

$$\xrightarrow{I_2} -(CH_2)_n-\underset{\displaystyle I}{\underset{|}{CH}}-\underset{\displaystyle I}{\underset{|}{CH}}-CH_2-\underset{\displaystyle I}{\underset{|}{CH}}-\underset{\displaystyle I}{\underset{|}{CH}}-CH_3$$

図 1-83　油脂の自動酸化と変質試験

a）不飽和脂肪酸，b）アルキルラジカル，c）ペルオキシラジカル，d）ヒドロペルオキシド，e）トリアシルグリセロールのアルキル鎖

2）油脂の変質試験

①酸　価

酸価とは，油脂1g中に含有される**遊離脂肪酸**の中和に要する水酸化カリウムのmg数をいう（図1-83）．

油脂を構成するトリアシルグリセロールは，保存状態が悪いと，その加水分解や酸化などにより不飽和脂肪酸，すなわち遊離脂肪酸が生成する．酸価はこの油脂中の遊離脂肪酸量を表すので，酸価は油脂の酸敗に伴い高くなる．

②過酸化物価

過酸化物価は，油脂1kgによってヨウ化カリウムから遊離されるヨウ素のミリ当量数（meq）をいう（図1-83）．

過酸化物価は，油脂中に含まれる主にヒドロペルオキシドなどの過酸化物の量を表す．したがって，油脂の変敗に伴い，過酸化物価は初期に高くなるが，不安定なヒドロペルオキシドが各種分解物へと変換されるため，その後低くなる．

③カルボニル価

カルボニル価は，カルボニル化合物を2,4-ジニトロフェニルヒドラジン 2,4-dinitrophenylhydradine と反応させヒドラゾン hydrazone として比色定量したときの，油脂1kg当たりの440 nmにおける吸光度をいう．

カルボニル価は，油脂中のアルデヒドやケトンなどのカルボニル化合物の量を表す．したがって，油脂の変敗に伴いカルボニル価は高くなる．

④チオバルビツール酸価

チオバルビツール酸 thiobarbituric acid（TBA）価は，油脂1gから酸性条件下で加熱により遊離するマロンアルデヒドなどの遊離アルデヒドと，チオバルビツール酸との反応により生じる赤色色素のμmol数をいう（図1-84）．

TBA価は，油脂中のマロンアルデヒド，アルケナール alkenal，アルカジエナール alkadienal などの遊離アルデヒド量を表す．したがって，TBA価は油脂の変敗とともに高くなる．

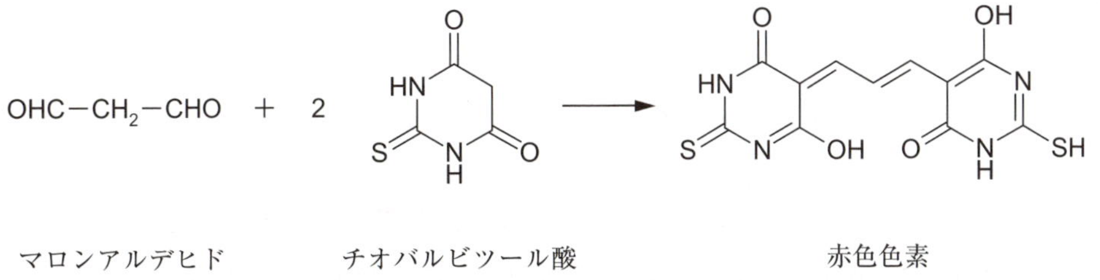

$OHC-CH_2-CHO$ ＋ 2（チオバルビツール酸）→ 赤色色素

マロンアルデヒド　チオバルビツール酸　赤色色素

図1-84　チオバルビツール酸とマロンアルデヒドの反応

⑤ ヨウ素価

ヨウ素価は，油脂 100 g に吸収されるハロゲンの量としてのヨウ素の g 数をいう（図 1-83）．

ヨウ素価は，油脂中を構成する脂肪酸の二重結合量を表す．したがって，ヨウ素価は油脂の変敗に伴い低くなる．

油脂の変敗に伴う酸価，過酸化物価，カルボニル価，TBA 価およびヨウ素価の経時的変化の特徴を図 1-85 に示す．

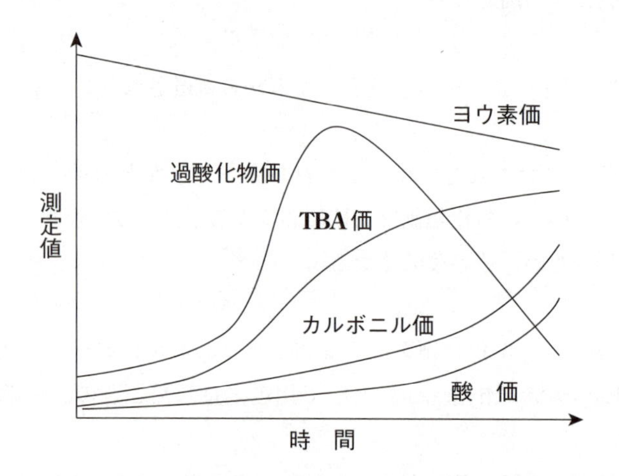

図 1-85　油脂の変質試験値の変敗に伴う変化

3）　油脂の酸化の防止

油脂の自動酸化防止法を以下に示す．

① ラジカル発生の防止

（1）光の遮断

（2）温度の低下

（3）キレート剤による金属の除去

（4）酸素の遮断

（5）リポキシゲナーゼなどの酵素の失活

② ラジカルの捕捉

（1）脂溶性酸化防止剤（食品添加物）の添加

コラム　食品中の脂質の過酸化

食品中の脂質の過酸化は食品の栄養価を低下させるだけでなく，生成した**過酸化脂質**が多量の場合（過酸化物価として 300 ～ 500 meq/kg），それを摂取することによって嘔吐，下痢，腹痛などの消化器中毒が発生することがある．そのため油脂および油脂を含む食品には過酸化物価と酸価に関する基準がある．

1-4-2　食品中に生成する有害物質

A.　ヘテロサイクリックアミン

魚や肉を加熱調理すると，それらの成分としてのアミノ酸，タンパク質などが分解し，反応することにより，**含窒素複素環化合物**である**ヘテロサイクリックアミン heterocyclic amine** を生じることが知られている．

その代表的なものとして，トリプトファンから生じる **Trp-P-1** および **Trp-P-2**，グルタミン酸から生じる **Glu-P-1** および **Glu-P-2** がある（図1-86）．これらはさらにシトクロム P450 cytochrome P450（CYP）により代謝されて，最終的にアルキル化剤となり，変異原性を示すようになる．

このようなヘテロサイクリックアミンは，体内で過酸化水素-ペルオキシダーゼ系，次亜塩素酸，一部は亜硝酸によって不活性化される．また，食物繊維に吸着される．したがって，ヒトのがん発生にどの程度関与するかは現時点では不明である．

また，肉などに含まれるいくつかの成分が反応して生成するものもあり，牛肉や魚肉の加熱により生じる MeIQ は，現在までに単離されているヘテロサイクリックアミンの中で最も変異原性が高い（図1-86）．

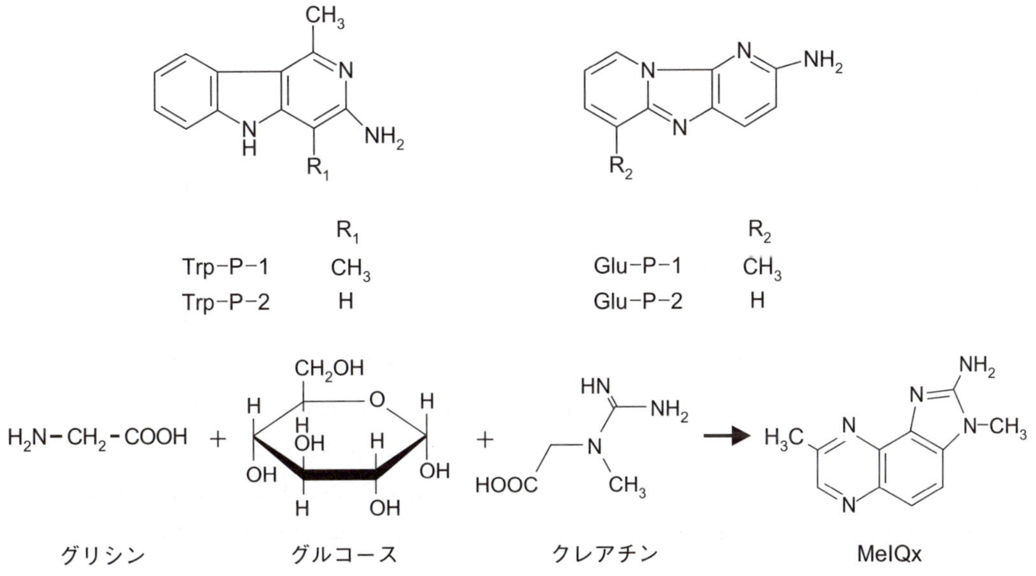

	R_1
Trp-P-1	CH_3
Trp-P-2	H

	R_2
Glu-P-1	CH_3
Glu-P-2	H

H_2N-CH_2-COOH + グルコース + クレアチン → MeIQx

グリシン　グルコース　クレアチン　MeIQx

図1-86　代表的なヘテロサイクリックアミン

B. 多環芳香族炭化水素

多環芳香族炭化水素 polycyclic aromatic hydrocarbon（PAH）は，有機化合物の熱分解時に生成する．多環芳香族炭化水素は環境中に約100種類存在するが，そのうち約20種類には動物実験での発がん性が認められている．

食品中に検出される多環芳香族炭化水素として，**ベンゾ[*a*]ピレン benzo [*a*] pyrene**，**ベンゾ[*a*]アントラセン benzo [*a*] anthracene**，**1-ニトロピレン 1-nitropyrene** などがある（図1-87）．ベンゾ[*a*]ピレンは特に強い発がん性を有しており，くん製品，焙煎食品（コーヒーなど），焙焼食品（焼魚，焼肉など）などから微量ではあるが検出されることがある．

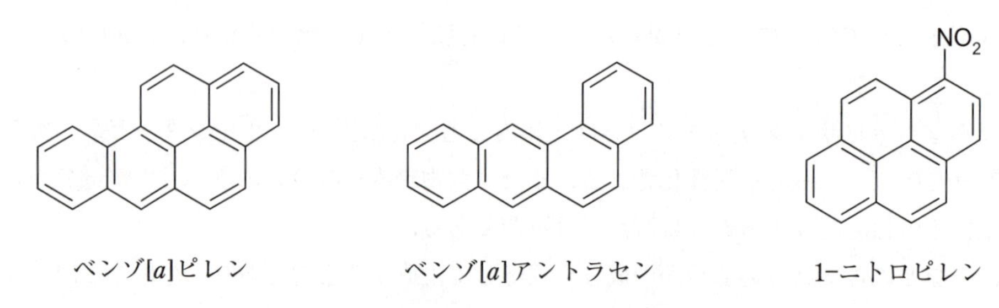

図1-87 代表的な多環芳香族炭化水素

C. *N*-ニトロソ化合物

ジメチルアミン dimethylamine などの**二級アミン**は，魚介類などに多く含まれており，煮たり，焼いたりすることでさらにその含量が増加する．このような二級アミンは，酸性条件下（pH 約3）において，亜硝酸と反応して，発がん性を有する**ジメチルニトロソアミン dimethylnitrosamine** を生成する（図1-88）．

このような***N*-ニトロソ化合物**は胃内で生成しやすく，その体内での生成量は食品汚染物として摂取される*N*-ニトロソ化合物の10～100倍量にもなると推定されている．ただし，この*N*-ニトロソ化合物の生成反応はビタミンCの存在下で抑制されることもわかっている．

N-ニトロソ化合物は100種類以上が報告されており，CYP2E1またはCYP2A6により酸化されると，メチルカチオン（CH_3^+）が生成し，それがDNAをメチル化すると考えられている．実際，その多くには動物実験における発がん性が認められており，また置換基の種類によってその発生臓器が異なるのが特徴であり，ジメチルニトロソアミンは肝臓，ジエチルニトロソアミンは肝臓や食道，*N*-メチル-*N'*-ニトロ-*N*-ニトロソグアニンは胃，*N*-ニトロソ-*N*-メチル尿素は末梢神経や脳脊髄が発がん標的臓器であるとされている（p. 170 食品添加物の項参照）．

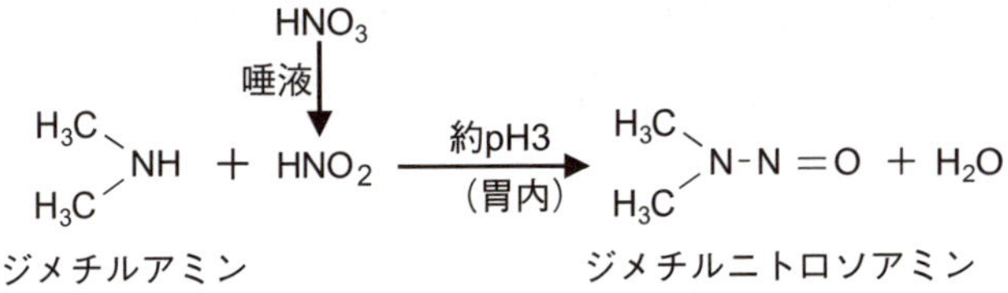

ジメチルアミン　ジメチルニトロソアミン

図 1-88　*N*-ニトロソ化合物の生成反応

D.　アクリルアミド

アスパラギンを多く含むジャガイモなどの穀類を高温で揚げたり焼いたりすると，アスパラギンとグルコースなどの還元糖がメイラード反応を起こし，アクリルアミド acrylamide が生成する（図 1-89）．

アクリルアミドは消化管から速やかに吸収された後，一部は CYP2E1 によってエポキシ体のグリシダミド glycidamide に代謝される（図 1-89）．アクリルアミドおよびグリシダミドは，ヘモグロビンなどのタンパク質との付加体を形成することに加え，変異原性があり，動物で生殖毒性と発がん性が認められている．しかしながら，これらのヒトにおける発がん性リスク評価はまだ確定していない．

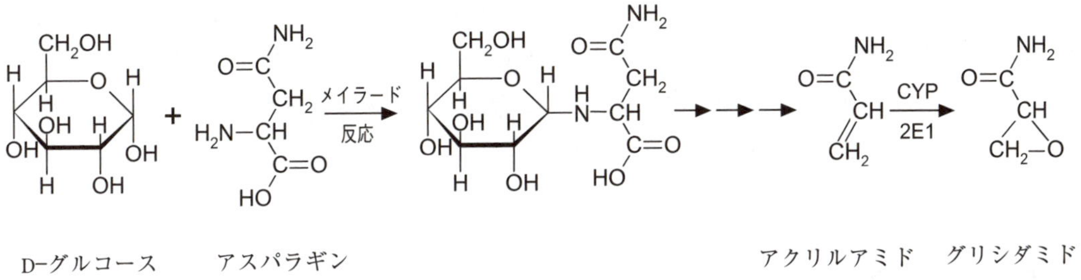

D-グルコース　アスパラギン　アクリルアミド　グリシダミド

図 1-89　アクリルアミドおよびグリシダミドの生成

E.　トランス脂肪酸

トランス脂肪酸 *trans*-fatty acid（トランス型不飽和脂肪酸，トランス酸）は，構造中にトランス型の二重結合を有する不飽和脂肪酸である．天然植物油中にはほとんど含まれないが，それに人工的に水素を添加して硬化することにより生成されるマーガリン，ファットスプレッド，ショートニングなどの製造過程の副産物として生じる（図 1-90）．

トランス脂肪酸を多量に摂取すると LDL を増加させ，心疾患のリスクを高めるとされている．

欧米諸国では，トランス脂肪酸を使用した際に食品への表示が義務付けられている．また，食品中におけるトランス脂肪酸の含有量には，デンマークで2%以下などの規制がなされている．2009年11月，日本でも食品中のトランス脂肪酸含有量の表示義務付けを検討しはじめた．

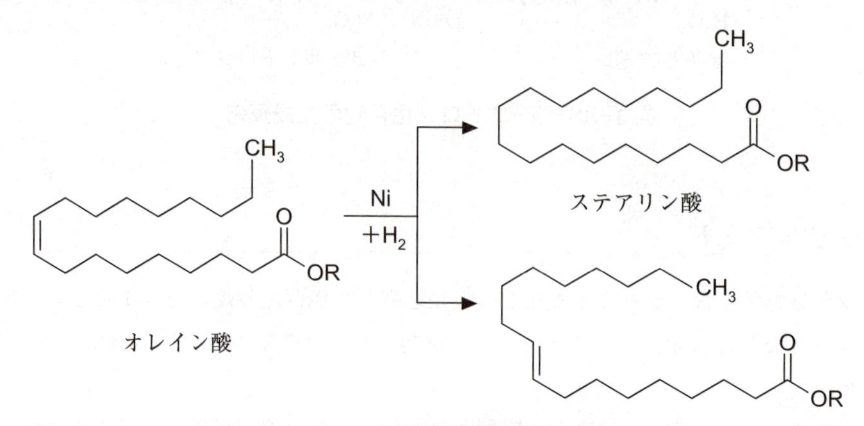

図 1-90　トランス脂肪酸の生成

F.　メタノール

メタノール methanol は，果実酒のアルコール発酵による製造過程において生成する．したがって，ワイン，リンゴ酒などには微量のメタノールが含まれる．このメタノールは，果実中の **ペクチン pectin** の構造単位である D-ガラクツロン酸メチルエステルの加水分解によって生じる．現在，食品衛生法によりメタノールを 1 mg/mL 以上を含む酒類の販売は禁止されている．

メタノール中毒の症状は，頭痛，めまい，吐気，下痢などであり，メタノール 8～20 mL を毎日飲むと視神経が障害され，数日後に失明する．

◆確認問題◆

1）食品の変質において，主にタンパク質の分解によるものを発酵とよぶ．
2）食品の水分活性は，水分含量と必ずしも相関しない．
3）腐敗などにより食品中のヒスチジン量が増加すると，アレルギー様食中毒を引き起こす．
4）腐敗により生じるカダベリンはアルギニンに由来する．
5）魚類に含まれるトリメチルアミンオキシドは，酸化されてトリメチルアミンを生成する．
6）油脂の変敗は食品の栄養価の低下や特異臭の発生をもたらす．
7）ヨウ素価が高い油脂は，低い油脂に比べて変敗しやすい．
8）油脂の自動酸化には，不飽和脂肪酸の活性メチレン基が関与する．

9) 油脂および油脂を含む食品には，過酸化物価と酸価に関して基準が設けられている．
10) 食品中におけるヒドロペルオキシドおよびその二次生成物の生成は風味を向上させる．
11) メイラード反応は，糖と脂肪酸の間で起こる．
12) カテキン類は，ポリフェノールオキシダーゼの作用により脱色される．
13) ストレッカー分解により生じるトリメチルアミンは，うなぎの蒲焼などに独特のフレーバーを与える．
14) 食品の保存法として紫外線照射は有効な手段である．
15) 食品の加熱処理は，殺菌効果に加えて食品中の酵素を不活性化する効果もある．
16) 真空包装には食品の変質を防ぐ効果がある．
17) ベンゾ[a]ピレンは日常的な食事からは摂取されない．
18) ヘテロサイクリックアミンである Trp-P-1 は肉や魚の焼けこげに存在する．
19) 亜硝酸と反応する二級アミンの種類の相違により動物臓器での発がん部位が異なるとの結果がある．

確認問題解答

1) × タンパク質の変質は腐敗とよぶ．
2) ○ 水分活性とは，食品中で微生物の発育に利用できる水分量である．
3) × アレルギー様食中毒は，食品の腐敗の過程においてアミノ酸であるヒスチジンから脱炭酸酵素により腐敗アミンであるヒスタミンが生成することに起因する．
4) × カダベリンはリシン由来であり，アルギニンからはアグマチンが生じる．
5) × トリメチルアミンオキシドは還元されて腐敗臭の原因物質であるトリメチルアミンを生成する．
6) ○ 必須脂肪酸含量が低下し，ヒドロペルオキシドやその二次分解物などの有害物質が生成される．
7) ○ 構成脂肪酸の不飽和度が高いため変敗しやすい．
8) ○ 二重結合にはさまれた活性メチレン基は，熱や光によって水素が引き抜かれて炭素ラジカルを生じる．
9) ○ 酸価は3以下，過酸化物価は30以下に規定されている．
10) × ヒドロペルオキシドやその二次生成物（アルデヒド類，ケトン類，短鎖脂肪酸など）は食品の品質を低下させる．
11) × メイラード反応は，還元糖とアミノ酸の間で起こる．
12) × オルトジフェノール構造を有するカテキン類は酸素存在下においてポリフェノールオキシダーゼの作用により酸化され，メラニン色素を生成し，褐変する．

13）× トリメチルアミンではなく，エタノールアミンが正しく，トリメチルアミンは魚臭症候群の原因物質である．

14）× 紫外線照射は透過性が低いので，まな板，包丁などの表面殺菌のみに使用されている．

15）○ 酵素タンパク質の熱変性による．

16）○ 酸素を遮断することにより，油脂の変敗（酸敗）が防止される．

17）× 焼肉，焼魚，くん製品などに含まれる可能性がある．

18）○ 食品の加熱によりトリプタミンから生成する．

19）○ ニトロソアミンの構造の違いにより発がん臓器は異なるとされている．

Chapter 2

食品の衛生化学

私たちが生命・健康を維持・増進するために必要不可欠であり，基本となるものが食品である．その安全性を確保することは，非常に重要なことである．通常の食品を摂取していれば，健康障害を引き起こすことは少ない．しかし，最近は，牛海綿状脳症（狂牛病）の発生，偽装表示事件，残留農薬の基準違反，企業による大規模な食中毒事件の発生などが原因となって，国民の食品に対する不安や不信が高まっている．

本章では，食品衛生のための法規制，アレルギー，保健機能食品，遺伝子組換え食品および食品添加物について解説する．

2-1　食品衛生のための法規制

食品衛生に関連する主な法令として，食品衛生法，食品安全基本法，食品・食品添加物等の規格基準，乳及び乳製品の成分規格等に関する省令，**薬機法**，と畜場法，食鳥処理の事業の規則及び食鳥検査に関する法律などがあげられる．そのほかに，コーデックス規格，健康増進法，栄養士法，調理師法，学校給食法，地域保健法，感染症の予防及び感染症患者に対する医療に関する法律（感染症予防法），農林物質の規格化等に関する法律（JAS 法）など多数の法令が食品衛生に関わっている．中でも，食品衛生法および食品安全基本法は，食の安心・安全を守るために必須の法規である．また，食を通じて公衆衛生の向上を考える上では，健康増進法についても知っておく必要がある．

2-1-1　食品衛生法

食品衛生法は,「食品の安全性の確保のために公衆衛生の見地から必要な規制その他の措置を講ずることにより，飲食に起因する衛生上の危害の発生を防止し，もって国民の健康の保護を図ること」(第1条) を目的としている.

この法律では，**薬機法**で規定する医薬品および医薬部外品を除き，直接口にする食品および食品添加物に加え，食品と直接接触する調理器具，製造用機器，食品を包装する容器包装まで幅広く対象としている．さらに，乳幼児が接触することにより健康が損なわれるおそれがあるとして，おもちゃも食品衛生法の対象となっている.

2018 (平成 30) 年の改正により，① 広域的な食中毒事案への対策強化，② HACCP (p. 132 参照) に沿った衛生管理の制度化，③ 特別の注意を必要とする成分等を含む食品による健康被害情報の収集，④ 国際整合的な食品用器具・容器包装の衛生規制の整備，⑤ 営業許可制度の見直し，営業届出制度の創設，⑥ 食品リコール情報の報告制度の創設，⑦ その他 (乳製品・水産食品の衛生証明書の添付等の輸入要件化，自治体等の食品輸出関係事務に係る規定の創設等) の措置が講じられた．これらは，わが国の食を取り巻く環境変化や国際化に対応し，食品の安全を確保するためである.

2-1-2　食品安全基本法

食品安全基本法は，2001 (平成 13) 年の牛海綿状脳症の発生などの食品の安全性をめぐる諸問題を契機に 2003 (平成 15) 年に制定された法律である.

この法律は,「科学技術の発展，国際化の進展その他国民の食生活を取り巻く環境の変化に適確に対応することの緊要性にかんがみ，食品の安全性の確保に関し，基本理念を定め，並びに国，地方公共団体及び食品関連事業者の責務並びに消費者の役割を明らかにするとともに，施策

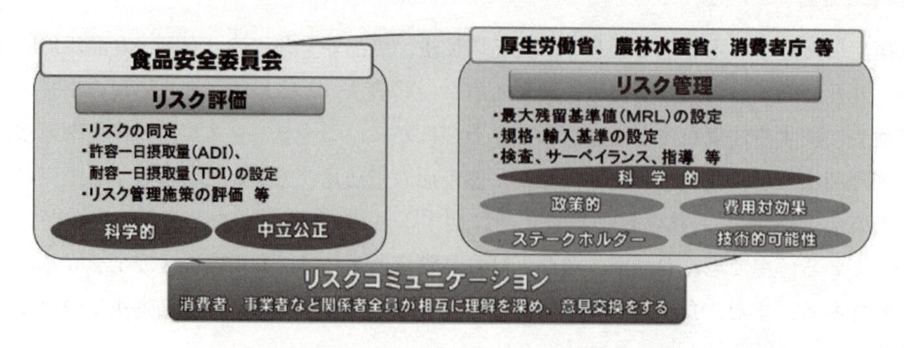

図 2-1　リスクアナリシスの 3 要素の関係
(内閣府ホームページ https://www.cao.go.jp/about/pmf/pmf_22_kai.html より)

の策定に係る基本的な方針を定めることにより，食品の安全性の確保に関する施策を総合的に推進すること」を目的に制定された．

食品安全基本法は，リスク分析（リスクアナリシス）の手法を取り入れて消費者の健康保護を図ることを目的とするものであり，リスク評価（リスクアセスメント）を厚生労働省・農林水産省から独立して内閣府に設置された食品安全委員会が，また，リスク管理（リスクマネージメント）を厚生労働省・農林水産省が主に担当し，リスクコミュニケーションを消費者，食品事業者，専門家などが意見を交換し，情報を共有化することによって行うものである（図2-1）．

2-1-3　健康増進法

健康増進法は，健康日本21の推進とともに，健康づくりや疾病予防に重点をおいた施策を講じるために，栄養改善法の内容を引き継ぎつつ，生活習慣病の予防という視点のみならず，運動や飲酒・喫煙などの生活習慣の改善を通じて健康増進を行うことを目指して，2002（平成14）年に制定され，2003（平成15）年に施行された法律である．

食品衛生学の関連としては，特別用途表示の許可などが規定されている．

2-1-4　食品表示法

2015（平成27）年4月に施行された食品表示法は，食品に関する表示が食品を摂取する際の安全性の確保および自主的かつ合理的な食品の選択の機会の確保を鑑み，国民の健康および増進ならびに食品の生産および流通の円滑化ならびに消費者の需要に即した食品の生産の振興に寄与することを目的に制定された法律である．つまり食品表示法は，食品衛生法，JAS法および健康増進法の食品の表示に関する規定を統合した食品表示に関する包括的かつ一元的な制度であり，「整合性の取れた表示基準の制定」，「消費者，事業者双方にとって分かりやすい表示」，「消費者の日々の栄養・食生活管理による健康増進に寄与」を効果的・効率的に法執行するものである．

2-1-5　その他の法規および制度

A.　消費者庁

消費者庁は，内閣府の外局として設置されている．

消費者庁は，消費者の利益の擁護および増進に関わる主要な法律（消費者に身近な法律）を所管し，行政組織の肥大化を招かぬよう，国の地方出先機関，都道府県を活用し，消費者庁の主導の下，効率的に法執行を行い，二重行政を回避している．

食品衛生関係では，食品表示法などの法律に基づき，消費者の利益擁護および増進を実効的に図っている．

B. 食品衛生監視員

食品衛生監視員は，食品の安全性を確保するために食品監視を職務とする者で，食品衛生法により規定されている．任命権者は，内閣総理大臣，厚生労働大臣，都道府県知事，保健所設置市長，特別区長である．

内閣総理大臣より任命された食品衛生監視員は，国家公務員であり，食品，添加物，器具および容器包装の表示または広告にかかる監視指導を行う．

厚生労働大臣より任命された食品衛生監視員は国家公務員であり，検疫所に配置され，主に輸入食品の監視・指導を行っている．

都道府県知事などにより任命された食品衛生監視員は地方公務員であり，管轄地域での流通食品の監視・指導を行っている．

この資格は，自動的に得られるものではなく，公務員として採用され，長より任命されて初めて資格が生まれる任用資格である．

C. 食品衛生管理者

食品衛生管理者は，食品衛生法の規定により，製造または加工の過程において，特に衛生上の考慮を必要とする食品または添加物であって，食品衛生法施行令で定めるものの製造または加工を衛生的に管理する者である．その施設ごとに，専任の食品衛生管理者が置かれることとなっている．

D. 食品衛生推進員

食品衛生推進員は，都道府県知事の委嘱を受けて，飲食店に対し相談・助言をし，保健所の食品業務に協力する者で，食品衛生法に規定されている．

E. HACCP

HACCP（**Hazard Analysis and Critical Control Point**）とは危害分析に基づく重要管理点Critical Control Point（CCP）を連続して管理し，安全性を確保する手法をいう．元々は，NASA（アメリカ航空宇宙局）での宇宙食の安全性確保のために開発された食品の衛生管理システムである．

HACCP システムによる衛生管理の方法は，最終製品の抜きとり検査（微生物の培養検査など）に重点をおいた従来の衛生管理の方法とは異なり，食品の安全性について危害を予測し，危害を管理することができる工程を特定し，重点的に管理することで，原料の入荷から製造・出荷までの工程全般を通じて危害発生を防止し，製品の安全性の確保を図る方法である（図 2-2）.

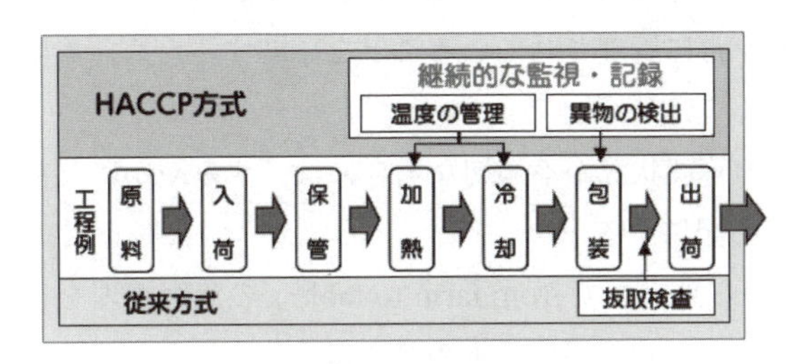

図 2-2　HACCP 方式と従来法
（公益社団法人日本食品衛生協会ホームページ
http://www.n-shokuei.jp/eisei/haccp_sec01.html より）

HACCP システム適用のための 7 原則 12 手順を表 2-1 に示す.

表 2-1　HACCP システムの 7 原則 12 手順

原　則	手　順	内　容
	1	専門家チームの編成
	2	製品の記述
	3	意図される使用方法の確認
	4	製造工程一覧表および施設の図面
	5	現場確認
1	6	危害分析
2	7	重要管理点（CCP）の特定
3	8	管理基準の設定
4	9	モニタリング方法の設定
5	10	改善措置の設定
6	11	検証方法の設定
7	12	記録保存および文書作成規定の設定

（公益社団法人日本食品衛生協会ホームページ http://www.n-shokuei.jp/eisei/haccp_sec05.html より一部改）

具体的には，

- ・食品の製造または加工のすべての工程で発生するおそれのある微生物などの危害を調査・解析 hazard analysis（HA）する．
- ・分析の結果に基づいて，何らかの措置を講ずることにより，危害発生を防止し，安全な製品を得ることができる工程を重要管理点（CCP）として定める．
- ・重要管理点（CCP）が常に管理されていることを確認するため，集中的かつ常時モニタリングを行う．
- ・重要管理点（CCP）の管理状況が不適切な場合には，すみやかに改善措置を講じる．
- ・その管理内容をすべて記録する．

の内容を実施し，「農場から食卓まで from farm to table」の危害管理を目指したものであり，結果として最終製品全体の安全性を保障するものである．

2018（平成 30）年の食品衛生法改正により，原則として，すべての食品等事業者は，HACCP に沿った衛生管理の実施が求められている．

F. 国際的動向

食品の規格・基準や表示基準などの基準認証制度は，各国の社会経済状況や食習慣などの違いにより異なっている．そのため，食品の国際規格の設定や輸出入に関する問題などは，1963 年に国際連合食糧農業機構（FAO）及び世界貿易機関（WTO）により設置された国際的な政府間機関である**コーデックス委員会**（**Codex 委員会**）において討議されている．

コーデックス委員会は，**コーデックス規格**（**国際食品規格**）の策定を通して，消費者の健康を保護し，食品貿易における公正な取引を確保することを目的としている．

コーデックス委員会では，食品表示，食品添加物，重金属の基準値，農薬の残留基準値などのほか，水産製品，加工果実，野菜，乳・乳製品など，食品全般にかかる規格について検討されている．WTO では，国内基準を定める場合には，コーデックス規格を基準とすることになっているため，同委員会で基準が決められた食品については国内基準を国際基準に合わせる必要がある．

コーデックス委員会が策定した食品規格は，わが国の食品リスク管理にも大きな影響を及ぼすため，厚生労働省，農林水産省をはじめとする関係行政機関，研究機関などが連携しながら，コーデックス委員会の活動に参加している．

◆確認問題◆

1）食品衛生法は，国民の健康の増進を図るための措置を講じ，もって国民保健の向上を図ることを目的としている．
2）食品衛生法において食品とは，医薬品，医薬部外品を含むすべての飲食物をいう．
3）食品安全基本法は，食品の安全性の確保に関する施策を総合的に推進することを目的に制定された．
4）消費者庁は，内閣府に設置された．
5）HACCP を導入すると，安全確認に関する記録は必要ない．
6）食品衛生監視員は，すべて地方公務員である．
7）コーデックス委員会は，国連食糧農業機関（FAO）と世界保健機関（WHO）により創設された．
8）食品のリスク評価は，農林水産省が行う．

確認問題解答

1）×　国民の健康の増進を図るための措置を講じ，もって国民保健の向上を図ることを目的としているのは，健康増進法である．
2）×　食品衛生法では，医薬品・医薬部外品を除くすべての飲食物を食品としている．
3）○
4）○
5）×　HACCP を導入しても，安全確認に関する記録は必要である．
6）×　国家公務員もいる．
7）○
8）×　食品のリスク評価は，食品安全委員会が行う．

2-2　アレルギー

食品中に含まれる成分によって引き起こされるアレルギー症状には，2 つのタイプがある．1 つは，食品を摂取した際に，身体が食品に含まれる成分を異物として認識し，防御するために過敏な反応を起こすものであり，食物アレルギーとよぶ．もう 1 つは，食品中にヒスタミンが生成あるいは混入し，これを摂取することで防御反応なしにアレルギー様の症状が引き起こされるもので，アレルギー様食中毒（p. 113 コラム参照）とよぶ．

2-2-1　食物アレルギー

食物アレルギー food allergy は，**即時型過敏症 immediate hypersensitivity** の1つである **I 型アレルギー**（アナフィラキシー性）に分類される．抗原（アレルゲン）が生体内に入ると免疫グロブリンの一種である **IgE 抗体**が産生され，これが組織中の肥満細胞や血中の好塩基球の細胞膜表面の受容体に結合する．この IgE 抗体にアレルゲンが結合すると抗原-抗体反応が起こり，細胞から脱顆粒が生じて顆粒中のヒスタミンなど化学伝達物質が細胞外へ放出され，さまざまな生体反応が引き起こされる．

主な食物アレルギーの症状は，軽度の場合，かゆみ，じんましん，唇やまぶたの腫れ，嘔吐，喘鳴などである．重篤な場合は，意識障害や血圧低下などの**アナフィラキシー**を起こすことがある．

食物アレルギーの抜本的な治療法はなく，患者はアレルゲンとなる成分を含む食品の摂取を避ける除去食療法を実施しなければならない．このような特定の食品成分に対してアレルギーをもつ患者の健康被害の発生を予防する観点から，過去の健康被害などの頻度や程度を考慮して，加工食品へ**特定原材料**（7 品目）を使用した旨の表示が義務付けられている（食品表示法）．そのほかにも過去に一定の頻度で健康被害が報告された 21 品目については，表示が奨励されている（表 2-2）．

表 2-2　特定原材料などの表示

	表示の義務	名　称	理　由
特定原材料	表示義務あり	卵，乳，小麦，えび，かに，そば，落花生	発生件数が多い 症状が重篤な割合が多い
特定原材料に準ずるもの	表示を奨励（任意表示）	アーモンド，あわび，いか，いくら，オレンジ，キウイフルーツ，牛肉，くるみ，さけ，さば，大豆，鶏肉，バナナ，豚肉，まつたけ，もも，やまいも，りんご，ゼラチン，ゴマ，カシューナッツ	過去に一定の頻度で 発生が報告されている

アレルギー表示は，原材料を個別表示することが原則であるが，材料が重複する場合は一括表示してもよい（表 2-3）．平成 26 年度までの食品衛生法に基づく表示基準では，「特定加工食品」についてはアレルゲン表示を省略できたが，平成 27 年度からの食品表示法に基づく表示基準では，特定加工食品およびその拡大表記の制度は廃止された．例えば，旧基準では「マヨネーズ」と表示しても問題なかったが，新基準では「マヨネーズ（卵）」と表示しなければならない．また，原材料として特定原材料などを使用していない食品を製造などする場合であっても，同じ工

場内で特定原材料などを扱っているため，その食品に混入する（コンタミネーション）可能性がある．したがって，「本品製造工場では○○（特定原材料などの名称）を含む製品を生産しています.」といった注意喚起表示が推奨されている．なお，「入っているかもしれない」といった可能性表示は認められていない．

表 2-3　アレルギー表示の例　赤字が特定原材料の表示に該当

	理　由
個別表示	原材料名：じゃがいも，にんじん，ハム（卵・豚肉を含む），マヨネーズ（卵・大豆を含む），タンパク加水分解物（牛肉・さけ・さば・ゼラチンを含む）／調味料（アミノ酸等）
一括表示	原材料名：じゃがいも，にんじん，ハム，マヨネーズ，タンパク加水分解物／調味料（アミノ酸等），（一部に卵・豚肉・大豆・牛肉・さけ・さば・ゼラチンを含む）

2-2-2　食物依存性運動誘発アナフィラキシー

食物依存性運動誘発アナフィラキシー food-dependent exercise-induced anaphylaxis は，アレルゲンである食物を摂取するだけでは発症せず，その後運動するとアナフィラキシーが誘発される食物アレルギーである．原因食物の即時型アレルギーの既往を有する場合や経口免疫療法後などはこれに含めない．発症機序は IgE 依存性のⅠ型アレルギーと同様で，原因食物は**小麦**と**甲殻類（エビ，カニ）**が多く，野菜や果物の報告例が増加している．食物依存性運動誘発アナフィラキシーは，アレルゲンの小腸などからの吸収が運動によって増加するために起こると考えられており，特に，身体活動の活発な中学生に発症しやすく，通常，食後 2 ～ 4 時間以内に運動した場合に多く認められる．また，アスピリン系薬物などの非ステロイド性抗炎症剤の服用や飲酒，入浴により症状が悪化することがある．

コラム　食物アレルギーへの対応

食物アレルギーによるアナフィラキシーに対する処置としては，0.1% アドレナリンの皮下または静脈内投与が第一選択であり，また症状の増悪，持続防止のためにヒドロコルチゾンを静脈内投与する．

また，アナフィラキシー症状が現れ，医師の治療を受けるまでの間の症状の進行を一時的に緩和し，ショックを防ぐために用いられる補助治療剤がエピペン® である．食物アレルギーのある患者はエピペン® を携帯することを指導されているので，アナフィラキシー症状が現れたとき，患者本人が太もも前外側の筋肉内に注射できない場合は，保護者，教職員や保育士が代わりに注射することが求められる．このとき，人命救助の観点からやむをえない教職員や保育士のエピペン® 使用は，医師法違反にはならず，その責任は問われない．

2-3 牛海綿状脳症

牛海綿状脳症 povine spongiform encephalopathy（BSE；狂牛病）は，**プリオン病**の一種である．BSE の原因は異常プリオンタンパク質（PrP^{sc}）であり，脳にスポンジ状の変化やアミロイド斑が認められ，行動異常や運動失調を引き起こす．潜伏期間は長く（3～7年），発病後2週間から6か月で死に至る．

もともとは英国でスクレイピー（慢性の致死性疾患で，体が痒くなるため擦り付ける行動が特徴）に罹患したヒツジの肉骨粉（食肉処理の過程で得られる肉，皮，骨などの残渣からつくられる飼料原料）を使用した飼料からウシが経口感染したと考えられている．

プリオン病には孤発性，家族性そして感染性の3つのタイプがある．このうち，BSE は**感染性プリオン病**に分類され，PrP^{sc} が経口から正常動物に侵入して正常プリオンタンパク質（PrP^{c}）を異常型に変換させる（感染様）と考えられている．そして，ヒトでの**変異型クロイツフェルト・ヤコブ病 variant Creutzfelt-Jacob disease（vCJD）**が，BSE の異常プリオンタンパク質の摂取によるとされているため，世界中で各種対策が行われている．

1） わが国における安全対策

わが国では2001（平成13）年に最初の国産の BSE 感染牛が確認された．それに伴いウシの飼料に肉骨粉の使用が完全に禁止された．また，このような飼料規制などの生産段階から，と畜，販売の各段階における規制により，食肉の安全性が確保されている（図2-3）．

生産農場での対策
・肉骨粉の使用禁止
・死亡牛の検査
（BSE，他の感染症など）

と畜場での対策
・BSE 検査
・特定危険部位の除去

食肉販売業者の対策
・脊柱の利用禁止

個体識別番号により，ウシの誕生からと畜まで確認できる（トレーサビリティ）

図2-3 わが国における BSE 対策の概要

生産農場では，出荷されずに死亡したウシについて家畜保健衛生所でBSEの検査が実施されている．と畜場においては，肉牛の**特定危険部位 specific risk material**として，30か月齢超の頭部（舌と頬肉は除く），脊髄，脊柱および全月齢の扁桃，回腸遠位部は除去される．これは，異常プリオンタンパク質が脳，脊髄，小腸などに蓄積するためである．さらに，48か月齢以上のウシはBSE検査が実施されている．そして，販売店においても食肉に脊柱部位が混入しないように食品衛生法で規制されている．これらの対策があって，2003（平成15）年以降に出生したウシからBSEは検出されていない（2016（平成28）年末現在）．

2） 輸入対策

世界における最大のBSE発生年は1992（平成4）年であり，このときは英国を中心とした欧州で37,316頭の症例が報告されている．この年をピークに各国のBSE対策が発展して，徐々に発生件数が減少し，2016（平成28）年は世界全体で1頭にまで抑え込むことができた．

わが国の輸入牛対策は，2001（平成13）年のBSE発生国産の牛肉・牛加工品の輸入の法的禁止が最も強力な規制であったが，2003（平成15）年にカナダ・米国でBSE感染牛が確認されたことにより，さまざまな議論が必要となった．これは，“全面禁止”が単なる食品安全行政の範疇に留まらず，国際的な“貿易問題”にまで発展したからである．そして，2005（平成17）年から米国およびカナダ産牛肉の輸入再開へと繋がった（ただし，20か月齢と証明され，特定危険部位がすべての月齢で除去されていること）．2019（令和元）年5月17日の時点において，米国，カナダおよびアイルランド産については全月齢，フランス，オランダ，ポーランド，ノルウェー，デンマーク，スウェーデン，イタリア，スイス，リヒテンシュタイン，オーストリア，イギリス産に関しては30か月齢以下，ブラジル産については48か月齢以下のものが輸入されている（ただし，特定危険部位が衛生的に除去されていること）．この輸入における規制については，国によって特定危険部位の規定が異なることもあり（例：日本—全月齢の脊髄，米国—30か月齢超の脊髄など），国際協調という観点からもさまざまなリスク評価が実施されている．

◆ 確認問題 ◆

1) 食物アレルギーの特定原材料の食品への表示は免除される場合がある.
2) アレルギー様食中毒の発症には，IgE が関与する.
3) 加工食品に使用される特定原材料は，ある一定の量以上を含む場合は，表示する義務がある.
4) BSE は，牛海綿状脳症の略である.
5) わが国では，すべての肉牛について BSE 検査を行わなければならない.

【確認問題解答】

1) ×
2) × 食品中のヒスタミンなどの化学伝達物質が原因. 免疫応答を伴わない.
3) × 含有量にかかわらず表示する義務がある.
4) ○
5) × 48 か月齢以上.

2-4　特別用途食品および保健機能食品

私たちが摂取するものは，食品と医薬品（医薬部外品を含む）に大別される．医薬品は効能・効果を表示できるが，食品は健康に関わる表示をできなかった．近年，国民の栄養改善をはかる見地から，新たに「特別の用途に適する旨の表示」が認められる**特別用途食品**（特定保健用食品を含む）や，「保健機能の表示」,「栄養機能の表示」,「機能性の表示」が認められる**保健機能食品**（特定保健用食品，栄養機能食品および機能性表示食品を含む）制度が設立された（表2-4）.

表2-4　特別用途食品および保健機能食品の分類

<table>
<tr><td>法規制</td><td>薬機法*</td><td colspan="7">食品表示法</td></tr>
<tr><td></td><td></td><td colspan="6">健康増進法</td><td rowspan="3"></td></tr>
<tr><td rowspan="3">分　類</td><td rowspan="3">医薬品
（医薬部外品を含む）</td><td colspan="4">特別用途食品</td><td colspan="2"></td></tr>
<tr><td colspan="2"></td><td colspan="4">保健機能食品</td></tr>
<tr><td colspan="2">特別用途食品</td><td colspan="2">特定保健用食品</td><td>栄養機能食品</td><td>機能性表示食品</td><td>一般食品</td></tr>
<tr><td>許可表示</td><td></td><td colspan="2">特別の用途</td><td colspan="2">保健機能</td><td>栄養機能</td><td>機能性</td><td>表示できない</td></tr>
<tr><td rowspan="3">区分など</td><td rowspan="3"></td><td rowspan="3">病者用食品（許可基準型）
低タンパク質食品
アレルゲン除去食品
無乳糖食品
総合栄養食品
病者用食品（個別評価型）
妊産婦，授乳婦用食品
乳児用調製乳
乳児用調整粉乳
乳児用調整液状乳
えん下困難者用食品</td><td rowspan="3">許可証票**</td><td>個別許可型
（疾病リスク低減表示を含む）</td><td rowspan="2">許可証票</td><td rowspan="3">規格基準型</td><td rowspan="3">届出型</td><td rowspan="3"></td></tr>
<tr><td>規格基準型</td></tr>
<tr><td>条件付き特定保健用食品</td><td>許可証票</td></tr>
</table>

* 医薬品，医療機器等の品質，有効性及び安全性の確保等に関する法律
** 特別用途食品の許可証票の区分には，病者用食品，乳児用食品などの用途を記載する．

A. 特別用途食品

特別用途食品は健康増進法26条に基づき，乳児，幼児，妊産婦，病者などの発育，健康の保持・回復などに適するという特別の用途について表示できる食品である．これら特別用途食品は，健康に及ぼす影響が大きく，かつ，適正な使用が必要である病者，妊産婦，授乳婦，乳児，高齢者などに用いる食品をいい，**消費者庁長官**の許可を受けなければ販売できず，表2-4に示す**許可証票**が付され，特定保健用食品と区別される．

特定保健用食品は，健康増進法に基づく「特別の用途に適する旨の表示」の許可に含まれるので，特別用途食品でもある（表2-4）（詳細は次項にて解説する）．

B. 保健機能食品

健康に何らかの良い効果が期待できる食品を示す言葉として，いわゆる「健康食品」が広く社会に知られている．近年，国民の健康志向の高まりに伴い，生活習慣病などの予防に食品の機能性を積極的に活用するという社会的ニーズがある反面，「健康食品」にはイメージが先行し，科学的根拠がないものが多い．そこで，国が科学的根拠に基づく情報提供を積極的に行い，これら食品の不適切な摂取を防ぐとともに，安全性を確保するために，2001年4月に**保健機能食品制度**が制定された．さらに，2015年4月に施行された**食品表示法**により保健機能食品は，特定保健用食品，栄養機能食品および機能性表示食品の3つの区分に分類された．

1） 特定保健用食品

特定保健用食品は，身体の生理機能などに影響を与える保健機能成分を含む食品で，特定の保健の用途に資する旨を，許可証票（表2-4）とともに表示して販売されるものである．特定保健用食品は健康な人がその健康の維持・増進のために日常的に摂取する食品である．したがって，病者を対象とし，医師のもとで使用されることを前提とした病者用食品などの特別用途食品とは区別される．

特定保健用食品は**個別許可型**であるため，製品ごとに個別に有効性や安全性などの科学的根拠に関する審査を受け，その根拠を**消費者庁長官**が認知し，表示の許可を受けたものでなければならない．

一般の食品や飲料水では特定の効能を示すことはできないが，特定保健用食品では健康の維持・増進，特定の保健との関わりを示すことができる．表2-5に示すように，特定保健用食品の表示事項は指定されており，医薬品と誤解されるような，疾病の予防，治療に関する表現は認められない．例えば，血圧に関わる食品の場合，「高血圧を予防，改善する食品です」との表現は認められず，この場合，「血圧を正常に保つことを助ける食品です」の表示となる．

また，特定保健用食品についての形態規制が撤廃され，錠剤やカプセルの形態であってもよく，薬局だけでなく，スーパーマーケットなどでも取り扱うことができ，売り場の制限もない．そのため，安全性の確保，監視指導の強化という意味から，特定保健用食品は健康増進法と食品表示法によって規定されている．

表 2-5　保健機能食品に表示すべき事項

特定保健用食品	栄養機能食品	機能性表示食品
1. 特定保健用食品である旨（条件付き特定保健用食品である場合はその旨）	1. 栄養機能食品である旨	1. 機能性表示食品である旨
2. 特定の保健の用途の表示（許可および承認された表示の内容）	2. 栄養成分の表示（機能表示する成分を含む）	2. 届出番号
3. 栄養成分量，熱量および原材料名	3. 栄養機能表示	3. 科学的根拠に基にした機能性を「届出表示」と冠して表示
4. 内容量	4. 1日当たりの摂取目安量	4. 1日当たりの摂取目安量
5. 1日当たりの摂取目安量	5. 摂取方法	5. 摂取方法
6. 摂取方法	6. 摂取する上での注意事項（注意喚起表示）	6. 摂取する上での注意事項
7. 摂取する上での注意事項	7. 1日当たりの摂取目安量に含まれる機能表示成分の量が栄養素等表示基準に占める割合	7. 1日当たりの摂取目安量に含まれる機能性関与成分の含有量
8. 1日当たりの摂取目安量に含まれる機能表示に対する成分の栄養素等表示基準値に占める割合（栄養素等表示基準が定められているものに限る）	8. 調理または保存の方法に関し，特に注意を必要とするものはその注意事項	8. 調理または保存の方法に関し，特に注意を必要とするものはその注意事項
9. 調理または保存の方法に関し，特に注意を必要とするもの	9. バランスの取れた食生活の普及啓発を図る文言「食生活は，主食，主菜，副菜を基本に食事のバランスを」	9. 食品関連事業者の連絡先
10. バランスの取れた食生活の普及啓発を図る文言「食生活は，主食，主菜，副菜を基本に食事のバランスを」	10. 消費者庁長官の個別の審査を受けたものではない旨	10. 「機能性及び安全性について国による評価を受けたものではない旨」，「バランスの取れた食生活の普及啓発を図る文言」，「疾病の診断，治療，予防を目的としたものではない旨」，「疾患に罹患している者，未成年者，妊産婦及び授乳婦に対し訴求したものではない旨」，「疾患に罹患している者は医師，医薬品を服用している者は医師，薬剤師に相談した上で摂取すべき旨」及び「体調に異変を感じた際は速やかに摂取を中止し医師に相談すべき旨」の表示

① 特定保健用食品の保健機能表示とその関与成分

特定保健用食品に含まれる保健作用に関与する成分として，食物繊維，オリゴ糖，ペプチド類，タンパク質，乳酸菌，機能性脂質など多くの種類がある．表 2-6 は特定保健用食品の主な保健用途の表示内容と関与成分およびその作用機序を示す．

表 2-6　特定保健用食品の主な許可表示内容と関与する成分およびその機能

許可表示の内容	関与する成分とその機能
お腹の調子を整える食品	【腸内のビフィズス菌の育成，腸内細菌群の改善】オリゴ糖類を含む食品（キシロオリゴ糖，大豆オリゴ糖，フラクトオリゴ糖，イソマルトオリゴ糖，乳果オリゴ糖，ラクチュロース，ガラクトオリゴ糖，コーヒー豆マンノオリゴ糖） 【腸内細菌群の改善】乳酸菌を含む食品 【食物繊維の保水性，カチオン交換，ゲル形成，吸着性などの物理化学的性質による排便の促進】食物繊維類を含む食品（難消化性デキストリン，ポリデキストロース，サイリウム種皮由来の食物繊維，小麦ふすま，低分子化アルギン酸ナトリウム，寒天由来の食物繊維，小麦外皮由来の食物繊維，低分子化アルギン酸ナトリウムと水溶性コーンファイバー，高架橋度リン酸架橋でん粉，小麦ふすまと難消化性デキストリン，大麦若葉由来の食物繊維，還元タイプ難消化性デキストリン，グアーガム分解物）
コレステロールが高めの方に適する食品	【コレステロールの吸収抑制】大豆タンパク質，リン脂質結合大豆ペプチド，茶カテキン 【胆汁酸の吸収抑制】キトサン，低分子化アルギン酸ナトリウム，サイリウム種皮由来の食物繊維，植物ステロール，植物性ステロール，植物ステロールエステル 【コレステロールの胆汁酸への代謝促進】ブロッコリー・キャベツ由来の天然アミノ酸
血圧が高めの方に適する食品	【アンギオテンシン変換酵素阻害】カゼインドデカペプチド，サーデンペプチド，ラクトトリペプチド，イソロイシルチロシン，海苔オリゴペプチド，ゴマペプチド，ローヤルゼリーペプチド，大豆ペプチド 【副交感神経刺激】杜仲葉配糖体 【ノルアドレナリン分泌抑制】γ-アミノ酪酸 【血管拡張】酢酸 【一酸化窒素を介した血管平滑筋弛緩】クロロゲン酸類，燕龍茶フラボノイド 【その他】モノグルコシルヘスペリジン
ミネラルの吸収を助ける食品	【消化管でのカルシウムの溶解性上昇】CPP（カゼインホスホペプチド casein phosphopeptide），CCM（クエン酸リンゴ酸カルシウム calcium-citric acid-malic acid） 【ビフィズス菌や乳酸菌の増殖による有機酸生成の増大・大腸 pH の低下を介したカルシウムなどの吸収促進】フラクトオリゴ糖，乳果オリゴ糖
骨の健康が気になる方の食品	【骨からのカルシウムの溶出抑制】大豆イソフラボン 【腸内細菌叢の変化・大腸 pH 低下を介したカルシウムの吸収促進】フラクトオリゴ糖 【骨吸収抑制・骨形成促進】MBP（乳塩基性タンパク質 milk basic protein） 【骨タンパク質形成の促進】ビタミン K_2（メナキノン-4 および 7） 【カルシウム・ミネラルの吸収促進】ポリグルタミン酸
むし歯の原因になりにくい食品と歯を丈夫で健康にする食品と歯ぐきの健康を保つ食品	【ミュータンス菌の増殖抑制】茶ポリフェノール 【ミュータンス菌の栄養源になりにくい甘味料】還元パラチノースなどの糖類 【歯の再石灰化の促進】キシリトール，フクロノリ抽出物（フノラン），リン酸一水素カルシウム，リン酸化オリゴ糖カルシウム 【歯表面の改善】緑茶フッ素 【歯周病関連菌の増殖抑制】ユーカリ抽出物 組み合わせて用いられる成分群：パラチノースと茶ポリフェノール，マルチトールとパラチノースと茶ポリフェノール，マルチトールと還元パラチノースとエリスリトールと茶ポリフェノール，マルチトール，キシリトールと還元パラチノースとフクロノリ抽出物（フノラン）とリン酸－水素カルシウム，CPP-ACP（乳タンパク分解物），キシリトールとフクロノリ抽出物（フノラン）とリン酸一水素カルシウム，リン酸化オリゴ糖カルシウム（POs-Ca），キシリトールとマルチトールとリン酸一水素カルシウムとフクロノリ抽出物（フノラン），緑茶フッ素 （歯ぐき）カルシウムと大豆イソフラボン，ユーカリ抽出物
血糖値が気になり始めた方の食品	【糖質の吸収遅延】難消化性デキストリン，難消化性再結晶アミロース，大麦若葉由来食物繊維 【α-アミラーゼ阻害】グァバ葉ポリフェノール，小麦アルブミン 【スクラーゼ阻害】L-アラビノース 【α-グルコシダーゼ阻害】チオシクリトール，ネオコタラノール
血中中性脂肪が気になる方の食品	【中性脂肪の合成抑制・脂肪燃焼促進】EPA，DHA 【中性脂肪の吸収抑制・分解促進】グロビン蛋白分解物 【β酸化の促進】ベータコングリシン 【脂肪酸合成の抑制・β酸化の亢進】モノグリコシルヘスペリジン 【膵リパーゼの阻害】ウーロン茶重合ポリフェノール，高分子紅茶ポリフェノール 【脂質の吸収抑制】難消化性デキストリン
体脂肪が気になる方の食品と内臓脂肪が気になる方の食品	【肝臓での速やかな代謝】中鎖脂肪酸 【肝臓・筋肉での脂肪の分解・代謝促進】茶カテキン 【肝臓での脂肪の代謝促進】クロロゲン酸類 【膵リパーゼの阻害】りんご由来プロシアニジン，ウーロン茶重合ポリフェノール 【ホルモン感受性リパーゼの活性化】ケルセチン配糖体 【食物の小腸通過速度の増大】コーヒー豆マンノオリゴ糖 【リパーゼによる脂肪分解反応の抑制】ガゼリ菌 SP 株

［(財)日本健康・栄養食品協会ホームページ（http://www.jhnfa.org/tokuho.html）より］

② 条件付き特定保健用食品

条件付き特定保健用食品は，従来の特定保健用食品の審査で要求される有効性の科学的根拠のレベルに届かないものの，一定の有効性が確認される食品である（表2-7）．条件付き特定保健用食品は，特定保健用食品のように容器に「○○に適す」とは表示できないが，「△△を含んでおり，根拠は必ずしも確立されていないが，○○に適する可能性がある」などと表示できる．なお，条件付き特定保健用食品の作用機序および有効性については，特定保健用食品の場合と比較して審査基準が緩和されているが，安全性についての科学的根拠は同等のものが必要である．

表2-7　条件付き特定保健用食品の科学的根拠

作用機序＼試験	無作為化比較試験（危険率5%以下）	無作為化比較試験（同5%を超え10%以下）	非無作為化比較試験
明　確	特定保健用食品	条件付き特定保健用食品	条件付き特定保健用食品
不明確	条件付き特定保健用食品	条件付き特定保健用食品	—

③ 規格基準型特定保健用食品

規格基準型特定保健用食品とは，これまでの特定保健用食品としての許可実績が十分にある場合など，事務局審査が可能な食品について，規格基準を定め，消費者委員会の個別審査なく許可されるものである．規格基準は以下の通りである．

（1）保健の用途の許可数が合計100件を超えている
（2）関与成分の最初の許可から6年を経過しており，健康被害がでていない
（3）複数の企業が当該保健の用途をもつ当該関与成分について許可を取得している

④ 疾病リスク低減表示

特定保健用食品において，関与する成分を摂取することによる疾病リスクの低減効果が，医学的・栄養学的に確立されている場合，**疾病リスク低減**の表示が認められる．現在，次の2つの表示のみが対象となっている（表2-8）．

（1）「若い女性のカルシウム摂取と将来の骨粗しょう症になるリスクの関係」
（2）「女性の葉酸摂取と神経管閉鎖障害を持つ子供が生まれるリスクの関係」

表2-8　疾病リスク低減表示

関与成分	一日摂取目安量	特定の保健の用途にかかる表示	摂取する上での注意事項
カルシウム（食品添加物公定書等に定められたものまたは食品等として人が摂取してきた経験が十分に存在するものに由来するもの）	300～700 mg	この食品はカルシウムを豊富に含みます．日頃の運動と適切な量のカルシウムを含む健康的な食事は，若い女性が健全な骨の健康を維持し，歳をとってからの骨粗しょう症になるリスクを低減するかもしれません．	一般に疾病はさまざまな要因に起因するものであり，カルシウムを過剰に摂取しても骨粗しょう症になるリスクがなくなるわけではありません．
葉酸（プテロイルモノグルタミン酸）	400～1,000 μg	この食品は葉酸を豊富に含みます．適切な量の葉酸を含む健康的な食事は，女性にとって，二分脊椎などの神経管閉鎖障害をもつ子供が生まれるリスクを低減するかもしれません．	一般に疾病はさまざまな要因に起因するものであり，葉酸を過剰に摂取しても神経管閉鎖障害をもつ子供が生まれるリスクがなくなるわけではありません．

コラム　保健機能成分と医薬品との相互作用

特定保健用食品に含まれる保健機能成分の中で，血糖値や血圧に影響を与えることが示されているものがある．このような成分と医薬品との相互作用に起因する有害事象発生の可能性が考えられる．例えば，血圧が高めの方に適する食品とされるもののなかで，カゼインドデカペプチドなどのペプチド類は，アンギオテンシン変換酵素阻害作用を有することが報告されている．高血圧症に対する薬物治療としてアンギオテンシン変換酵素阻害剤を服用している患者が，このような食品を摂取すると，治療効果や副作用がより強くなる可能性が考えられるため，注意を要する．

2）栄養機能食品

保健機能食品の一種である**栄養機能食品**は，高齢化，食生活の乱れなどにより，1日に必要な栄養成分を摂取できない場合に，身体の健全な成長，発達，健康維持のために不足する栄養素（ビタミン・ミネラル）を補充，補完するために利用される食品で，栄養素の栄養生理的機能を表示するものである．

栄養機能食品は，いわゆる規格基準型食品であるため，「健康増進法」，「食品衛生法施行規則」に定められた1日あたりの摂取目安量に含まれる当該栄養成分量が，定められた上限と下限の範囲内にあれば，国への許可申請や届け出は必要なく，自由に販売できる．

栄養機能食品の対象成分は，ビタミンA，B_1，B_2，B_6，B_{12}，C，D，E，K，ナイアシン，葉酸，ビオチン，パントテン酸の13種類のビタミンと，カリウム，カルシウム，鉄，亜鉛，マグネシウム，銅ならびに*n*-3系脂肪酸の計20種類であり，それらの規格基準および表示基準が定められている（表2-9）．

栄養機能食品の表示事項は，表2-9に示すとおりであり，特定保健用食品の表示事項との違いは，許可証票がないこと，栄養機能食品（栄養成分）の表示，保健用途の表示が栄養機能表示となること，特定保健用食品のような個別審査を受けていないことを明記することである．なお，平成17年2月1日の改正により，表示項目として「栄養機能食品（ビタミンC）」など，機能表示する栄養素の名称を「栄養機能食品」の表示に続けて表示することが義務付けられた．

表 2-9　栄養機能食品の規格基準（2015 年更新）

栄養成分	1日当たりの摂取目安量に含まれる栄養成分量		栄養成分の機能	摂取する上での注意事項
	下限値	上限値		
n-3 系脂肪酸	0.6 g	2.0 g	*n*-3 系脂肪酸は，皮膚の健康維持を助ける栄養素です．	本品は，多量摂取により疾病が治癒したり，より健康が増進するものではありません．1日の摂取目安量を守ってください．
亜　鉛	2.64 mg	15 mg	亜鉛は味覚を正常に保つのに必要な栄養素です． 亜鉛は皮膚や粘膜の健康維持を助ける栄養素です． 亜鉛はタンパク質・核酸の代謝に関与して，健康の維持に役立つ栄養素です．	本品は，多量摂取により疾病が治癒したり，より健康が増進するものではありません． 亜鉛の摂りすぎは銅の吸収を阻害する恐れがありますので，過剰摂取にならないように注意してください．1日の摂取目安量を守ってください． 乳幼児・小児は本品の摂取は避けてください．
カリウム	840 mg	2800 mg	カリウムは，正常な血圧を保つのに必要な栄養素です．	本品は，多量摂取により疾病が治癒したり，より健康が増進するものではありません．1日の摂取目安量を守ってください． 腎機能が低下している方は，本品の摂取を避けてください．
カルシウム	204 mg	600 mg	カルシウムは骨や歯の形成に必要な栄養素です．	本品は，多量摂取により疾病が治癒したり，より健康が増進するものではありません．1日の摂取目安量を守ってください．
鉄	2.04 mg	10 mg	鉄は赤血球をつくるのに必要な栄養素です．	
銅	0.27 mg	6.0 mg	銅は赤血球の形成を助ける栄養素です． 銅は多くの体内酵素の正常な働きと骨の形成を助ける栄養素です．	本品は，多量摂取により疾病が治癒したり，より健康が増進するものではありません．1日の摂取目安量を守ってください． 乳幼児・小児は本品の摂取は避けてください．
マグネシウム	96 mg	300 mg	マグネシウムは骨の形成や歯の形成に必要な栄養素です． マグネシウムは多くの体内酵素の正常な働きとエネルギー産生を助けるとともに，血液循環を正常に保つのに必要な栄養素です．	本品は，多量摂取により疾病が治癒したり，より健康が増進するものではありません． 多量に摂取すると軟便（下痢）になることがあります．1日の摂取目安量を守ってください． 乳幼児・小児は本品の摂取は避けてください．
ナイアシン	3.9 mg	60 mg	ナイアシンは皮膚や粘膜の健康維持を助ける栄養素です．	本品は，多量摂取により疾病が治癒したり，より健康が増進するものではありません．1日の摂取目安量を守ってください．
パントテン酸	1.44 mg	30 mg	パントテン酸は皮膚や粘膜の健康維持を助ける栄養素です．	
ビオチン	15 μg	500 μg	ビオチンは皮膚や粘膜の健康維持を助ける栄養素です．	
ビタミン A	231 μg	600 μg	ビタミン A は夜間の視力の維持を助ける栄養素です． ビタミン A は皮膚や粘膜の健康維持を助ける栄養素です．	本品は，多量摂取により疾病が治癒したり，より健康が増進するものではありません．1日の摂取目安量を守ってください． 妊娠３か月以内または妊娠を希望する女性は過剰摂取とならないように注意してください．
ビタミン B_1	0.36 mg	25 mg	ビタミン B_1 は炭水化物からのエネルギー産生と皮膚や粘膜の健康維持を助ける栄養素です．	本品は，多量摂取により疾病が治癒したり，より健康が増進するものではありません．1日の摂取目安量を守ってください．
ビタミン B_2	0.42 mg	12 mg	ビタミン B_2 は皮膚や粘膜の健康維持を助ける栄養素です．	
ビタミン B_6	0.39 mg	10 mg	ビタミン B_6 はタンパク質からのエネルギー産生と皮膚や粘膜の健康維持を助ける栄養素です．	
ビタミン B_{12}	0.72 μg	60 μg	ビタミン B_{12} は赤血球の形成を助ける栄養素です．	
ビタミン C	30 mg	1000 mg	ビタミン C は皮膚や粘膜の健康維持を助けるとともに，抗酸化作用をもつ栄養素です	
ビタミン D	1.65 μg	5.0 μg	ビタミン D は腸管のカルシウム吸収を促進し，骨の形成を助ける栄養素です．	
ビタミン E	1.89 mg	150 mg	ビタミン E は抗酸化作用により，体内の脂質を酸化から守り，細胞の健康維持を助ける栄養素です．	
ビタミン K	45 μg	150 μg	ビタミン K は，正常な血液凝固能を維持する栄養素です．	本品は，多量摂取により疾病が治癒したり，より健康が増進するものではありません．1日の摂取目安量を守ってください． 血液凝固阻止薬を服用している方は本品の摂取を避けてください．
葉　酸	72 μg	200 μg	葉酸は赤血球の形成を助ける栄養素です． 葉酸は胎児の正常な発育に寄与する栄養素です．	本品は，多量摂取により疾病が治癒したり，より健康が増進するものではありません．1日の摂取目安量を守ってください． 葉酸は，胎児の正常な発育に寄与する栄養素ですが，多量摂取により胎児の発育が良くなるものではありません．

*カリウムについては，過剰摂取のリスク（腎機能低下者において最悪の場合，心停止）を回避するため，錠剤，カプセル剤等の食品を対象外とする．
（http://www.jhnfa.org/eiyou4.html）

3） 機能性表示食品

機能性を表示することができる食品は，これまで国が個別に許可した特定保健用食品と国の規格基準に適合した栄養機能食品に限られていたが，食品表示法の施行により，機能性をわかりやすく表示した商品の選択肢を増やし，消費者がそのような商品の正しい情報を得て選択できるように新しく「**機能性表示食品**」制度が開始された．

機能性表示食品は，事業者の責任において，科学的根拠に基づいた機能性を表示した食品であり，販売前に安全性および機能性の根拠に関する情報などが消費者庁長官へ届けられたものである．ただし，特定保健用食品とは異なり，国が安全性と機能性の審査を行っておらず，消費者庁長官の個別の許可を受けたものではない．

機能性表示食品の特徴を以下に示す．

1．疾病に罹患していない方（未成年者，妊産婦（妊娠を計画している方を含む）および授乳婦を除く）を対象にした食品．
2．生鮮食品を含め，すべての食品（一部除く）が対象．
3．安全性および機能性の根拠に関する情報，健康被害の情報収集体制など必要な事項が，商品の販売前に，事業者より消費者庁長官に届け出られている．
4．特定保健用食品とは異なり，国が安全性と機能性の審査を行っていない．
5．届け出られた情報は消費者庁のウェブサイトで公開される．

2-5 遺伝子組換え食品

組換えDNA技術応用食品（いわゆる**遺伝子組換え食品**）は，ある生物種から有用な性質をもつ遺伝子を取り出し，それを別の生物種に遺伝子導入することでつくられた生物を原材料とした食品であり，**遺伝子組換え作物**と**遺伝子組換え食品添加物**に分類される．遺伝子組換え作物は，植物に遺伝子を導入し除草剤耐性や害虫抵抗性などを付与することで大規模生産者の利便性の向上や，栄養素などの有用物質生成の強化などを目的としたものである．一方，遺伝子組換え食品添加物は，遺伝子導入した微生物に生産させることにより，その生産性の向上を目的としたものである．

遺伝子組換え食品の開発や実用化は，米国やカナダを中心に急速に広がってきており，今後さらに新しい食品の開発が進むことも予想されるため，厚生労働省では安全性審査がされていないものが国内で流通しないように安全性審査を食品衛生法上の義務とした．これにより，安全性審査を受けていない遺伝子組換え食品は，輸入，販売などが法的に禁止されている．

なお現在，日本国内において商業的に栽培されている遺伝子組換え作物はない．

A. 安全性審査

遺伝子組換え食品の安全性審査は，食品衛生法に基づいて義務付けられており，食品安全委員会が行う．以下に主な評価内容を示す．

(1) 挿入遺伝子の安全性
(2) 挿入遺伝子により産生されるタンパク質の有害性の有無
(3) アレルギー誘発性の有無
(4) 挿入遺伝子が間接的に有害物質を産生する可能性の有無
(5) 遺伝子を挿入したことにより成分に重大な変化を起こす可能性の有無

現在，わが国において流通・販売が認められている遺伝子組換え作物には，アルファルファ，ジャガイモ，大豆，テンサイ，トウモロコシ，ナタネ，パパイヤ，ワタの8種類，遺伝子組換え食品添加物には，アスパラギナーゼ，α-アミラーゼ，β-アミラーゼ，エキソマルトテトラオヒドロラーゼ，キシラナーゼ，キモシン，グルコアミラーゼ，α-グルコシルトランスフェラーゼ，グルコースオキシダーゼ，酸性ホスファターゼ，シクロデキストリングルカノトランスフェラーゼ，プルラナーゼ，プロテアーゼ，ヘミセルラーゼ，ホスホリパーゼ，リパーゼ，リボフラビンの17種類がある（2019年5月17日現在版．詳細は厚生労働省のホームページ https://www.mhlw.go.jp/stf/seisakunitsuite/bunya/kenkou_iryou/shokuhin/idenshi/index.html を参照のこと）．

B. 管理および表示

厚生労働省では，遺伝子組換え食品の安全性審査の法的な義務化とともに，食品の内容を消費者に明らかにするための表示制度を開始した．2009（平成21）年から消費者庁の発足に伴い，遺伝子組換え作物とその加工食品についての表示に関する業務は消費者庁が担当している．

1) 分別生産流通管理

遺伝子組換えに関する品質表示基準で規定する**分別生産流通管理**（**IP**（**identity preserved**）**ハンドリング**）とは，遺伝子組換え食品および非遺伝子組換え食品を生産，流通および加工の各段階で，善良なる管理者の注意をもって混入が起こらないように分別管理し，その旨を証明する書類により明確にした管理の方法をいう（図2-4）．

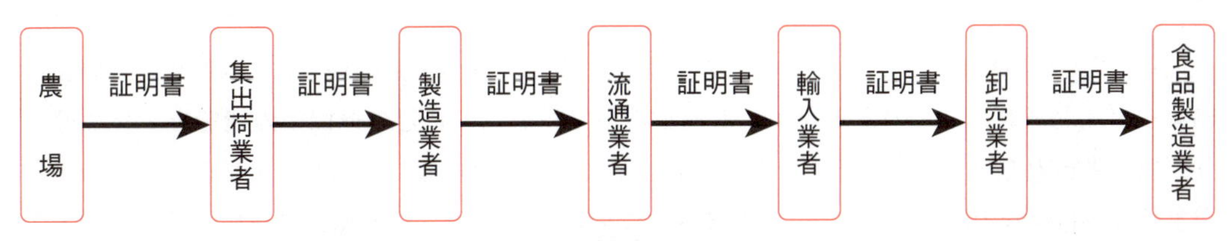

図2-4　一般的な流通形態とIPハンドリング

2） 表　示

表 2-10 は遺伝子組換え食品の表示の種類，内容および表示義務の有無について示す．

表 2-10　遺伝子組換え食品の表示

表　示	表示内容	食品の類別
遺伝子組換え	義務表示	IP ハンドリングが行われた遺伝子組換え食品
遺伝子組換え不分別	義務表示	遺伝子組換え食品と非遺伝子組換え食品が分別されていない食品
遺伝子組換えでない	任意表示	IP ハンドリングされた非遺伝子組換え食品

3） 表示義務の免除

以下のような場合に，遺伝子組換え食品の表示義務が免除される．ただし，“遺伝子組換えでない”と表示することはできない．

① 製造の過程で，組み込まれた遺伝子やその遺伝子が作る新たなタンパク質が技術的に検出できない場合（例：しょう油，大豆油，コーン油，コーンフレークなど）

② 加工食品については主な原材料（全原材料に占める重量の割合が上位 3 位までのもので，かつ原材料中に占める重量の割合が 5%以上のもの）にあたらない場合

C.　遺伝子組換え食品の検知法

厚生労働省では，2001（平成 13）年 4 月から，食品衛生法に基づく表示について義務化するのに伴い，医薬局食品保健部長通知として，「組換え DNA 技術応用食品の検査方法について」で遺伝子組換え食品の検知法を定めた．これは，世界で初めて国が定める標準法として，安全性未審査遺伝子組換え食品の検知法を規定し，さらに表示制度に対応した安全性審査済みの食品の定量法を規定したものである．

食品中に存在する遺伝子組換え体を検知する方法として，導入遺伝子から転写・翻訳されて作られるタンパク質をその抗体を用いて検知する **ELISA 法**および**ラテラルフロー法**と，遺伝子組換えに使用された DNA 配列を **PCR 法**で増幅して検知する方法（定性および定量）がある．

D. ゲノム編集食品

近年，**CRISPER/Cas9 システム**などの多様な生物における任意の染色体 DNA 配列の簡便な編集法が開発された．このようなゲノム編集技術を用いて，特定の遺伝子の機能を変化させたり，他の生物の遺伝子と置き換えたりして品種改良された農畜産物や魚などの**ゲノム編集技術応用食品**（いわゆる**ゲノム編集食品**）が開発されている（図 2-5）．例えば，高血圧予防に繋がると

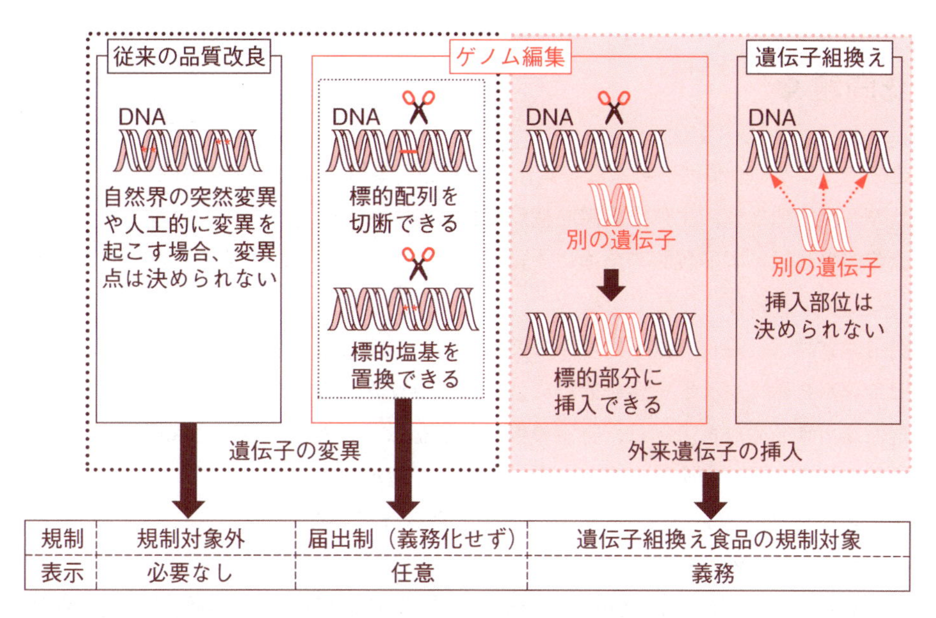

図2-5　ゲノム編集食品と遺伝子組換え食品の規制と表示

される成分を多く含んだトマト，肉付きの良いマダイなどがある．

2019年において，ゲノム編集食品の安全性審査などについて厚生労働省の審議会は，外来遺伝子を入れる方法については遺伝子組換え食品と同様に安全性審査の対象に含め，表示についても遺伝子組換え食品と同様に取扱うこととした．

これに対し，元々存在する特定の遺伝子の標的配列の切断や標的塩基の欠失・挿入・置換などの変異によりその機能を変化させる方法は，自然に起こる突然変異や従来の品種改良と見分けがつかないため規制の対象外とし届出のみ（義務化せず）とした．また，このようなゲノム編集食品を使った加工食品は届出対象外とした．ただし，アレルギーなどの健康影響や成分変化などを確認して届け出るよう業者に求めることとした．これらゲノム編集食品の表示に関して，消費者庁は義務表示のためには違反食品を特定し，罰則を科さなければ機能しないが，遺伝子の変異に基づいたゲノム編集食品の特定は現時点では困難であるため，編集表示の義務化が見送られ，表示は任意となった．

また，ゲノム編集技術によって得られた生物を利用して製造された添加物（ゲノム編集技術応用添加物）であって，利用した技術が組換えDNA技術に該当するものは，規格基準に基づく安全性審査の手続を経る必要があるのに対し，それに該当しないものについては，遺伝子組換え食品における取扱い同様，届出を求めることとした．ただし，高度精製添加物に相当するものは，遺伝子組換え添加物の安全性審査に係る手続が緩和されている状況を踏まえ，情報の提供を求めることも要さないとした．

◆確認問題◆

1）保健機能食品とは，個別許可型の特定保健用食品と規格基準型の栄養機能食品のことである．
2）食品の一次機能とは，生体機能調節機能である．
3）保健機能食品は，容器包装の前面に「食生活は，主食，主菜，副菜を基本に食事のバランスを」の表示が義務付けられている．
4）特別用途食品は，適正な食事摂取が必要な病者のみを対象とする専用食である．
5）カゼインホスホペプチドを含む飲料には，カルシウムの吸収を促進する機能がある．
6）特定保健用食品の許可表示は，特定の保健用途を示すもので，特に表示義務はない．
7）遺伝子組換え食品の安全性審査は，食品衛生法で義務化されている．
8）遺伝子組換え食品と非遺伝子組換え食品が分別されていない食品について，「遺伝子組換え食品」の表示が必要である．
9）分別生産流通管理（IP（identity preserved）ハンドリング）とは，遺伝子組換え食品および非遺伝子組換え食品を生産，流通および加工の各段階で善良なる管理者の注意をもって各段階で混入が起こらないように分別管理し，その旨を証明する書類により明確にした管理の方法をいう
10）遺伝子組換え作物は，国内で商業的に栽培されている．
11）遺伝子組換え食品の検知法の1つとして，PCR法がある．

確認問題解答

1）×　以前は問題文のように分類されていたが，現在では，特定保健用食品（条件付き特定保健用食品を含む）は，個別許可型および規格基準型に，栄養機能食品は規格基準型に分類されている．
2）×　食品の一次機能は栄養機能，二次機能は感覚機能，三次機能は生体調節機能である．
3）○　平成17年より義務化された．
4）×　病者だけでなく，妊産婦，授乳婦，乳児なども対象となる．
5）○　クエン酸リンゴ酸カルシウムやヘム鉄を含む食品もカルシウムの吸収を促進する機能がある．
6）×　表示義務がある．
7）○　平成13年より，遺伝子組換え食品の安全性審査は食品衛生法で義務化され，安全性が確認されていない遺伝子組換え食品は，輸入，販売などが禁止されている．
8）×　遺伝子組換え食品と非遺伝子組換え食品が分別されていない食品には「遺伝子組換え不分別」の表示義務がある．

9）○

10）×　承認されている遺伝子組換え作物はあるが，現在国内で商業的に栽培されているものはない．

11）○　挿入されたDNA配列はPCR法，挿入遺伝子から転写・翻訳されて作られたタンパク質はELISA法などで検出される．

2-6　食品添加物

2-6-1　食品添加物総論

A.　定　義

食品添加物とは，食品衛生法第4条第2項に「食品の製造の過程において，又は食品の加工若しくは保存の目的で，食品に添加，混和，浸潤その他の方法によって使用するものをいう」と定義されている．

食品添加物は，食品の嗜好性，保存性，栄養性，品質の安定化，加工性などを高めるといった効果を有している．

B.　食品添加物の種類

食品添加物は，食品衛生法第10条に基づき，厚生労働大臣が指定した**指定添加物**および**既存添加物**と，指定対象外の**天然香料**および**一般飲食物添加物**の4種類に分けられる．

指定添加物は，食品衛生法施行規則別表1に収載されているものであり，2019（令和元）年6月6日現在463種類ある．

既存添加物とは，「既存添加物名簿」(2010（平成22）年10月20日消食表第377号別添1）に収載された長い食経験がある天然物由来の食品添加物で，食品衛生法で定義されたものではない．2019（令和元）年6月6日現在365品目がある．

天然香料は，動植物から得られる天然の物質で，食品に香りをつける目的で使用されるものである．「天然香料基原物質リスト」(2010（平成22）年10月20日消食表第377号別添2）に収載されているものである．例えば，バニラ香料やカニ香料など動植物からとった香料があり，2019（令和元）年6月6日現在612品目が収載されている．

一般飲食物添加物とは，一般に食品として供されるものであるが，食品添加物としても使用されるもので，「一般飲食物添加物リスト」（2010（平成 22）年 10 月 20 日消食表第 377 号別添 3）に収載されているものをいう．果汁や抹茶を着色料として用いる場合などがその例であり，2019（令和元）年 6 月 6 日現在 107 品目が収載されている．

C.　食品添加物の用途

食品添加物の用途としては，食品の製造・加工に使用されるもの，食品の保存，腐敗・変敗の防止，嗜好性の向上，栄養的価値の強化があげられる（表 2-11）．

食品添加物はその特性から，1 つの用途しか許可されていないものもあれば，複数の用途で使用が許可されているものもある．また，使用基準で対象食品，使用量および使用制限のないものについては，どの用途で使用してもよい．

D.　指定基準

食品添加物は，原則として，厚生労働大臣が定めたもの以外の製造，輸入，使用，販売などは禁止されており，いわゆる**指定制度**（**ポジティブリスト制度**）がとられている．この指定の対象には，化学合成品だけでなく天然物も含まれる．

食品添加物として新たに申請する場合，厚生労働大臣の諮問機関である薬事・食品衛生審議会でそれが審議され，可否が判定される．その結果を厚生労働大臣に答申して決定される．

指定の基準としては，① 安全性，② 消費者に対する利益，③ 使用した場合の効果，④ 分析法の確立の 4 つがある．

E.　食品添加物の成分規格，使用基準

食品添加物の安全性を確保するために，規格基準が**食品添加物公定書**に定められている．指定添加物によっては使用基準が定められているものもある．また，すべての指定添加物と一部の既存添加物には成分規格が定められている．食品製造業者は，成分規格を満たすように作られた食品添加物を，使用基準を守って使わなければならない．

F.　安全性

食品添加物は，食品を介してたとえ微量でも毎日摂取される可能性があるので，食品添加物の安全性の評価および確保は重要である．食品添加物の安全性は，物質の分析結果，動物を用いた安全性試験結果などの科学的なデータに基づいて，食品安全委員会が行う食品健康影響調査（リ

表 2-11　食品添加物の用途

使用区分	用　途	目　的	例
食品の保存，腐敗，変敗の防止	保存料	カビや細菌などの発育を阻止し，食品の腐敗を防ぐ.	安息香酸ナトリウム，ソルビン酸カリウム，パラオキシ安息香酸エチル
	殺菌料	微生物を殺して食品が腐るのを防ぐ.	次亜塩素酸ナトリウム，次亜塩素酸水，過酸化水素，高度さらし粉
	防かび剤	輸入かんきつ類などのカビの発生を防ぐ.	イマザリル，オルトフェニルフェノール，ジフェニル，チオベンダゾール
	酸化防止剤	食品の酸化を防ぐ.	L-アスコルビン酸，ジブチルヒドロキシトルエン，クエン酸イソプロピル
嗜好性の向上	着色料	食品を着色し，色調を調節する.	食用赤色3号，食用黄色4号，β-カロテン，カラメル，コチニール色素
	発色剤	ハム，ソーセージ，魚卵などの色調を良くする.	亜硝酸ナトリウム，硝酸カリウム
	漂白剤	食品を漂白し，白く，きれいにする.	亜硫酸ナトリウム，亜塩素酸ナトリウム
	香料	食品に香りをつける.	アセト酢酸エチル，アニスアルデヒド
	甘味料	食品に甘味を与える.	サッカリンナトリウム，アスパルテーム，スクラロース，キシリトール，
	調味料	食品にうま味を与え，味を調える.	L-グルタミン酸ナトリウム，5′-イノシン酸ナトリウム，コハク酸一ナトリウム
	酸味料	食品に酸味を与える.	クエン酸，L-酒石酸，乳酸
	苦味料	食品に苦味を与える.	カフェイン，ナリンジン
食品の製造・加工に使用	増粘剤	食品になめらかな感じや粘り気をもたせる.	アルギン酸ナトリウム，カラギナン，カルボキシメチルセルロース
	乳化剤	水と油を均一に混ぜ合わせる.	グリセリン脂肪酸エステル，サポニン，ショ糖脂肪酸エステル，レシチン
	膨張剤	ケーキなどをふっくらさせる.	炭酸水素ナトリウム，グルコノデルタラクトン，硫酸アルミニウムカリウム
	ガムベース	チューインガムの基材として用いられる.	エステルガム，酢酸ビニル樹脂，炭酸カルシウム，ゴム
	チューインガム軟化剤	チューインガムを柔軟に保つ.	プロピレングリコール，グリセリン，D-ソルビトール
	イーストフード	パンなどを焼くときにイーストの栄養源となる.	炭酸カルシウム，塩化マグネシウム，硫酸マグネシウム
	かんすい	中華めんの食感，風味をだす.	炭酸カリウム，炭酸ナトリウム，炭酸水素ナトリウム
	結着剤	ハムなどの製造時に畜肉の保水性，結着性を高める.	ピロリン酸四カリウム，ポリリン酸ナトリウム，メタリン酸カリウム
	消泡剤	食品製造工程中に発生する気泡を除く.	シリコーン樹脂
	豆腐用凝固剤	豆腐を作る際に豆乳を凝固させる.	塩化マグネシウム，硫酸カルシウム，グルコノラクトン，塩化カルシウム
	離型剤	パン製造時に，パンと箱型との離型を容易にする.	流動パラフィン
	固結防止剤	粉末食品が固まるのを防ぐ.	ケイ酸カルシウム，二酸化ケイ素，フェロシアン化物
	pH 調整剤	食品の pH を調節する.	DL-リンゴ酸，炭酸水素ナトリウム
栄養的価値の強化	栄養強化剤	栄養を強化する.	L-アスコルビン酸，エルゴカルシフェロール，β-カロテン，グルコン酸第一鉄，乳酸カルシウム，L-システイン塩酸塩，DL-アラニン，L-アスパラギン

スク評価）により審議される．具体的には，各食品添加物について許容一日摂取量 acceptable daily intake（ADI）が設定される．この結果を受けて，薬事・食品衛生審議会で，審議・評価される．

動物などを用いた安全性試験としては，① 28 日間反復投与毒性試験，② 90 日間反復投与毒性試験，③ 1 年間反復投与毒性試験，④ 繁殖試験，⑤ 催奇形性試験，⑥ 発がん試験，⑦ 変異原性試験，⑧ 抗原性試験，⑨ 一般薬理試験，⑩ 体内動態試験などがある．

G.　許容一日摂取量（一日許容摂取量）

許容一日摂取量（**ADI**）とは，「ヒトがある物質の一定量を一生涯にわたって摂取し続けても，健康への悪影響がないと推定される 1 日あたりの摂取量」のことである．したがって，許容一日摂取量は食品添加物の使用量などを設定する際の重要な因子である．

ADI は，1 年間反復毒性試験などの結果から得られた実験動物に何も影響を及ぼさない量（**最大無作用量**（**無毒性量**） **no observed adverse effect level**（**NOAEL**））を，**安全係数**（100）で除して計算され，1 日体重 1 kg あたりの mg 数（mg/kg または mg/kg/日）として表される．

$$ADI = NOAEL \times 1/100$$

安全係数は，動物種とヒトとの感受性の差（10 倍）とヒト集団での感受性の個体差（10 倍）を考慮したものである．

H.　食品添加物の表示

食品添加物の表示は，原則として使用したものをすべての添加物名を添加物に占める重量の割合の多い順に記載し，表示が不要なもののみを指定する**ネガティブリスト制度**が適用されている．また，一括表示の原材料欄に食品原料と食品添加物とを分けて，量の多い順に記載すると定められている（JAS 法）．

表示の方法としては，物質名（名称，別名，簡略名，類別名も可）による表示，用途名と物質名を併記する表示，一括名による表示がある．

名称による表示方法は，一般名または慣用名を用いる（表 2-12）．

用途名と物質名を併記する表示方法は，保存料，着色料，発色剤，酸化防止剤，増粘剤，漂白剤，甘味料，防かび剤の 8 用途について適用されており，例えば，保存料（ソルビン酸 K）と表示する．

一括名による表示方法は，複数の食品添加物を配合して使用するものに対して一括名で表示するものである．これには，調味料，イーストフード，ガムベース，チューインガム軟化剤，かん

表 2-12　実際の商品の表示例

名　称	調理パン		
原材料名	パン，卵フィリング/乳化剤，イーストフード，調味料（アミノ酸），酸化防止剤（V.E），カロテノイド色素，加工デンプン，グリシン，香料抽出物		
内容量	1個	消費期限	表面に記載
保存方法	直射日光，高温多湿を避けて保存して下さい.		
販売者	○○○○株式会社　東京都××××区△△△町□丁目◆番◇号		

注：下線があるのが食品添加物（量の多い順に記載される）.

すい，香料，酸味料，豆腐凝固剤，乳化剤，pH 調整剤，膨張剤が該当する.

食品添加物は，原則すべてを表示しなくてはならないが，以下の項目に該当する場合は表示が免除される.

・キャリーオーバー（原材料に由来する食品添加物）
・加工助剤（加工工程で使用されるが，最終的には食品中にはほとんど残らない食品添加物）
・栄養強化剤（栄養強化の目的で使用されるビタミン，無機質，アミノ酸など）
・表示できる面積が 30 cm^2 以下の小包装食品（すべての食品添加物）
・店頭ばら売り食品（防かび剤，サッカリン，サッカリンナトリウムを除く食品添加物）である.

I.　食品添加物一日摂取量調査

食品添加物を実際にどの程度摂取しているのかを把握することは，食品添加物の安全性を確保する上で重要なことである．このため，食品添加物一日摂取量調査は，マーケットバスケット方式または陰膳（かげぜん）方式を用いて実施される.

マーケットバスケット方式とは，スーパーマーケットなどで売られている実際の食品を購入し，その中に含まれている食品添加物量を分析して測定し，その結果を国民健康・栄養調査に基づく食品の喫食量を乗じて摂取量を求める方法である.

一方，陰膳方式とは，調査対象者が食べた食事とまったく同じものの1日分を食事試料として，食事全体を一括して分析し，1日の食事中に含まれる食品添加物の摂取総量を測定することにより，調査対象者が食べた食品に由来する食品添加物の摂取量を推定する方法である.

最近の調査では，いずれの食品添加物の摂取量も ADI をはるかに下回っていることが確認されており，安全性に問題はない（表 2-13）.

表 2-13　食品添加物の一日摂取量と ADI との比較（平成 27・28・29 年度）

対象物質名	一日摂取量（mg/人）	ADI（mg/kg）
食用赤色 3 号	0.002	0～0.1
食用黄色 4 号	0.129	0～10
亜硫酸塩類（二酸化硫黄）	0.164	0～0.7
ソルビン酸	4.407	0～25
アスパルテーム	0.000	0～40
アセスルファム K	1.357	0～15
グリチルリチン酸	0.368	—
サッカリンナトリウム	0.112	3.8
スクラロース	0.825	0～15
ステビア抽出物	0.598	0～4
ネオテーム	0.000	1.0
ジブチルヒドロキシトルエン	0.009	0～0.3
トコフェロール類	6.41	0.15～2
アゾキシストロビン	0.00003	0.18
チアベンダゾール	0.000026	0～0.1

（平成 28 年，平成 29 年および平成 30 年　薬事・食品衛生審議会食品衛生分科会添加物部会報告　より抜粋）

J. 管　理

食品添加物の製造，加工を行う場合，その施設ごとに食品衛生管理者を置かなければならない．

K. 規格基準および製品検査

食品添加物の安全性を確保するため，指定添加物についての規格基準が，食品添加物公定書で規定されている．

基準には，製造基準（かんすい），保存基準（β-カロテン）および使用基準がある．食品への使用基準のあるものは，使用する対象食品の種類および使用量が制限されている．

また，食用タール色素は，国立医薬品食品衛生研究所での製品検査が義務付けられている．

L.　国際問題

輸出国で使用が許可されていても，わが国で許可されていない食品添加物を含む食品は輸入できない．

食品添加物の規格や基準に関しては，各国の法律によって定められており，各国間で相違点がある．また，食品添加物を使用できる食品についても，各国の食文化により違いが生じる．国際貿易が盛んとなり，食料や食品の輸出入が増える中で，食品の安全・安心を確保しながら，規制の整合性をとることが国際的な課題となっている．

また，食品添加物の安全性については，FAO/WHO 合同食品添加物専門家会議 FAO/WHO Joint Expert Committee on Food Additives（JECFA）がある．JECFA は，コーデックス委員会とは独立した専門家による会議である．コーデックス委員会が審議を依頼し，JECFA が案の提示をするなど，科学的知見に基づいた国際的な規格や基準の策定に重要な役割を果たしている．

2-6-2　食品添加物各論

A.　保存料

保存料とは，微生物の増殖によって引き起こされる食品の腐敗や変敗を防止し，保存性の向上を目的とする食品添加物をいう．保存料の作用は，殺菌ではなく，静菌作用であり，保存期間の延長を目的とする．指定されている保存料は，すべて使用基準がある（表 2-14）．

保存料には酸型保存料とエステル型保存料とがある．酸型保存料の効果は，pH によって変わり，pH が低いほどその効果は大きくなる．これは，溶液の pH によって解離型と非解離型の分子の存在比率が変わるためである．一方，エステル型保存料の効果は，pH による影響を受けにくい．

表 2-14　保存剤の名称と構造

	名　称	構造式	備　考
酸型保存料	安息香酸 benzoic acid 安息香酸ナトリウム sodium benzoate	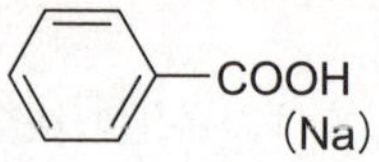 (ベンゼン環)–COOH (Na)	細菌や酵母に対してpH 5.2以下で有効性を示す．
	ソルビン酸 sorbic acid ソルビン酸カリウム potassium sorbate ソルビン酸カルシウム calcium sorbate	$CH_3CH=CH-CH=CHCOOH$ $CH_3CH=CH-CH=CHCOOK$ $(CH_3CH=CH-CH=CHCOO)_2Ca$	抗菌力は強くないが，幅広い抗菌作用を示し，特にカビ防止には有効である． これらは摂取されると速やかに吸収されるが，β酸化により分解されるので安全性が高く，保存料の中で最も多くの食品に使用が許可されている．
	デヒドロ酢酸ナトリウム sodium dehydroacetate	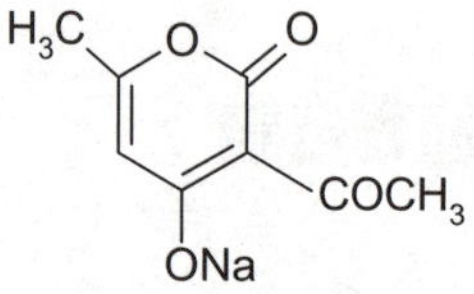 (ピラン環構造: H_3C, O, O, $COCH_3$, ONa)	多くの腐敗細菌，カビ，酵母に有効である． 本品は比較的解離しにくいので，中性付近でもある程度の効力が期待できる．
	プロピオン酸 propionoic acid プロピオン酸カルシウム calcium propionate プロピオン酸ナトリウム sodium propionate	C_2H_5COOH $(C_2H_5COO)_2Ca$ C_2H_5COONa	カビ，細菌に有効である．
エステル型保存剤	パラオキシ安息香酸イソブチル isobutyl *p*-hydroxybenzoate パラオキシ安息香酸イソプロピル isopropyl *p*-hydroxybenzoate パラオキシ安息香酸エチル ethyl *p*-hydroxybenzoate パラオキシ安息香酸ブチル butyl *p*-hydroxybenzoate パラオキシ安息香酸プロピル propyl *p*-hydroxybenzoate	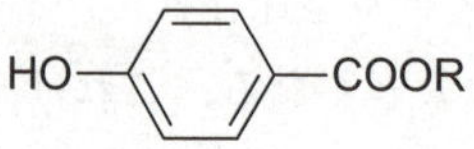 HO–(ベンゼン環)–COOR R＝イソブチル：$-CH_2CH(CH_3)_2$ イソプロピル：$-CH(CH_3)_2$ エチル：$-CH_2CH_3$ ブチル：$-(CH_2)_3CH_3$ プロピル：$-(CH_2)_2CH_3$	カビ，酵母に強い抗菌力を示す．その抗菌力はエステル部分の炭素数が多いほど大きい．

B.　殺菌料

殺菌料は，食品中の微生物を殺菌するために添加したり，食品製造用の機械や器具の殺菌をしたりするための食品添加物である（表2-15）．

表 2-15　殺菌料の名称と構造

名　称	構　造	備　考
亜塩素酸ナトリウム sodium chlorite	$NaClO_2$	強い殺菌作用があり，かつ強い酸化作用を有しているため，漂白剤としても使用されている．最終食品の完成前に分解または除去することが義務づけられている．
過酸化水素 hydrogen peroxide	H_2O_2	強力な殺菌作用がある．最終食品の完成前に分解または除去することが義務づけられている．
次亜塩素酸水 hypochlorous acid water	HClO	次亜塩素酸を主成分とする水溶液である．最終食品の完成前に分解または除去することが義務づけられている．
次亜塩素酸ナトリウム sodium hypochlorite	NaClO	特異な臭気を有する殺菌料であり，飲料水，野菜，食器，調理器具などの殺菌に用いられるが，ごまに使用してはならない．
高度さらし粉 high test hypochlorite	Ca (OCl) Cl	食品や食器の洗浄などで使用される臭気の強い殺菌料である．

C.　防かび剤

防かび剤（**防ばい剤**）は，レモン，オレンジ，グレープフルーツなどのかんきつ類やバナナなどを輸入する際に，輸送時などにおけるカビの発生を予防し，商品価値を保つために用いられる食品添加物である．防かび剤はすべてに使用基準が設定されており，食品中の残存量が決められている（表 2-16）．

わが国では，果実が木になっているときに使用されものは農薬に分類され，収穫後，同じ目的で使用されるものは食品添加物として取り扱われる．一方，諸外国では，収穫後に使用される**ポストハーベスト農薬**として分類されることもある．

防かび剤として使用されるイマザリル，オルトフェニルフェノール，ジフェニル，チアベンダゾールおよびフルジオキソニルに関しては，他の食品添加物とは異なり，ばら売りであっても，それらの使用について表示しなければならない．

D.　酸化防止剤

酸化防止剤は，食品の保存中に，空気中の酸素，光，熱などによる必須脂肪酸などの不飽和脂肪酸やカロテノイド色素などの酸化を防止するために用いる食品添加物である（表 2-17）．

酸化防止剤には，**還元剤**，**フェノール性連鎖停止剤**（**遊離基捕捉型酸化防止剤**）および**金属封鎖剤**がある．

フェノール性連鎖停止剤は，いずれもフェノール性水酸基を有する脂溶性化合物であり，油脂

表 2-16　防かび剤（防ばい剤）の名称と構造

名　称	構　造	備　考
イマザリル imazalil（IMZ）	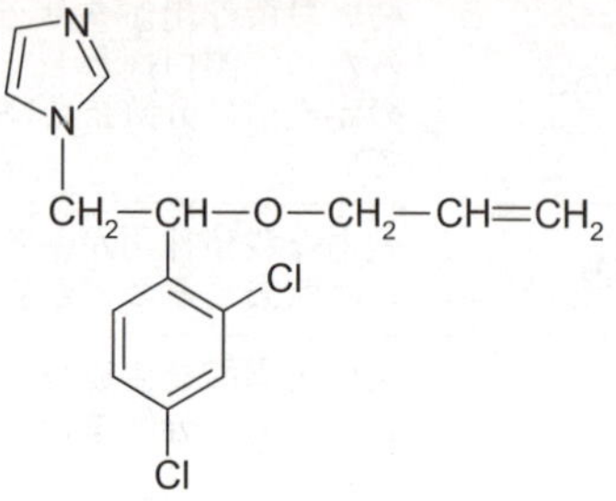	塩基性物質で比較的水に溶けやすい．かんきつ類には本品を添加したワックスに浸漬して，バナナには乳化剤に浸漬するか，収穫時にスプレーして使用する．対象食品は，みかんを除くかんきつ類とバナナである．
オルトフェニルフェノール *o*-phenylphenol（OPP） オルトフェニルフェノールナトリウム sodium *o*-phenylpheneol（OPP-Na）	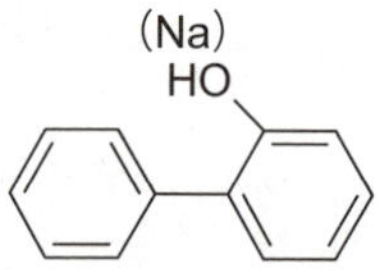	酸性物質で，強アルカリで塩を形成し，水溶性となる．かんきつ類の表皮に散布または塗布して，白カビに対する防かび剤として使用する．対象食品は，かんきつ類である．
ジフェニル diphenyl（DP）	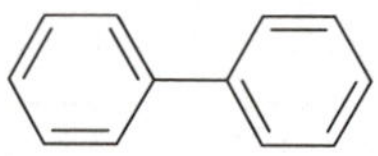	中性物質で，かんきつ類に生える青カビに対する防かび剤として使用される．対象食品は，グレープフルーツ，レモン，オレンジ類であるが，「貯蔵又は運搬用に供する容器の中に入れる紙片に浸潤させて使用する場合に限る」と定められている．
チアベンダゾール thiabendazole（TBZ）	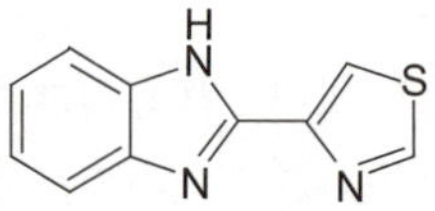	塩基性物質で，強酸と塩を形成し，水溶性となる．かんきつ類に生える緑カビに対する防かび剤またはバナナの防かび剤として使用される．対象食品は，かんきつ類，バナナ，バナナ（果肉）である．かんきつ類は本品を添加したワックスに浸漬して使用する．
フルジオキソニル fludioxonil	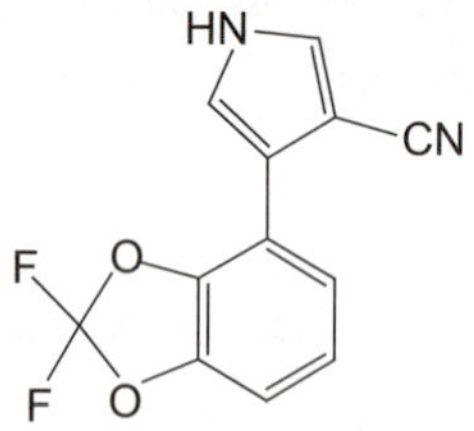	糸状菌に対して広い抗菌スペクトルを有するフェニルピロール系の非浸透移行性殺菌剤であり，収穫後の果実の防かびに有効である．対象食品は，かんきつ類（みかんを除く），アボカド，あんず，おうとう，キウイ，ざくろ，すもも，西洋なし，ネクタリン，パイナップル，パパイヤ，ばれいしょ，マルメロ，マンゴー，もも，りんごである．
アゾキシストロビン azoxystrobin	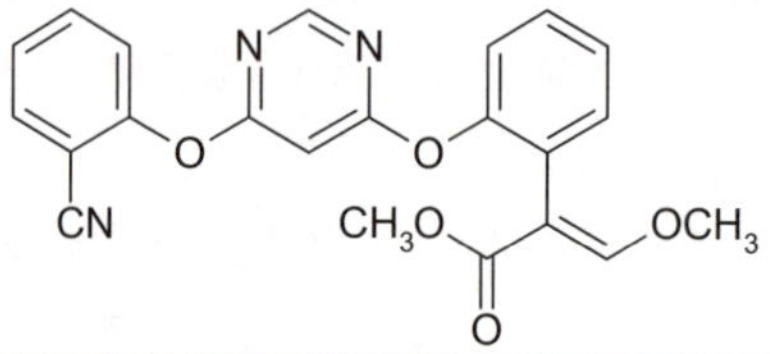	主要な植物病原菌に対する抗菌スペクトルを有し，収穫後の果実の防かびに有効である．対象食品は，みかんを除くかんきつ類である．

表 2-17　酸化防止剤の名称と構造

	名　称	構　造	備　考
還元剤	L-アスコルビン酸 ① L-ascorbic acid L-アスコルビン酸ナトリウム ② sodium L-ascorbate L-アスコルビン酸パルミチン ③ 酸エステル L-ascorbic palmitate L-アスコルビン酸ステアリン酸 エステル ④ L-ascorbic stearate	OH O　O　C−CH_2OR_2 H OR_1 OH R_1　R_2 ① H　H ② Na　H ③ H　$OCOC_{15}H_{31}$ ④ H　$OCOC_{17}H_{35}$	L-アスコルビン酸およびそのナトリウム塩は，水に溶けやすく，酸性で強い還元作用がある．対象食品や使用基準はなく，栄養強化剤としても使用される． L-アスコルビン酸パルミチン酸エステルおよびL-アスコルビン酸ステアリン酸エステルは，L-アスコルビン酸の脂溶性を高めたものであり，対象食品や使用基準はない．
	エリソルビン酸 ① erythorbic acid エリソルビン酸ナトリウム ② sodium erythorbate	H O　O　C−CH_2OH OH OR OH R ① H ② Na	L-アスコルビン酸の立体異性体で，ビタミン作用はほとんどないが，抗酸化力はL-アスコルビン酸よりも強い．エリソルビン酸は酸化防止剤としての対象食品や使用基準はないが，栄養強化剤としては使用できない．
フェノール性連鎖停止剤	ジブチルヒドロキシトルエン butylated hydroxytoluene (BHT)	OH $(H_3C)_3C$　$C(CH_3)_3$ CH_3	対象食品は，魚介冷凍品（生食用冷凍鮮魚類および生食用冷凍かきを除く），鯨冷凍品（生食用冷凍鯨肉を除く），食用油脂，バター，魚介乾燥製品，魚介類塩蔵品，乾燥裏ごしいも，チューインガムである．

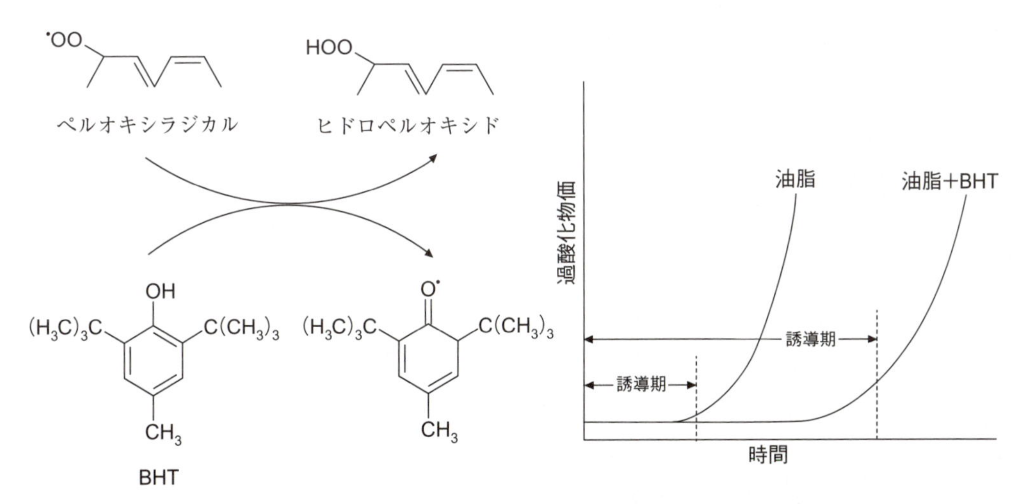

図 2-6　ジブチルヒドロキシトルエンと脂質ラジカルの反応

表 2-17　つづき

	名　称	構　造	備　考
フェノール性連鎖停止剤	ブチルヒドロキシアニソール butylated hydroxyanisole （BHA）	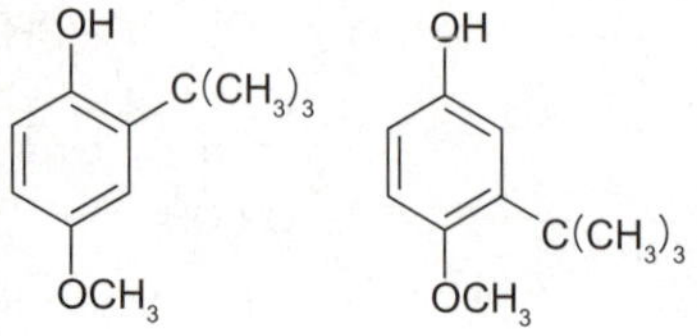	浸透性に優れ，その効力はBHTと同等またはそれ以上である．対象食品は，魚介冷凍品（生食用冷凍鮮魚類および生食用冷凍かきを除く），鯨冷凍品（生食用冷凍鯨肉を除く），食用油脂，バター，魚介乾燥製品，魚介類塩蔵品，乾燥裏ごしいもである．
	dl-α-トコフェロール *dl*-α-tocopherol	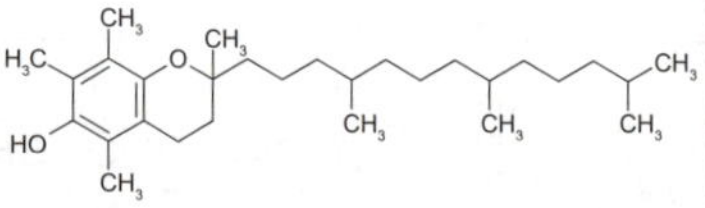	ビタミンEであり，対象食品および使用量の制限はない．主に油脂，バターなどに用いられる．使用制限として，酸化防止の目的に限ると定められている．
	没食子酸プロピル propyl gallate（PG）	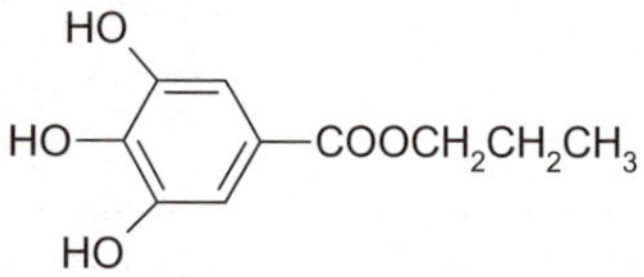	対象食品は，油脂とバターのみである．
	グアヤク脂 guaiac resin		油脂およびバター以外の食品に使用してはならないと規定されている．
金属封鎖剤	エチレンジアミン四酢酸二ナトリウム（EDTA Na_2） disodium ethylenediaminetetraacetate エチレンジアミン四酢酸カルシウム二ナトリウム calcium disodium ethylenediaminetetraacetate （EDTA $CaNa_2$）	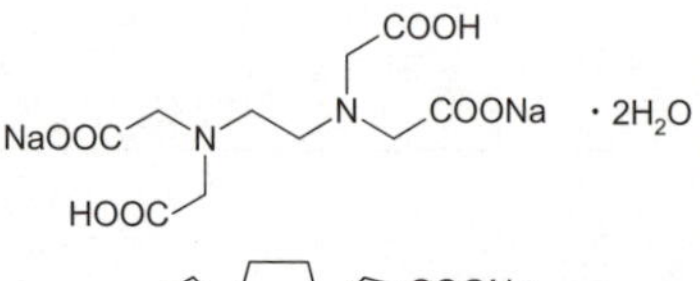 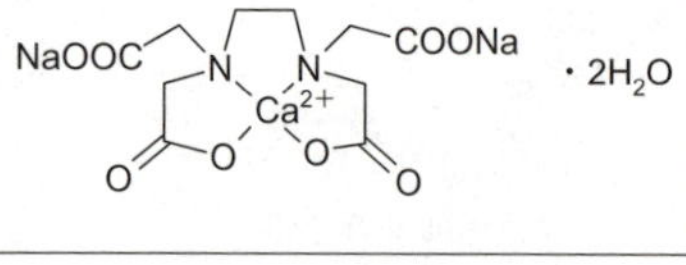	対象食品は，缶，清涼飲料水，その他の缶，瓶詰である．使用制限として，最終食品完成前にEDTA $CaNa_2$にすることと定められている．
	クエン酸イソプロピル isopropyl citrate	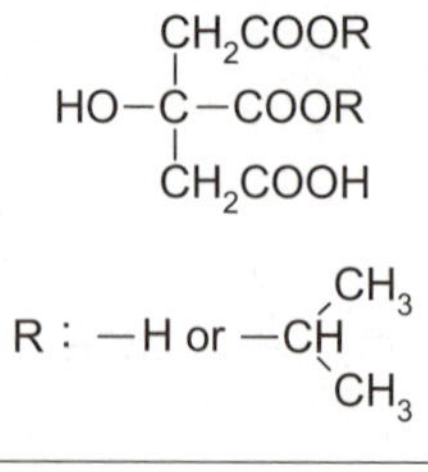	1-モノ体，2-モノ体および1,2-ジ体は活性を有するが，1,2,3-トリ体は活性がない．対象食品は，バター，マーガリンである．

の自動酸化の際に，自身が酸化されることにより，自動酸化の誘導期を延長して油脂の酸化を防止する（図2-6）．

また，油脂などの酸化は金属によって促進されるので，金属封鎖剤はそれを金属キレートにすることで酸化を防止する．

このほかに，植物由来の抽出物が酸化防止剤として既存添加物名簿に収載されている．トコフェロール類，フラボノール類，アントシアニン類，カテキン類，ヒドロキシ桂皮酸類などがある．

E.　着色料

着色料は，食品の外観を美化することによって食欲を増進させ，食生活を豊かにするために使用される食品添加物である．

食品には，さまざまな色が存在し，色は香りや味とともに食欲を増進したり，食生活を豊かにしたりする効果がある．通常，自然のままの色を長期間維持することは難しいので，人為的に色を調整することが行われ，それに着色料が使用される．

着色料の使用は，品質，鮮度などにおいて消費者の判断を誤らせるおそれがあるので，鮮魚介類，肉類，野菜類に使用することは禁じられている．

1）　合成着色料

合成着色料は，食用タール色素と合成系着色料がある．

① 食用タール色素

現在許可されている食用タール色素12種類は，すべてスルホン酸基またはカルボキシ基を有する水溶性の酸性色素であり（表2-18），水溶性塩基性タール色素および脂溶性タール色素は発がん性のため使用禁止となった．

これらは使用基準として，カステラ，きなこ，魚肉漬物，鯨肉漬物，こんぶ類，しょう油，食肉，スポンジケーキ，鮮魚介類（鯨肉を含む），茶，のり類，マーマレード，豆類，みそ，めん類（ワンタンを含む），野菜およびわかめ類には使用しないことと定められている．

また，8種類の食用タール色素にはアルミニウムレーキ（色素とアルミニウムとを結合させ，水に不溶な有色化合物としたもの）がある．これらアルミニウムレーキには，以下のような特徴がある．

（1）水や有機溶媒には不溶なため，分散して用いる．
（2）粉末食品，医薬品錠剤の糖衣の着色に用いられる．
（3）耐熱性，耐光性がよく，一定色調を比較的長期間保持できる．
（4）幼児用玩具の着色に用いられる．

表 2-18　タール系色素

品　名	分　類	構　造
食用赤色 2 号（アマランス） 食用赤色 2 号アルミニウムレーキ	アゾ色素	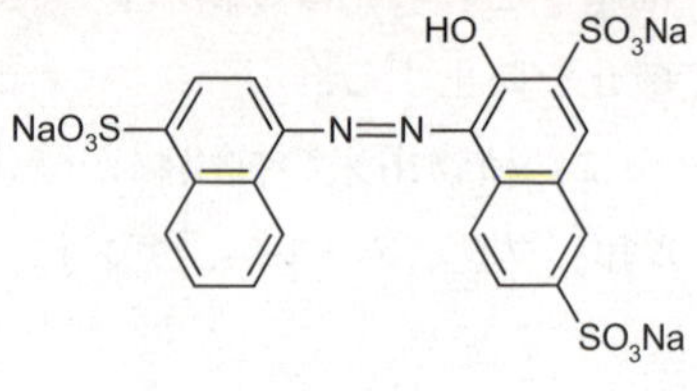
食用赤色 3 号（エリスロシン） 食用赤色 3 号アルミニウムレーキ	キサンテン色素	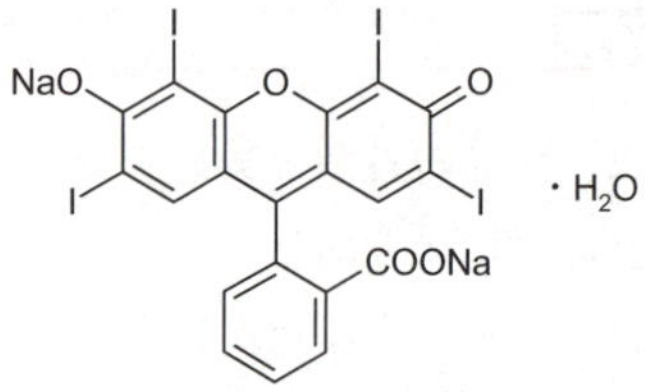
食用赤色 40 号（アルラレッド AC） 食用赤色 40 号アルミニウムレーキ	アゾ色素	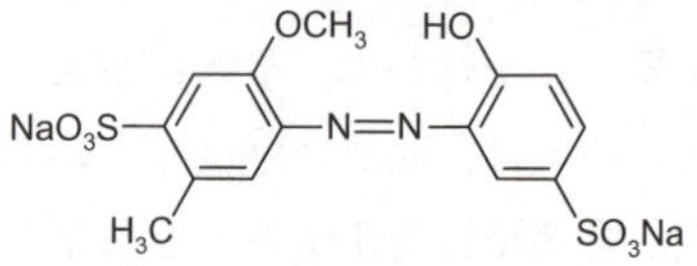
食用赤色 102 号（ニューコクシン）	アゾ色素	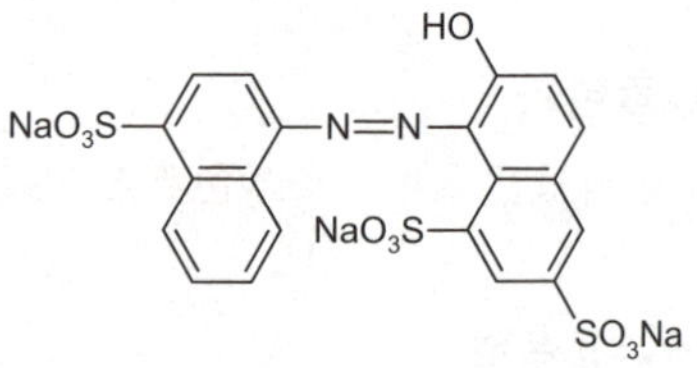
食用赤色 104 号（フロキシン）	キサンテン色素	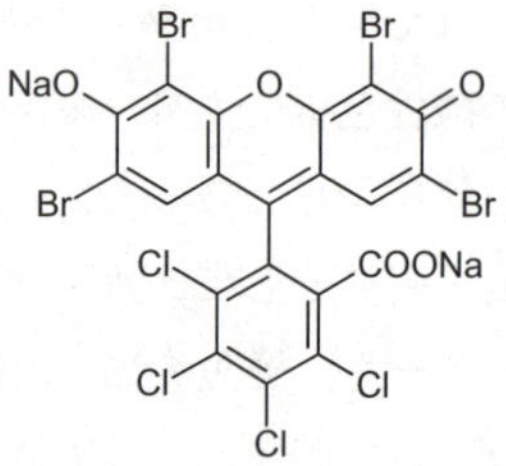
食用赤色 105 号（ローズベンガル）	キサンテン色素	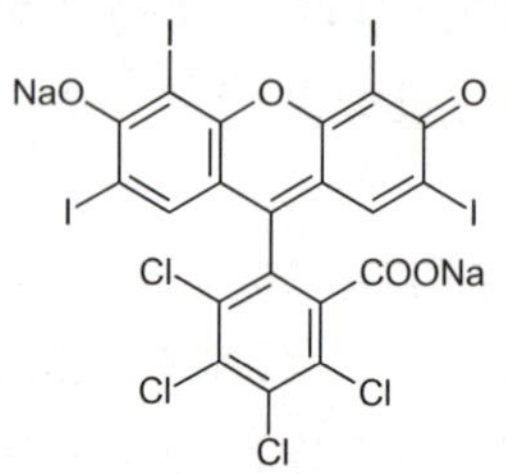

表2-18　つづき

品　名	分　類	構　造
食用赤色106号（アシッドレッド）	キサンテン色素	$(H_5C_2)_2N$, O, $N^+(C_2H_5)_2$, SO_3Na, SO_3Na
食用黄色4号（タートラジン） 食用黄色4号アルミニウムレーキ	アゾ色素	NaOOC, N, N, SO_3Na, NaO_3S, N=N, OH
食用黄色5号（サンセットイエローFCF） 食用黄色5号アルミニウムレーキ	アゾ色素	HO, NaO_3S, N=N, SO_3Na
食用緑色3号（ファストグリーンFCF） 食用緑色3号アルミニウムレーキ	トリフェニルメタン色素	SO_3Na, SO_3Na, $N(C_2H_5)—CH_2$, HO, CH, $N(C_2H_5)—CH_2$, SO_3Na
食用青色1号（ブリリアントブルーFCF） 食用青色1号アルミニウムレーキ	トリフェニルメタン色素	SO_3Na, $N(C_2H_5)—CH_2$, CH, SO_3Na, $N(C_2H_5)—CH_2$, SO_3Na
食用青色2号（インジゴカルミン） 食用青色2号アルミニウムレーキ	インジゴイド色素	O, H, NaO_3S, N, N, H, O, SO_3Na

② 合成系着色料

合成系着色料としては，表2-19に示すものがある．

2） 天然色素

わが国では伝統的に，派手な色のものよりも自然に近い色のものを好む傾向がある．ベニバナの赤色，クチナシの実の黄色，ヨモギの葉の緑色などを用いて食品を着色してきた経験がある．このため，天然物由来の着色料も広く利用されている．

コラム　塩化カリウム製剤と着色料

輸液用のカリウム補給剤（塩化カリウム製剤）の添付文書冒頭の注意には，「本剤を薄めずにそのまま投与すると，心臓伝導障害を起こすので，用法・容量に従って必ず適当な希釈剤で薄めて，均一な希釈状態で使用すること.」と記されている．通常，成人には塩化カリウムとして1回0.75～3 g（カリウムとして10～40 mEq）を，注射用蒸留水，5% ブドウ糖注射液，生理食塩水または他の適当な希釈剤で希釈して用いるが，カリウム補給剤はリボフラビンリン酸エステルナトリウムを配合することにより黄色液とされているため，希釈状態が均一であることを確認しやすくなっている．

表 2-19　合成系着色料の名称と構造

名　称	構　造	備　考
三二酸化鉄 iron sesquioxide	Fe_2O_3	ベンガラともよばれる赤色色素である．対象食品は，バナナ（果柄の部分に限る）およびコンニャクのみである．
二酸化チタン titanium dioxide	TiO_2	白色の着色料である．対象食品は，ホワイトチョコレート，ホワイトチーズ，砂糖がけ菓子である．
銅クロロフィル① copper chlorophyll 銅クロロフィリンナトリウム② sodium copper chlorophyllin 鉄クロロフィリンナトリウム③ sodium iron chlorophyllin	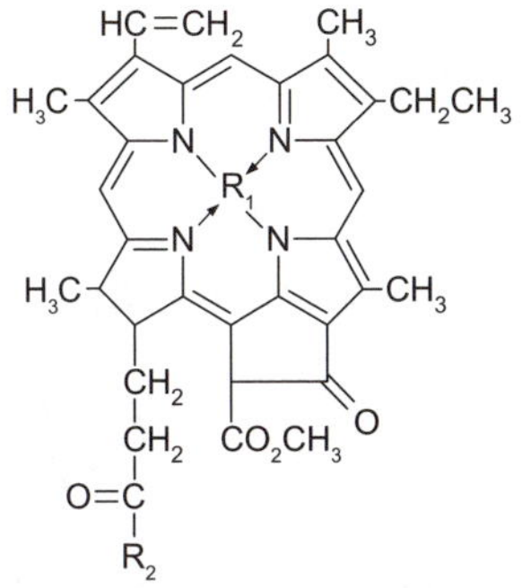 R₁　R₂ の組合せ: ① Cu　$-OC_{20}H_{39}$ ② Cu　$-ONa$ ③ Fe　$-ONa$	クロロフィル中のマグネシウムを銅や鉄に置換することにより安定な緑色色素としたものであり，対象食品に制限はない．
β-カロテン β-carotene	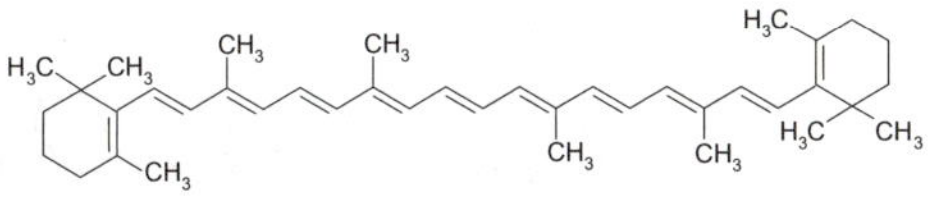	プロビタミンAの一種であり，緑黄色野菜に含まれる黄色色素である．バター，マーガリン，チーズ，ハム，ソーセージ，即席麺など広範囲に着色料として使用されている．
リボフラビン① riboflavin リボフラビン酪酸エステル② riboflavin tetrabutyrate リボフラビン5′-リン酸エステルナトリウム③ riboflavin 5′-phosphate sodium	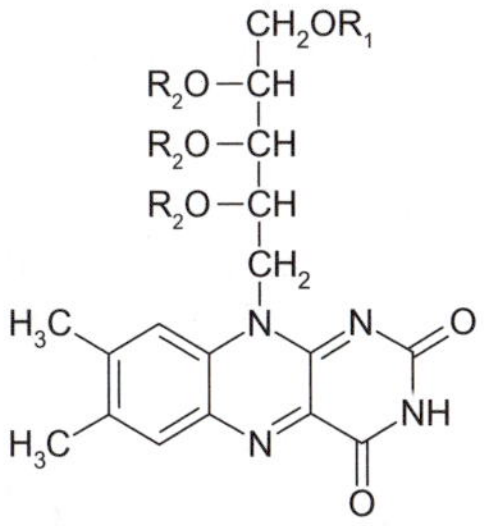 R₁　R₂ の組合せ: ① $-H$　$-H$ ② $-COCH_2CH_2CH_3$　$-COCH_2CH_2CH_3$ ③ $-PO_3HNa$　$-H$	ビタミンB_2およびその誘導体．古来より，黄色着色料として使用されてきたが，むしろ，栄養強化剤として用いられることが多い．これらの着色料には，使用基準はない．
カラメル caramel		糖類，でんぷん加水分解物，糖蜜などを加熱処理して得られる色素で，製法の違いによりⅠ～Ⅳの4種類に分けられる．いずれも褐色である．
ノルビキシンカリウム potassium norbixin ノルビキシンナトリウム sodium norbixin		ベニノキのカロテノイド色素であるビキシンの加水分解により得られる水溶性黄色色素である．ウインナーソーセージの表面の着色に用いられる．

F. 発色剤

発色剤は，食品中の不安定な有色物質と結合して，その本来ある有色物質を安定化させ，好ましい色調とするものである．ただし生鮮食肉，鮮魚介類には使用してはならないと定められている（表 2-20）．

亜硝酸塩の問題点としては，魚介類などに多く含まれているジメチルアミン（二級アミン，煮たり，焼いたりすることで増加）と酸性下（pH 約 3）で反応して，DNA をメチル化することで発がん性を示す**ジメチルニトロソアミン**を生成することがあげられ，食品への使用量が厳しく制限されている．なお，ビタミン C の存在下で抑制されることがわかっている（図 2-7）．

表 2-20　発色剤の名称と構造

名　称	構　造	備　考
亜硝酸ナトリウム sodium nitrite 硝酸ナトリウム sodium nitrate 硝酸カリウム potassium nitrate	$NaNO_2$ $NaNO_3$ KNO_3	新鮮な食肉の赤橙色は，それに含まれる血色素ヘモグロビンや肉色素ミオグロビンに起因するが，これらは不安定であり，酸化されるとそれぞれメトヘモグロビンやメトミオグロビンとなり，暗褐色化する．亜硝酸塩や硝酸塩から生じた一酸化窒素 NO はヘモグロビンやミオグロビンをニトロソ化することにより食肉を赤桃色を保つ．亜硝酸塩は，ボツリヌス菌の増殖を抑える効果もあるため，保存料として指定している国もある．使用対象食品は，食肉製品，鯨肉ベーコン，魚肉ソーセージ，魚肉ハム，いくら，すじこ，たらこである．
硫酸第一鉄 ferrous sulfate	$FeSO_4$	果菜の色素であるアントシアン類，特にナス色素であるナスニンと錯体を形成して，色調を安定化する．ただし，食肉類への使用は認められていない．

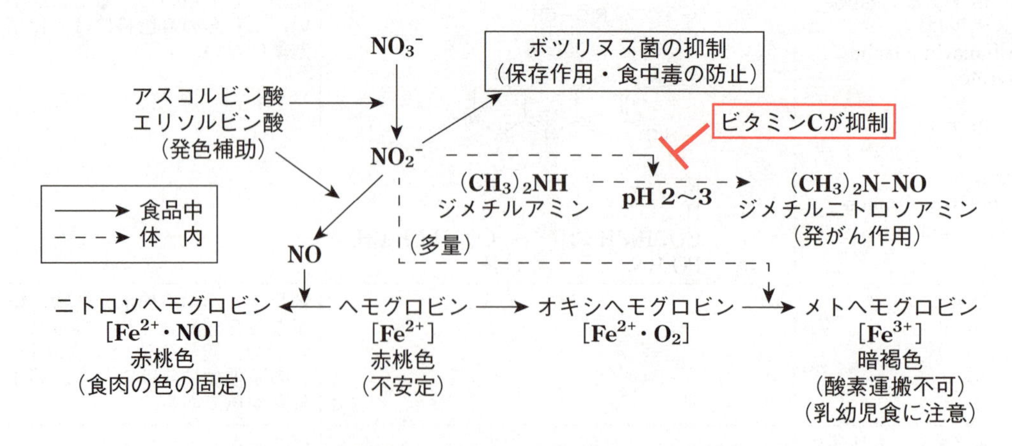

図 2-7　亜硝酸塩・硝酸塩の発色機序とその他の作用

コラム　焼き魚と大根おろし

日本では昔から，サンマなどの焼き魚を食べるとき，大根おろしをともに食する風習がある．これは魚特有の臭みを和らげたり，食感をよくする目的がある．しかし，大根おろしを一緒に食べることには別の意味もあることがわかっている．大根おろしにはビタミンCが多く含まれるため，焼き魚に含まれるジメチルアミンからのジメチルニトロソアミンの生成が抑制される．また，すだちなどのかんきつ類の果汁を添えることは，さらに摂取するビタミンC量を増やすことになる．このように，日本の食文化には，食事を楽しむだけではなく，発がん性物質の生成も抑えるというすばらしい効果がある．

G.　漂白剤

漂白剤は，食品の色調を整えることを目的として，有色物質を変化させて無色化するために用いる食品添加物である．酸化性漂白剤と還元性漂白剤に大別される（表2-21）．

表2-21　漂白剤の名称と構造

	名　称	構　造	備　考
酸化性漂白剤	亜塩素酸ナトリウム sodium chlorite	$NaClO_2$	酸性溶液中で生じる酸素の酸化作用により漂白する．漂白剤としての用途のほかに殺菌料としても使用が認められているが，いずれの場合も最終食品の完成前に分解または除去しなければならない．対象食品は，殺菌料の項を参照のこと．
	過酸化水素 hydrogen peroxide	H_2O_2	漂白剤としての用途のほかに殺菌料としても使用が認められているが，いずれの場合も最終食品の完成前に分解または除去しなければならない．対象食品は，殺菌料の項を参照のこと．
還元性漂白剤	亜硫酸ノトリウム sodium sulfite 亜硫酸水素ナトリウム sodium hydrogen sulfite 二酸化硫黄 sulfur dioxide ピロ亜硫酸カリウム potassium pyrosulfite ピロ亜硫酸ナトリウム sodium pyrosulfite	Na_2SO_3 $NaHSO_3$ SO_2 $K_2S_2O_5$ $Na_2S_2O_5$	その強い還元作用により漂白する．これらは，ごま，豆類および野菜に使用してはならないという使用制限がある．これらは，いずれもSO_2として残存量が規制されている．

H. 甘味料

甘味料は，スクロース（砂糖）が酵母（イースト菌）の栄養源になりやすいため，その繁殖による食品の品質劣化を防ぎ，保存性を高めるために，スクロースの代替品として開発された．昔は経済的な理由，現在は糖尿病，肥満，虫歯などの予防のために使われることも多い（表 2-22）．

コラム　人工甘味料と耐糖能

エネルギー源とならない，いわゆるノンカロリー甘味料は，体重や血糖値などの健康への良い影響を期待して，世界中で日常的に消費されている．これに対し 2014 年に Nature 誌に報告された研究（doi:10.1038/nature13793）において，いくつかの汎用人工甘味料を 5% とグルコースを 95% 含む溶液をマウスに対して 11 週間摂取させると，水やグルコースまたはスクロースを摂取させたマウスの場合と比較して，耐糖能が著しく低下することが明らかにされた．この耐糖能に対する影響が最も大きかったサッカリンを用いて腸内細菌叢への影響を評価したところ，その多様性は低下しており，またサッカリンによる耐糖能低下作用は抗菌剤を経口摂取させたマウスでは認められなかった．これらのことは，サッカリンなどの人工甘味料の過剰な摂取の腸内細菌叢を介したヒトの耐糖能などに対する影響を再評価する必要性を指摘している．

表 2-22　甘味料の名称と構造

名称	構造	特徴
サッカリン saccharin サッカリンナトリウム sodium saccharin	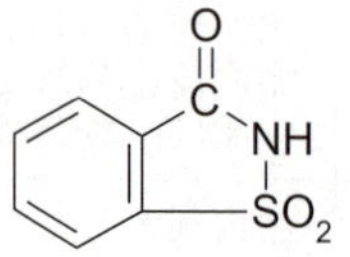 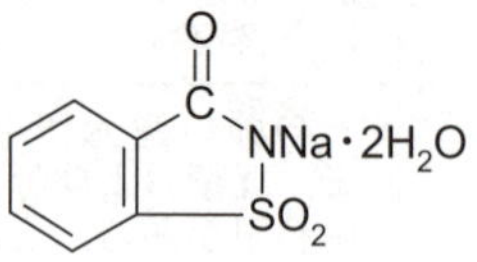 C(=O)–NH–SO_2（ベンゼン環縮合） C(=O)–NNa・$2H_2O$–SO_2（ベンゼン環縮合）	スクロースの約 500 倍の甘みがあるが，濃度が高くなると苦みを生じる．サッカリンナトリウムは水に溶けにくいサッカリンをナトリウム塩とし，水に溶けやすくしたものである．サッカリンの対象食品はチューインガムのみであるのに対し，サッカリンナトリウムは多くの食品に用いられている．1970 年代，サッカリンナトリウムを大量投与した雄ラットに膀胱がんが発生するという報告をうけ，一時使用禁止となったが，新しい知見に基づき現在は否定されている．
アスパルテーム aspartame	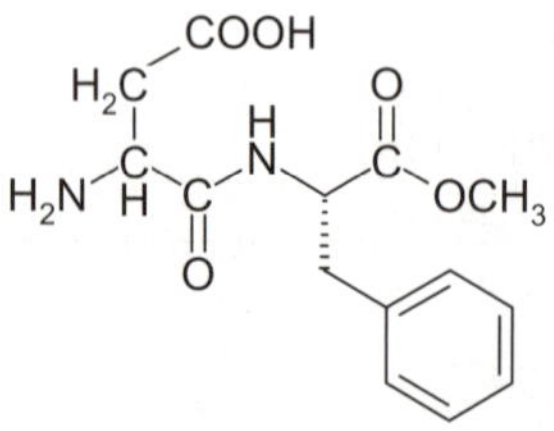 COOH, H_2C, H_2N, C, H, C, O, H, N, C, O, OCH_3（ベンゼン環）	L-アスパラギン酸と L-フェニルアラニンからなるジペプチドのメチルエステルで，砂糖の約 200 倍の甘みがある．使用基準はないが，本品は代謝されると，フェニルアラニンが生成するため，フェニルケトン尿症 **phenylketonuria** の患者のために，表示上「L-フェニルアラニン化合物」である旨を併記することが義務づけられている．

表 2-22　つづき

名　称	構　造	特　徴
アセスルファムカリウム acesulfame potassium	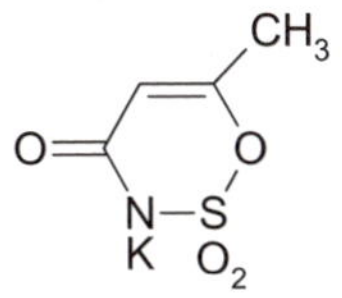	スクロースの約200倍の甘味がある．
スクラロース sucralose	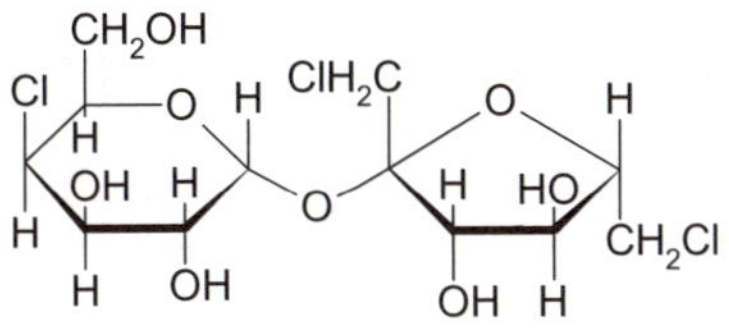	スクロースの3個の水酸基を塩素で置換したものであり，スクロースの600倍の甘味を有する．
ネオテーム neotame	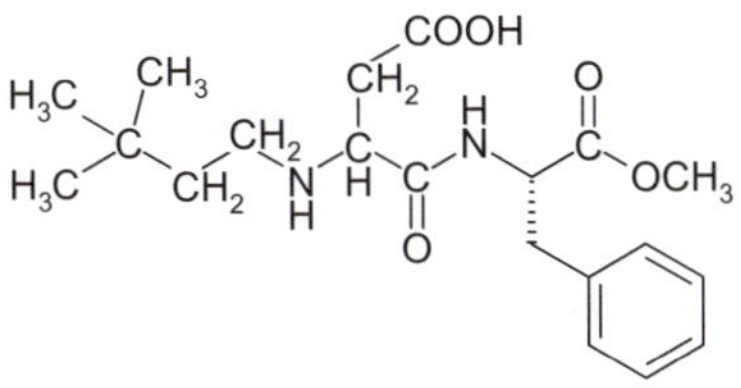	アスパルテームを*N*-アルキル化して得られた甘味料である．スクロースの7,000～13,000倍の甘味を有する．
キシリトール xylitol	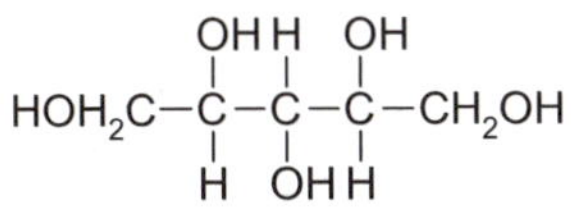	キシロースを還元して得られ，スクロースとほぼ同じ甘味を有する．水に容易に溶け，吸熱性があるため清涼感を生じる．非発酵性であるので，酸を生成せず，むし歯にならず，歯を丈夫にする機能がある．このため，特定保健用食品に使用されている．
D-ソルビトール D-sorbitol	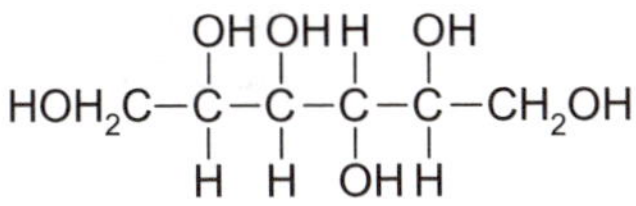	グルコースを還元して得られる糖アルコールであり，スクロースの約60%の清涼な甘味を有する．
カンゾウ抽出物 licorice extract (カンゾウエキス，グリチルリチン，リコリス抽出物)	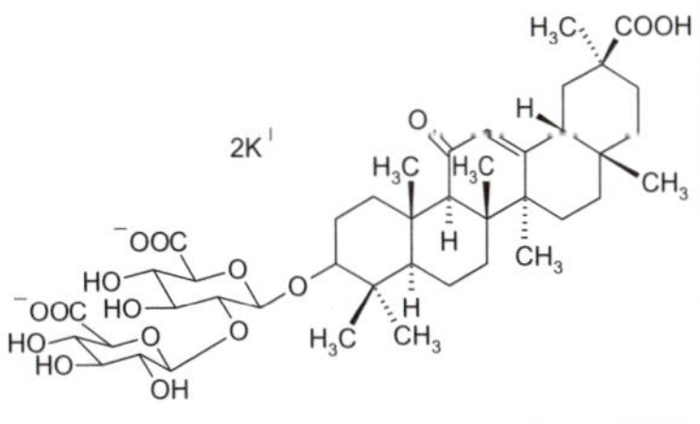	グリチルリチン酸 glycyrrhiziic acid を主成分とするものである．本品は，スクロースの150～200倍の甘味を有する．グリチルリチン酸二ナトリウムは，しょう油とみそのみに使用が制限されている
ステビア stevia (ステビア抽出物 stevia extract，ステビア末 powdered stevia，ステビオサイド，レバウディオサイド)	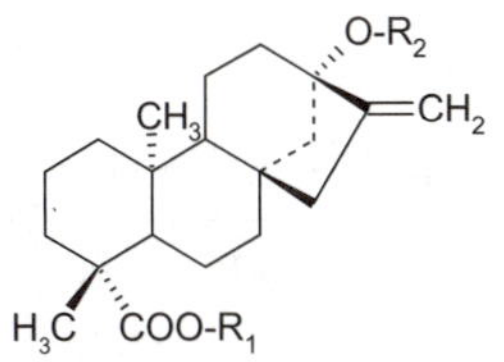	ステビアの葉から抽出して得られたステビオール配糖体を主成分とする甘味料である．スクロースの200～300倍の甘味がある．

I. 調味料

みそ，しょう油，食塩，かつお節など一般に使われている調味料は，すべて食品の範疇に含まれるが，グルタミン酸ナトリウムやイノシン酸ナトリウムのように化学合成されたものは，食品添加物として扱う．食品添加物としての調味料は，古来「だし」として利用されてきたうま味成分である（表 2-23）．

表 2-23　調味料（呈味料，うまみ料）の名称と構造

	名　称	構　造	備　考
アミノ酸系	L-グルタミン酸ナトリウム L-glutamic acid	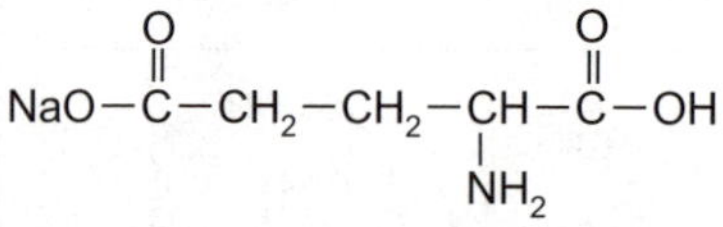 $NaO-C(=O)-CH_2-CH_2-CH(NH_2)-C(=O)-OH$	こんぶのうま味成分．使用した場合は「調味料（アミノ酸）」と表示する．
	テアニン teanine	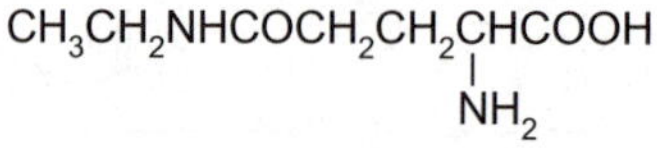 $CH_3CH_2NHCOCH_2CH_2CH(NH_2)COOH$	緑茶のうま味成分．使用した場合は「調味料（アミノ酸）」と表示する．
核酸系	5′-イノシン酸二ナトリウム ① disodium 5′-inoshinate 5′-グアニル酸二ナトリウム ② disodium 5′-guanylate	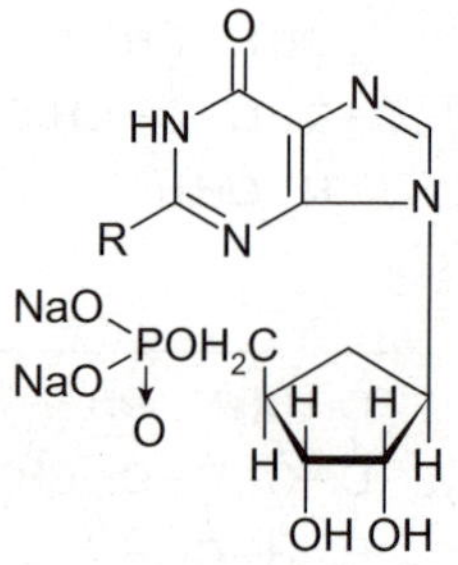 O, HN, N, N, R, N NaO, NaO, POH_2C, O H, H, H, H OH OH R_1 ① H ② $-NH_2$	① かつお節のうま味成分． ② シイタケのうま味成分． 使用した場合は「調味料（核酸）」と表示する．
有機酸系	コハク酸一ナトリウム monosodium succinate	CH_2COONa | CH_2COOH	貝類のうま味成分．使用した場合は「調味料（有機酸）」と表示する．
	グルコン酸カリウム potassium gluconate	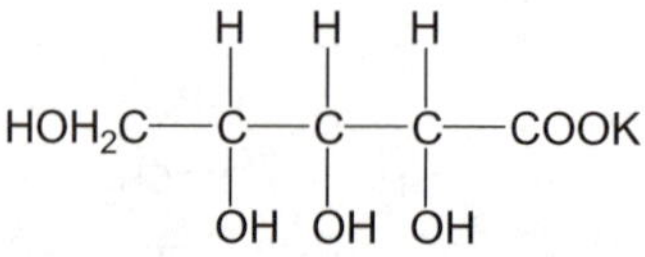 $HOH_2C-CH(OH)-CH(OH)-CH(OH)-COOK$	使用した場合は「調味料（有機酸）」と表示する．
無機塩	塩化カリウム potassium chloride	KCl	使用した場合は「調味料（無機塩）」と記載する．

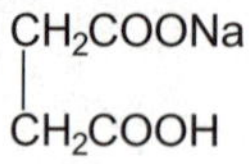

J.　酸味料

食品は一般にアルカリ性ではまずく，酸性でおいしく感じる．酸味料は，食品に酸味を与えるか，酸味の調整や味の調和のために使用される食品添加物である（表2-24）．

K.　苦味料

苦みは一般に嫌われる味であるが，茶，コーヒー，ビールなどでは，それらの味を構成する重要な要素である．適度な苦みは，胃を刺激し，胃酸や消化酵素の分泌を促す作用がある（表2-25）．

表2-24　酸味料の名称と構造

名　称	構　造
クエン酸 citric acid	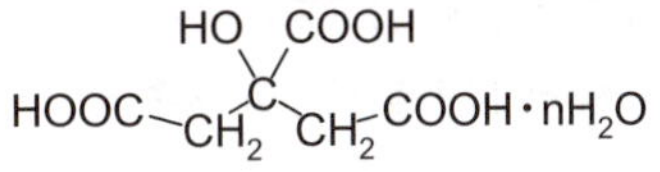 HO COOH HOOC-CH_2-C-CH_2-COOH・nH_2O n＝1 または 0
L-酒石酸 L-tartaric acid	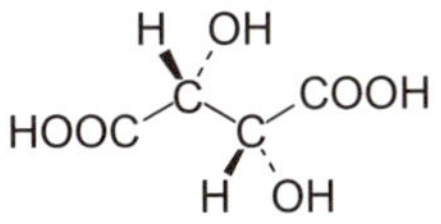 H OH HOOC-C-C-COOH H OH
乳酸 lactic acid	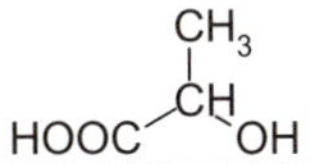 CH_3 HOOC-CH-OH

表2-25　主な苦味料の名称と構造

名　称	構　造
カフェイン caffeine	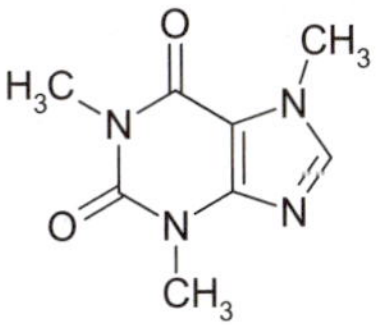 O, CH_3, H_3C, N, N, N, O, N, CH_3
ナリンジン naringin	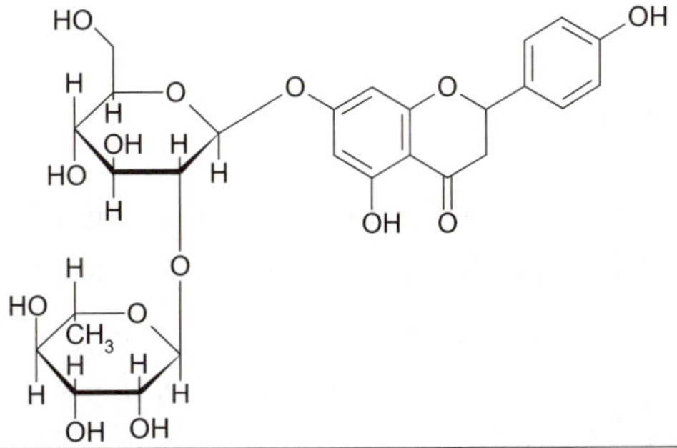 HO, H, O, O, O, OH, H, OH, H, HO, H, H, OH, O, H, O, H, HO, O, CH_3, H, H, H, H, OH, OH

L. 香 料

香料は，食品に香りを与えたり，香りを増強させたりするために用いられる食品添加物である．香料には，合成香料と天然香料があり，アセト酢酸エチル ethyl acetoacetate，アニスアルデヒド anisaldehyde などの合成香料には，「別段の規定があるもののほか着香の目的以外に使用してはならない」という使用制限がある．

M. 増粘剤

増粘剤は，食品に滑らかさや粘り気などを与えるための食品添加物である．使用目的によって，増粘剤（食品の粘性を高める．ケチャップなどに使用される），安定剤（食品の形態を安定させる．アイスクリームなどに使用される），ゲル化剤（ゲル化を助ける．ジャム，ゼリーなどに使用される）と区別することもある．これらをすべて示すものとして糊料と表示されることもある．例として，アルギン酸ナトリウム，カラギナン，カルボキシメチルセルロース，キサンタンガム，グアーガム，ペクチンなどがある．

N. 乳化剤

乳化剤は，界面活性剤として機能して，均一な状態を作る作用を有する食品添加剤である．グリセリン脂肪酸エステル（グリセリンエステル），サポニン（キラヤ抽出物，ダイズサポニン，チャ種子サポニン），ショ糖脂肪酸エステル（ショ糖エステル），レシチン（植物レシチン，卵黄レシチン）などがある．

O. ガムベース

ガムベースは，チューインガムの基材となる物質で，これに，糖類，香料，着色料を加えたものがチューインガムである．ガムベースとしては，酢酸ビニル樹脂，フェラトン（ポンチナック），チクルなどがある．

P. イーストフード

イーストフードは，イーストの発酵を助長し，小麦粉中のグルテンの性質を改良することで，パン生地のすだちをよくする物質である．炭酸カルシウム，硫酸カルシウム，リン酸三カルシウム，リン酸一水素カルシウム，リン酸二水素カルシウム（指定添加物で使用基準のあるもの），塩化アンモニウム，塩化マグネシウム，グルコン酸カリウム，グルコン酸ナトリウム，炭酸アンモニウム，炭酸カリウム，硫酸アンモニウム，硫酸マグネシウム，リン酸水素二アンモニウム，リン酸二水素アンモニウム（指定添加物で使用基準のないもの），焼成カルシウム（既存添加物）がある．「イーストフード」の一括名での表示が認められている．

Q.　豆腐用凝固剤

豆乳を固めて豆腐を製造する際に用いられる食品添加物である．塩化カルシウム，硫酸カルシウム，塩化マグネシウム，グルコノデルタラクトン，硫酸マグネシウム（以上指定添加物），粗製海水塩化マグネシウム（既存添加物）がある．一括名で「豆腐用凝固剤」，「凝固剤」として表示するか物質名で表示する．

R.　栄養強化剤

栄養強化剤は，ビタミン，ミネラル，アミノ酸の栄養強化の目的で使用される食品添加物であり，添加された食品は**栄養強化食品**とよばれる．これらの物質を栄養強化の目的で使用する場合は，表示が免除される．

1）　ビタミン類

水溶性ビタミンと脂溶性ビタミンがある．指定添加物としてはL-アスコルビン酸，エルゴカルシフェロール，β-カロテンなど 33 品目が，既存添加物としてはシアノコバラミンなど 6 品目がある．

2）　ミネラル類

指定添加物としてはグルコン酸第一鉄，乳酸カルシウムなど 32 品目が，既存添加物として焼成カルシウムなど 3 品目が指定されている．

3）　アミノ酸類

指定添加物としては，L-システイン塩酸塩，DL-アラニンなど 25 品目が，既存添加物として L-アスパラギンなど 13 品目が指定されている．

2-6-3 食品添加物の試験法

代表的な食品添加物の定性・定量試験法を表 2-26 に示す．

表 2-26 代表的な食品添加物の試験方法

食品添加物		定性および定量法
保存料	安息香酸，ソルビン酸およびデヒドロ酢酸	HPLC 法
	パラオキシ安息香酸エステル類	HPLC 法または溶媒抽出 HPLC 法
	プロピオン酸およびその塩類	HPLC 法または GC 法
殺菌料	過酸化水素	硫酸チタンによる定性，酸素電極法による定量
防かび剤	IMZ，OPP，DP，TBZ，フルジオキソニルおよびアゾキシストロビン	HPLC 法
酸化防止剤	BHA，BHT，PG ならびに EDTA およびその塩類，	HPLC 法
着色料	酸性タール色素	TLC 法による定性
発色剤	亜硝酸ナトリウム	ジアゾ化法による定量
	硝酸ナトリウムおよび硝酸カリウム	HPLC 法
漂白剤	亜硫酸・次亜硫酸およびこれらの塩類	ヨウ素酸カリウム・デンプン紙による定性通気蒸留-アルカリ滴定法および通気蒸留-比色法による定量，通気蒸留-HPLC 法
甘味料	アスパルテーム，アセスルファムカリウム，グリチルリチン酸，サッカリンおよびネオテーム	HPLC 法
	スクラロース	HPLC 法またはイオンクロマトグラフ法

◆確認問題◆

1）食品添加物は，健康増進法で定義されている．
2）指定添加物は，消費者庁長官が指定する．
3）食品添加物のADIは，mg/kg/日の単位で表される．
4）表示が免除される食品添加物は，加工助剤，キャリーオーバー，栄養強化の目的で使用したものなどである．
5）保存料は，食品中の細菌を殺すために使用する．
6）殺菌料の過酸化水素は，最終食品の完成前までに分解または除去する必要がある．
7）タール系色素は，すべて中性色素である．
8）甘味料は，砂糖の代替品として開発されたもので，近年は糖尿病，肥満，う歯などの予防に用いられる．
9）アスパルテームは，着色料である．
10）ジフェニルは，酸化防止剤である．
11）エリソルビン酸は，酸化防止剤である．
12）亜硝酸ナトリウムは，着色剤である．
13）次亜塩素酸ナトリウムは，殺菌料である．

確認問題解答

1）×　食品添加物は，食品衛生法で定義されている．
2）×　指定添加物は，厚生労働大臣が指定する．
3）○
4）○
5）×　保存料は静菌作用である．
6）○
7）×　酸性色素である．
8）○
9）×　アスパルテームは，甘味料である．
10）×　ジフェニルは，防かび剤である．
11）○
12）×　亜硝酸ナトリウムは，発色剤である．
13）○

Chapter 3

食中毒

食中毒とはその名の通り，食（飲食物の摂取）により起こる中毒である．原因は細菌，自然毒，化学物質などの食品への混入であり，別名，食品中毒ともよばれている．本項では，微生物（細菌，ウイルス）に起因する食中毒と自然毒を中心に解説し，マイコトキシン（カビ毒）を含めて化学物質については，「第 4 章　食品汚染」に記載した．特に，微生物に起因する食中毒に関しては，原因物質が口から入ることから“経口感染症”と同義あるいは，それらの一部と考えられがちである．しかし，“食中毒”と“経口感染症”では，それらを規定する法律が異なっており，共通の微生物（感染症）は限られている．これらの相違点を明確にしたうえで，食中毒の発生状況や分類を基礎に，それぞれの食中毒の原因と含まれる食品を解説する．

3-1　食中毒の種類と発生状況

A.　食中毒の概念と分類

食中毒は，飲料水や食品などを摂取することで引き起こされる消化器症状などを発症する中毒の総称である．これらの飲食物にさまざまな食中毒の原因物質が混入し，場合によっては飲食物中で増えることで健康被害が大きくなる．このような健康被害を防ぐために，食品衛生法が制定されている．この法律の中で，食中毒の原因物質が規定されており，それらを基に分類と代表例を表 3-1 に示した．

表 3-1　食中毒の分類と代表例

分　類	例
細　菌	感染型：カンピロバクター，サルモネラ属菌，腸管出血性大腸菌　など 毒素型：黄色ブドウ球菌，ボツリヌス菌　など
ウイルス	ノロウイルス　など
自然毒	動物性：フグ，貝　など 植物性：キノコ，ジャガイモ　など
化学物質	重金属，農薬，ヒスタミン　など
その他	寄生虫（例：アニサキス，クドア）*　など

厚生労働省ホームページ：「食品衛生法を取り巻く現状と課題について」資料　より引用
*アニサキス，クドアについては平成 25 年から，食中毒統計において個別に集計されている．

1990 年代の半ばまでは，微生物による食中毒＝**細菌性食中毒**と分類されていたが，感染性胃腸炎の病原体がウイルスであることが判明したため，**ウイルス性食中毒**という項目ができた．後述するが，細菌に関しても，1996（平成 8）年に発生した大腸菌 O157 の大規模な食中毒事件以降，病原性大腸菌群とは別に腸管出血性大腸菌（ベロ毒素産生型）の項目が設けられた経緯がある．

微生物による食中毒と経口感染症は混同されやすいが，後者は「感染症の予防及び感染症の患者に対する医療に関する法律」（**感染症法**）で規定されている．両者の一般的な特徴による対比を表 3-2 に示した．

感染症は，ヒトからヒトへの伝播，すなわち二次感染を引き起こすことが基本である．赤痢，コレラ菌およびノロウイルスでは，感染者の糞便を介して次の感染者へと広まる．そのため，微生物による食中毒と経口感染症に分類される．

表 3-2　微生物による食中毒と経口感染症の特徴

一般的な特徴	食中毒	経口感染症
感染成立に必要な微生物の量	大　量	少　量
潜伏期間	短期間	長期間
二次感染	無	有

B.　食中毒の発生状況

食中毒の発生に関して，食品衛生法第 58 条に「食中毒患者等を診断し，又はその死体を検案した医師は，直ちに最寄りの保健所長にその旨を届け出なければならない」と規定されている．さらに，報告を受けた保健所長は，都道府県知事に報告し，必要に応じて厚生労働大臣にまで報

表3-3　2014（平成26）～2018（平成30）年（5年間）の食中毒発生状況

病因物質	2014			2015			2016			2017			2018		
	事件	患者	死者	事件	患者	死者	事件	患者	死者	事件	患者	死者	事件	患者	死者
総数	976	19355	2	1202	22718	6	1139	20252	14	1,014	16,464	3	1,330	17,282	3
細菌	440	7210	—	431	6029	—	480	7483	10	449	6,621	2	467	6,633	—
サルモネラ属菌	35	440	—	24	1918	—	31	704	—	35	1,183	—	18	640	—
ぶどう球菌	26	1277	—	33	619	—	36	698	—	22	336	—	26	405	—
ボツリヌス菌	—	—	—	—	—	—	—	—	—	1	1	1	—	—	—
腸炎ビブリオ	6	47	—	3	224	—	12	240	—	7	97	—	22	222	—
腸管出血性大腸菌（VT産生）	25	766	—	17	156	—	14	252	10	17	168	1	32	456	—
その他の病原大腸菌	3	81	—	6	362	—	6	569	—	11	1,046	—	8	404	—
ウェルシュ菌	25	2373	—	21	551	—	31	1411	—	27	1,220	—	32	2,319	—
セレウス菌	6	44	—	6	95	—	9	125	—	5	38	—	8	86	—
エルシニア・エンテロコリチカ	1	16	—	—	—	—	1	72	—	1	7	—	1	7	—
カンピロバクター・ジェジュニ/コリ	306	1893	—	318	2089	—	339	3272	—	320	2,315	—	319	1,995	—
ナグビブリオ	1	1	—	—	—	—	—	—	—	—	—	—	—	—	—
コレラ菌	—	—	—	—	—	—	—	—	—	—	—	—	—	—	—
赤痢菌	—	—	—	—	—	—	—	—	—	—	—	—	1	99	—
チフス菌	1	18	—	—	—	—	—	—	—	—	—	—	—	—	—
パラチフスA菌	—	—	—	—	—	—	—	—	—	—	—	—	—	—	—
その他の細菌	5	254	—	3	15	—	1	140	—	3	210	—	—	—	—
ウイルス	301	10707	—	485	15127	—	356	11426	—	221	8,555	—	265	8,876	—
ノロウイルス	293	10506	—	481	14876	—	354	11397	—	214	8,496	—	256	8,475	—
その他のウイルス	8	201	—	4	251	—	2	29	—	7	59	—	9	401	—
寄生虫	122	508	—	144	302	—	147	406	—	242	368	—	487	647	—
クドア	43	429	—	17	169	—	22	259	—	12	126	—	14	155	—
サルコシスティス	—	—	—	—	—	—	—	—	—	—	—	—	1	8	—
アニサキス	79	79	—	127	133	—	124	126	—	230	242	—	468	478	—
その他の寄生虫	—	—	—	—	—	—	1	21	—	—	—	—	4	6	—
化学物質	10	70	—	14	410	—	17	297	—	9	76	—	23	361	—
自然毒	79	288	2	96	247	4	109	302	4	60	176	1	61	133	3
植物性自然毒	48	235	1	58	178	2	77	229	4	34	134	1	36	99	3
動物性自然毒	31	53	1	38	69	2	32	73	—	26	42	—	25	34	—
その他	1	123	—	1	2	2	3	16	—	4	69	—	3	15	—
不明	23	449	—	31	601	—	27	322	—	29	599	—	24	617	—

（厚生労働省　食中毒統計資料より）

告をすることが義務付けられている.

これらの報告に基づいて，厚生労働省がわが国における年次別の食中毒の発生状況を事件数，患者数，原因物質，発生施設などを集約して公表している．この公表データは食中毒の発生を100% カバーしているものではないが，最も信頼できるデータである．直近5年間の発生事件数，患者数および死者数を原因物質別に示した（表3-3）.

発生事件数および患者数のいずれから見ても，細菌およびウイルスに起因する食中毒が全体のおよそ90% を占めている．年によって変動はあるが，カンピロバクターを中心とした細菌性食中毒の発生事件数が，ノロウイルスを中心としたウイルス性食中毒よりも多いことが報告されている．これらの発生動向には，季節性の変動も知られている（表3-4）.

カンピロバクターは初夏から夏場にかけて，鶏肉の生食などで多く発生する．黄色ブドウ球菌やサルモネラ属菌は，比較的通年にわたって発生しているが，夏場で多い傾向がある．これに対して，ノロウイルスは冬場を中心としてカキなどの二枚貝の生食が原因の大部分を占めている．一方，患者数での比較ではウイルス性の食中毒患者数が多い.

特に，カンピロバクターによる食中毒に関して，以前より1事例あたりの患者数が細菌性食中毒では少ない“1人事例”が多くなっている．これは，カンピロバクターの潜伏期間が長いため，感染原因の飲食物が特定されにくく，かつ細菌自体の生命力が強くないために細菌の検出・同定が困難であることも一因である．また，各都道府県の衛生研究所における検査・報告体制に差があり，“原因不明”として処理されている潜在的な患者存在の可能性も指摘されている.

2002（平成14）～2011（平成23）の10年間で発生件数が激減したものに，腸炎ビブリオとサルモネラ属菌に起因した食中毒がある．腸炎ビブリオは海産物を嗜好するわが国固有の食中毒と思われがちだが，東南アジアなどでも発生しており，旅行者下痢症の原因菌としても重要である．サルモネラ属菌と合わせて発生件数が減少していることは，食品の製造加工，流通，保管段階での対策に加え，家庭における消費者の衛生意識の向上によることも少なくない.

表3-4　食中毒の季節性の変動

原　因	発生時期	主な原因食品*
ノロウイルス	冬場に多い	生カキ
カンピロバクター	夏場に多い	（生の）トリ肉 不明も多い
サルモネラ菌	通年だが 夏に増える	卵類 弁当類
黄色ブドウ球菌	通年だが 夏に増える	おにぎり 弁当類

*特定されないものが多く，調理器具を介して複数の食品に広がっている場合も多い.

3-2　微生物による食中毒

A.　経口感染症

病原微生物により汚染された食品を摂取することで，**経口感染症**や食中毒は引き起こされる．以前は病原微生物が消化管内で増殖することで起こる感染型の食中毒と，ヒトからヒトへと直接的に伝播する消化器伝染病は区別されていた．特に後者は伝染病予防法で規定されていたが，実際には食品や食器を介する間接的な感染も多いこと，そして1998（平成10）年に伝染病予防法が廃止されて感染症法に規定されるようになったこともあり，経口感染症という表現が一般的になった．主な経口感染症について，表３-５に示した．

感染症法では，感染症を感染力や重篤度を基に危険度の高いものから１類～５類に分類している．１類～４類感染症の患者を診断した医師はただちに保健所長経由で都道府県知事に届け出をする義務がある．５類感染症については，基本的に１週間以内に届け出をする必要があるが，感染性胃腸炎については特定の医療機関（小児科をもつ病院・診療所）に勤務する医師のみが届け出る必要がある（定点把握疾患）．３類に属する５種類の細菌感染症（赤痢，コレラ，腸管出血性大腸菌感染症，腸チフス，パラチフス）と４類中のボツリヌス症はいずれも食中毒の原因菌として食品衛生法でも規定されている（表３-５）．また，５類の感染性胃腸炎は，その原因のほとんどをノロウイルスが占めている．

表３-５　主な経口感染症と感染症法での分類 2014（平成26）現在

類　型	感染症名
１類	エボラ出血熱，ペスト
２類	急性灰白髄炎（ポリオ）
３類	細菌性赤痢，コレラ，腸チフス，パラチフス，腸管出血性大腸菌感染症
４類	ボツリヌス症，Ａ型肝炎，Ｅ型肝炎
５類	アメーバ赤痢，クリプトスポリジウム症，ジアルジア症，感染性胃腸炎*

*定点把握疾患（小児科）

B.　細菌性食中毒

細菌性食中毒は**感染型**と**食品内毒素型**に大別できる．微生物による食中毒の分類と細菌性食中毒の位置づけを図３-１に示した．

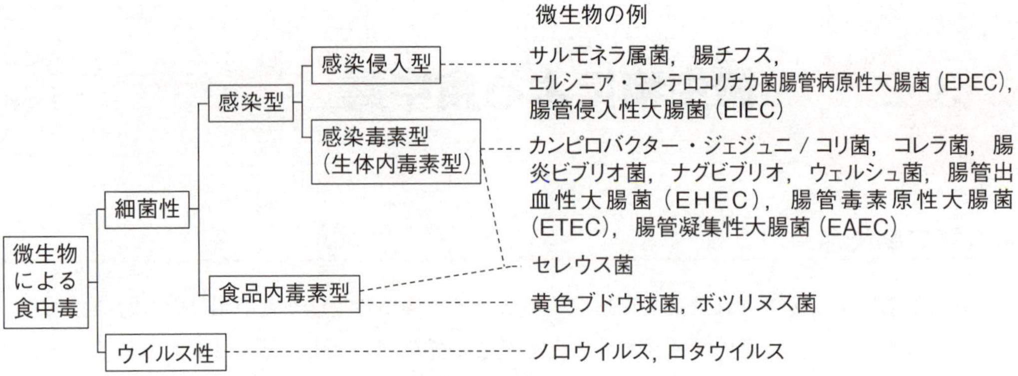

微生物の例

- 微生物による食中毒
  - 細菌性
    - 感染型
      - 感染侵入型 ---- サルモネラ属菌，腸チフス，エルシニア・エンテロコリチカ菌腸管病原性大腸菌（EPEC），腸管侵入性大腸菌（EIEC）
      - 感染毒素型（生体内毒素型） ---- カンピロバクター・ジェジュニ / コリ菌，コレラ菌，腸炎ビブリオ菌，ナグビブリオ，ウェルシュ菌，腸管出血性大腸菌（EHEC），腸管毒素原性大腸菌（ETEC），腸管凝集性大腸菌（EAEC）／セレウス菌
    - 食品内毒素型 ---- セレウス菌／黄色ブドウ球菌，ボツリヌス菌
  - ウイルス性 ---- ノロウイルス，ロタウイルス

図 3-1　微生物由来の食中毒の分類

感染型の食中毒は，食品中の細菌が消化管内で増殖して発症する．さらに，腸管上皮細胞に定着・侵入増殖することで腸管に損傷を与える**感染侵入型**と，増殖の際に細菌が産生した毒素が食中毒を起こす**感染毒素型（生体内毒素型）**に分類することができる．前者の代表にサルモネラ属菌が，後者にはコレラ菌がある．病原性大腸菌は，感染侵入型と感染毒素（生体内毒素）型に分けられ，前者は腸管病原性大腸菌（EPEC）および腸管侵入性大腸菌（EIEC），後者はベロ毒素を産生する腸管出血性大腸菌（EHEC），エンテロトキシンを産生する腸管毒素原性大腸菌（ETEC）および腸管凝集性大腸菌（EAEC）にそれぞれ分類できる．

一方，食品内毒素型の食中毒は，細菌が食品中で増殖して毒素を産生し，これを摂取することで中毒症状を起こす．すなわち，この型の食中毒では摂取する際の細菌の生死は関係なく，“熱を通せば大丈夫”という間違った概念で汚染食品を摂取して発症する例も少なくない．なお，黄色ブドウ球菌がこの型の代表的な原因細菌である．また，食品内毒素型と感染毒素（生体内毒素）型の両者に属する例としてセレウス菌がある．

1）　感染侵入型

① サルモネラ属菌 *Salmonella enterica* serovar Enteritidis

サルモネラ属の細菌はグラム陰性の通性嫌気性桿菌であり，ヒトおよびさまざまな動物の腸管に生息する．この属に分類される細菌は血清型で 2000 種類以上知られており，食品衛生法で規定している食中毒の原因菌としては，腸炎を引き起こす *Salmonella enterica* serovar Enteritidis（別名：**ゲルトネル菌**）を指す．この細菌による食中毒は，欧米では加熱殺菌をしない牛乳を介した事例が多いのに対し，わが国では鶏卵での報告が多い．また，イヌやミドリガメなどのペットからの感染報告もある．潜伏期間は 10 ～ 24 時間であり，発熱を伴った下痢，腹痛，嘔吐などが主な症状である．感染患者は，通年で報告されているが，特に夏場に多い傾向がある．

② 腸チフス *Salmonella enterica* serovar Typhi，パラチフス A 菌 *Salmonella enterica* serovar Paratyphi A

腸チフスおよびパラチフス A はいずれともにサルモネラ属の同種に含まれ，血清型の違いで分類されている．また，感染症法では3類に分類される．両細菌はサルモネラ（ゲルトネル）菌とは異なり，ヒト腸管内のみで増殖し，ヒトからヒトへと伝播する．特に，腸チフスは小腸粘膜に侵入後，腸管膜リンパ節内で増殖し，血流を介して全身に到達して敗血症 sepsis を引き起こす．脾腫やバラ疹が特徴的な症状としても知られている．

③ エルシニア・エンテロコリチカ菌 *Yersinia enterocolitica*

エルシニア・エンテロコリチカ菌はグラム陰性桿菌で，家畜や野生の鳥獣の腸管内に常在している．これらの糞便を介して感染し食中毒を引き起こすが，ここ数年発生の報告は 2015（平成27）年を除き1件である（表 3-3）．低温状態で増殖することが特徴である．

④ カンピロバクター・ジェジュニ / コリ菌 *Campylobacter jejuni / coli*

カンピロバクター・ジェジュニ / コリ菌はグラム陰性桿菌で，極鞭毛を用いてコルクスクリューのような形態をとる．家畜や鶏の腸管に常在しているため，鶏肉の生食などにより感染して食中毒を引き起こす．また，ペットを介しての感染も知られている．潜伏期間は2～6日間程度と長く，その後に発熱，腹痛や下痢症状を示す．

季節的には，夏場に発生件数が比較的多いことが知られている．そしてこの細菌による食中毒は，わが国での“細菌性食中毒”発生件数の上位を常に占めている（表 3-3）．また，発生件数あたりの患者数が少ないこともこの食中毒の特徴である（表 3-6）．これには複数の理由が考えられている．潜伏期間が比較的長く，かつ菌自体の生育力も強くないことが原因食品の同定を困難にし，保菌者や軽症の患者を見出しにくくしている．また，1人事例を多く報告する地方機関があることなども関係している．

表 3-6　過去5年間（2014（平成 26）～ 2018（平成 30）年）におけるカンピロバクターとノロウイルスによる食中毒の総発生件数，総患者数および1件あたりの患者数の比較

	カンピロバクター菌	ノロウイルス
総患者数（人）	11,564	53,730
総発生件数	1,602	1,598
1件あたりの患者数（人）	7.2	34

2）　感染毒素型（生体内毒素型）

① 腸炎ビブリオ菌 *Vibrio parahaemolyticus*

腸炎ビブリオ菌は，グラム陰性桿菌で数% の食塩の存在下で増殖し，真水では溶菌することから好塩菌とよばれる（p. 192, 表 3-8 参照）．菌自体の増殖が速く，6 ～ 24 時間の潜伏期間を経て発症する．この細菌は海水中で生息しており，海産物を介した食中毒を引き起こす．1950（昭和25）年に大阪でシラスによる集団食中毒が発生し，藤野恒三郎博士らによってわが国で初めて腸炎ビブリオ菌が発見された．

中毒症状は，腹痛，下痢，発熱，嘔吐であり，血便を伴うこともある．かつてはわが国における食中毒の原因の大半を占めていたが，魚介類の生産・加工業者，および家庭での衛生意識の向上から発生件数が減少している（表 3-3）．

この細菌には病原性を示す株と示さない株が知られており，このうち病原性を示す株は血液寒天培地上で培養すると**溶血環**を形成する．この現象を**神奈川現象**といい，病原性を示す株を**神奈川陽性株**ともよぶ．この溶血は耐熱性の毒素によることがわかっており，この毒素が腸管上皮細胞を傷害することで下痢症状を示すと考えられている．

② コレラ菌 *Vibrio cholerae*

コレラ菌は，グラム陰性の桿菌で感染症法の 3 類に分類される．多くの細菌とは異なり，弱アルカリ性で生息する．この菌は外膜成分である **O 多糖**の抗原性の相違から分類され，**O1** と **O139** が流行性のコレラ株として知られている．

この細菌の感染源は，国内ではなくアジアの発展途上国の旅行者が汚染された飲料水などを摂取した事例が多い．O1 株には**アジア型**と**エルトール型**が存在し，現在の感染の主流は後者である．また，O139 株はエルトール型からの変異株であるという説もある．なお，感染時の重篤度はアジア型の方が高い．

この細菌による症状は，米のとぎ汁様の激しい**水様性下痢**であり，水分と電解質の喪失が著しいため，適切な処置をしないと腎機能障害などを引き起こして死に至ることがある．

コレラ菌は口から侵入したのち，多くは胃酸で死滅する．しかし，多量の飲食物に混入した場合や胃酸分泌が少ない状態のときに侵入すると，小腸に到達し，そこで増殖して**コレラ毒素 cholera toxin** を分泌する．この毒素が腸管での多量の水分分泌を促して激しい下痢を引き起こす．このメカニズムを図 3-2 に示した．

コレラ毒素は A_1 と A_2 のサブユニットと 5 つの B サブユニットからなる．まず B サブユニットが腸管上皮細胞の GM_1 ガングリオシドに結合し，エンドサイトーシスで取り込まれる．次に毒素本体である A_1 サブユニットにより GTP 結合タンパク質の ADP リボシル化が起こる．これがアデニル酸シクラーゼを活性化して，細胞内の cAMP 濃度が上昇し，結果としてチャネルのリン酸化により Cl^- と水の分泌が促進する．

③ ナグビブリオ *Vibrio cholera*（non-O1/non-O139）

ナグビブリオは，コレラ類似ビブリオともよばれるが，コレラのような伝染性はなく，軽度の下痢症を引き起こす．細菌学的にはコレラと同じだが，O1/O139 の抗血清に反応しない細菌群として位置付けられている．そのため，菌によってはコレラ毒素を産生するものや類似毒素を産生するものがある．

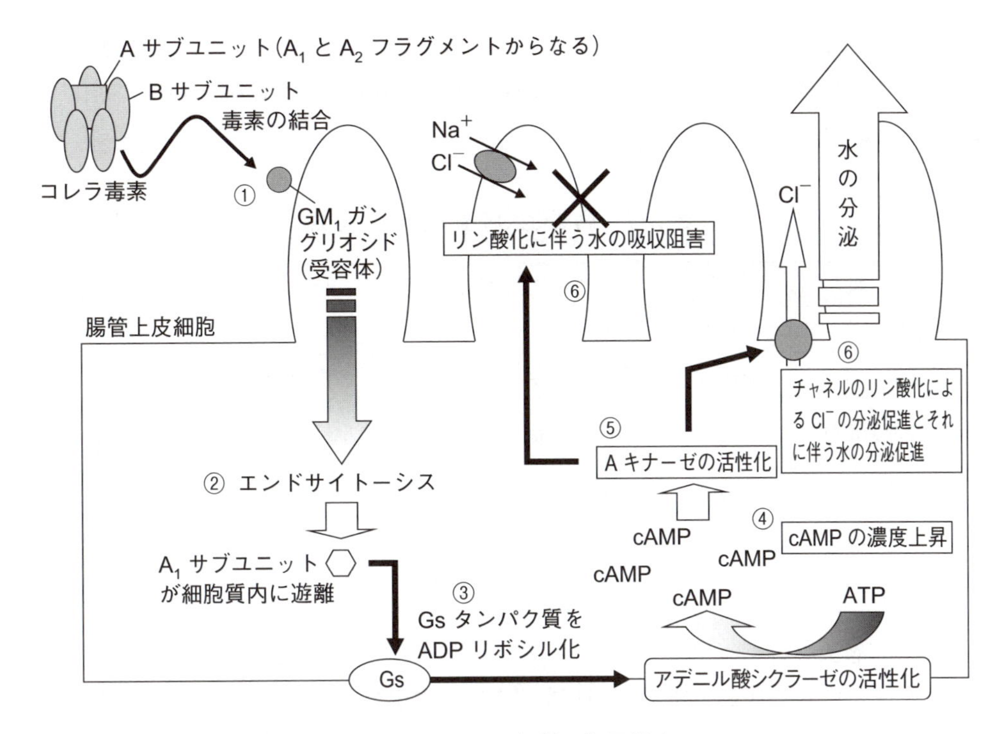

図 3-2　コレラ毒素の作用機序

（西島正弘，他編：薬学領域の病原微生物学・感染症学・化学療法学　第2版，p. 181，廣川書店）

④ ウェルシュ菌 *Clostridium perfringens*

ウェルシュ菌は，グラム陽性の偏性嫌気性桿菌で芽胞を形成し，土壌や動物の腸管に常在する細菌である．空気に触れないところでよく増殖する特性があるため，欧米では生焼けの食肉に混入していた芽胞を摂取することで多くの食中毒が報告されている．わが国でも，カレー，シチューや仕出し弁当などが原因食品として，ここ最近は500～2,500人の患者数が報告されている（表3-3）．

症状は腹痛や下痢であり，菌が産生するエンテロトキシンが原因である．また，この細菌は創傷感染により皮膚でガス壊疽を起こすが，これは菌が産生する α 毒素（ホスホリパーゼC活性をもつ）が細胞膜を損傷することによると考えられている．

3）感染侵入・感染毒素（生体内毒素）型

① 病原性大腸菌 *Escherichia coli*

大腸菌はグラム陰性桿菌で，一般的には弱毒性の腸内細菌である．その中で，ある種の病原性の遺伝子を獲得して，ヒトにおいて下痢症などの疾患を引き起こす細菌を病原性大腸菌とよぶ．この病原性大腸菌は病原性の相違から，次のように5つに大別される：腸管病原性大腸菌

（**EPEC**），**腸管出血性大腸菌**（**EHEC**），**腸管毒素原性大腸菌**（**ETEC**），**腸管凝集性大腸菌**（**EAEC**）および**腸管侵入性大腸菌**（**EIEC**）．特に，腸管出血性大腸菌は感染症法の3類に分類されている（表3-7）．

表3-7　病原性大腸菌の分類と特徴

分　類	略　語	主な症状	産生毒素
腸管病原性	EPEC	下痢	—
腸管出血性	EHEC	溶血性尿毒症症候群（HUS）	ベロ毒素
腸管毒素原性	ETEC	水様性下痢	易熱性エンテロトキシン 耐熱性エンテロトキシン
腸管凝集性	EAEC	下痢	耐熱性エンテロトキシン
腸管侵入性	EIEC	粘血便を伴った下痢	—

（i）**腸管病原性大腸菌**

腸管病原性大腸菌（**EPEC**）は，下痢症を引き起こす主要な大腸菌であり，毒素を産生しない．主に患者・保菌者の排泄物を介して感染発症する．腸管病原性大腸菌は特殊分泌装置を介して腸管上皮細胞のアクチンなどに作用して障害を引き起こす．

（ii）**腸管出血性大腸菌**

腸管出血性大腸菌（**EHEC**）は，米国において生焼けのハンバーガーを原因として，**O157**株が集団食中毒を引き起こしたことで知れわたった．わが国においては，2011（平成23）年に富山県を中心として**O111**株に汚染されたウシの生肉（ユッケ）が原因で集団食中毒が発生し，複数名の死者が出た．また，2017（平成29）年に埼玉，群馬両県の系列総菜店で購入したポテトサラダなどを食べた人がO157に感染し，3歳の女児が死亡した．O157に感染した患者の便からベロ毒素が検出され，遺伝子型は2型（VT2）と同定された．本事例は同時期に関東地方を中心に多発したO157の遺伝子型と同一であり広域的な集団感染の一部であると判明したが，感染経路については特定できていない．ほかにも，今までO157株の集団食中毒が単発で報告されている．

これらの食中毒では，たびたび死者の発生が報告されているが，症状としては粘血便を特徴とした**溶血性尿毒症症候群 hemolytic uremic syndrome**（**HUS**）によるところが多い．幸いにして死に至らない場合でも，乳幼児や高齢者での重症化を引き起こしている．この原因は，菌が産生する**ベロ毒素 Verotoxin**（アフリカミドリザル腎臓由来のVero細胞への傷害性から命名）にある．なお，この細菌はウシが保菌動物として考えられており，不適切な食肉の処理が食中毒発生の引き金になっている場合が多い．

（iii）**腸管毒素原性大腸菌**

腸管毒素原性大腸菌（**ETEC**）は，**エンテロトキシン**（**腸管毒素**）を産生し，コレラ様の水様性下痢を引き起こす．エンテロトキシンには耐熱性のものと易熱性の2種類が知られており，後者はコレラ毒素と類似していることが知られている．

(iv) **腸管凝集性大腸菌**

腸管凝集性大腸菌（EAEC）は，特殊な繊毛を介して細菌がレンガ状に凝集して，腸管内に**バイオフィルム biofilm**を作成することからこの名がついた．この細菌も耐熱性のエンテロトキシンを産生し，下痢症を引き起こす．

(v) **腸管侵入性大腸菌**

腸管侵入性大腸菌（EIEC）は，腸管病原性大腸菌と同様に，特殊な装置を利用して腸管上皮細胞内に侵入し，増殖することで赤痢に似た粘血便を伴った下痢症を引き起こす．

② 赤痢菌 *Shigella dysenteriae*

赤痢菌は，グラム陰性の通性嫌気性桿菌で，感染症法で3類に分類される．最初に見つかったのが1897（明治37）年で，発見者の志賀潔博士の名前が属名*Shigella*に使われた．この細菌は，強毒種で志賀赤痢菌*Shigella dysenteriae*ともよばれる．現在は弱毒種の**ゾンネ赤痢菌 *Shigella sonnei***が大部分を占める．

衛生環境の悪い発展途上国では未だに多くの症例が報告されているが，わが国には外国旅行者などが感染してまれにもち込まれる．主に感染者の糞便などの排泄物に汚染された飲食物を介して感染し，その伝播力は強い．

症状は，弱毒種では主に大腸炎による腹痛や下痢であるが，強毒種などでは血便やHUSを引き起こすことがある．この細菌は基本的に腸管上皮に侵入することで症状を引き起こすが，強毒種ではベロ毒素と生物学的に相同性が高い**志賀毒素 Shiga toxin**も産生し，これによって重篤化する．

4）食品内毒素型

① 黄色ブドウ球菌 *Staphylococcus aureus*

黄色ブドウ球菌は，ヒトや動物の皮膚や消化管内など体表面に常在する，グラム陽性の通性嫌気性球菌である．細菌学的には，**コアグラーゼ**反応陽性でマンニット分解能をもつため，病原性のない表皮ブドウ球菌と区別することができる．

この細菌はおでき，傷口や鼻腔からも高い頻度で検出されるため，食品加工業者や医療従事者の手指への汚染対策は十分に行われなければならない．また，数%の食塩が存在していても増殖が可能な耐塩性を有している．

本食中毒は典型的な食品内毒素型である（表3-8）．菌が増殖する際に産生する耐熱性のエンテロトキシンに汚染された食品などを摂取してから数時間で腹痛・下痢を生じる．加熱調理をしても食中毒を防げないこともある．2015（平成27）年以降の患者数は，1,000人を下回っている（表3-3）．

黄色ブドウ球菌は，食中毒以外にも肺炎や腹膜炎など多くの疾患を引き起こすため，1960（昭和35）年代頃から盛んに抗菌剤による治療が行われてきた．そのため，多くの抗菌剤に耐性を示す**メチシリン耐性黄色ブドウ球菌 methicillin-resistant *Staphylococcus aureus*（MRSA）**が出現し，現在臨床で分離される黄色ブドウ球菌の60%程度がMRSAであるとの報告がある．

表 3-8　黄色ブドウ球菌と腸炎ビブリオ菌の比較

	黄色ブドウ球菌	腸炎ビブリオ菌
グラム染色性	陽性	陰性
食中毒の型	食品内毒素型	感染毒素型（生体内毒素型）
潜伏期間	約12時間以内	約6～24時間
産生毒素	耐熱，耐酵素性のエンテロトキシン	耐熱性の溶血毒素（神奈川現象陽性）
食塩条件	耐塩性	好塩性

② ボツリヌス菌 *Clostridium botulinum*

ボツリヌス菌は，グラム陽性の偏性嫌気性桿菌で芽胞を形成し，河川・湖沼の泥を含めて土壌中に幅広く存在する．感染症法の4類に分類される．菌が産生する**ボツリヌス毒素 botulinum toxin**を摂取することで数時間～2日程度の潜伏期間を経て発症する．この毒素は抗原性でA～Gに分類されるが，わが国ではA，B，E型の報告が主である．この毒素は易熱性のタンパク質分解酵素であり，神経筋接合部や副交感神経終末におけるアセチルコリンの放出を阻害する．そして神経伝達を遮断，運動神経の弛緩性麻痺を引き起こして呼吸困難により死に至ることがあり，最強の生物毒素ともいわれている．

この細菌による食中毒の発生頻度は低いが，発症者の致命率は高い．1951（昭和26）年に北海道のいずし（飯寿司）による食中毒がわが国最初の事件であるが，もともとはソーセージの缶詰による食中毒がこの細菌の発見に繋がっており，ラテン語の“ソーセージ”を意味する単語が“ボツリヌス”の名前の由来である．現在，わが国でも真空パックの食品が原因となり，散発的に食中毒が発生している（表3-9）．2017（平成29）年にもわが国で芽胞の混入したハチミツを摂取した乳児が発症した事例（**乳児ボツリヌス症**）が報告されており，免疫系が未発達である1歳未満の乳幼児にはハチミツを与えないようにしなければならない．

表 3-9　ボツリヌス菌の特徴

- 偏性嫌気性（酸素があると増殖しない）
- 芽胞を形成する
- 毒素（易熱性のタンパク分解酵素）型の食中毒
- 神経遮断により麻痺性の症状を示す
- 食中毒は缶詰や真空パックの食品が原因となる

5)　食品内毒素・感染毒素（生体内毒素）型

① セレウス菌 *Bacillus cereus*

セレウス菌は，グラム陽性の通性嫌気性桿菌で芽胞を形成し，土壌中に生息している．この細菌による食中毒には臨床的に食品内毒素型と感染毒素（生体内毒素）型の 2 つの型があり，わが国での食中毒の中心は食品内毒素型である．

菌が増殖した食品中で産生された嘔吐毒素を摂取した場合，数時間以内に嘔吐症状が現れる．一方，食品とともに菌を摂取した場合，腸管内で増殖するとともにコレラ毒素様のエンテロトキシンを産生するため，8 〜 16 時間程度の潜伏期間後に下痢症状を呈する（感染毒素型（生体内毒素型））．主に前者は米飯やパスタなどデンプン類の汚染，後者は肉類の汚染が原因となる．しかし，いずれも比較的症状は軽い．

C.　ウイルス性食中毒

ウイルス性食中毒の概念は，1972（昭和 47）年に米国にて小学生の集団胃腸炎の原因が，ノーウォークウイルス（後のノロウイルス）であることが発見されたことに始まる．ウイルスは生きた細胞を宿主とするため，基本的に食品中で増えることはない．そのため，食中毒は感染型であり，予防対策はいかにウイルスに汚染された食品，あるいは調理器具からの感染を防ぐかである．

1)　ノロウイルス Norovirus

ノロウイルスは，感染性胃腸炎の原因ウイルスとして，感染症法の 5 類（定点把握）に分類される．このウイルスは培養細胞で人工増殖させることができず，ヒト以外の感染許容動物もないことからウイルスの発見以降，食中毒の原因ウイルスとして証明されるまでに時間を要した．その間，ノーウォークウイルス→**小型球形ウイルス**（**SRSV**）→ノロウイルスと名称が変更されてきた．

感染経路は，このウイルスを含む糞便を直接あるいは汚染食品を介して間接的に経口摂取することである（**糞口感染**）．食中毒の原因食品の中心がカキなど二枚貝の生食であるが，このウイルスは貝の中で増殖せず，ウイルスを含む糞便に汚染された海水中で生息する貝類が，その体内でウイルスを生物的に濃縮した結果，感染源となる．このウイルスに感染後，2 日以内の潜伏期間を経て腹痛，嘔吐，下痢症状を発症する．冬季に毎年 1 万人前後の患者数が報告されている（表 3-3）．

ノロウイルスはエンベロープをもたないのでアルコール消毒は有効でなく，乾燥にも強い．またウイルスの感染力が非常に強いため，低濃度の次亜塩素酸ナトリウム溶液の処理では完全な不活化は困難である．対策としては，0.1% 以上の次亜塩素酸ナトリウム溶液による処理か，90℃で 1 分間以上加熱することが望ましい（表 3-10）．

表3-10　ノロウイルスの消毒，滅菌と感染拡大予防の方法

対　象	処置法
手　指	・石けんを用いて徹底した流水洗浄 （ウイルスを不活化はしないが脂肪などの汚れを除去することでウイルスの脱落を促す） ・（流水洗浄後）オキシドールで5分間以上の処置
感染源を調理した器具	・0.02％以上の次亜塩素酸ナトリウム溶液に浸すか拭く ・90℃以上，1分間以上加熱
嘔吐物・糞便を扱った物	・（手袋，マスク着用の上で）0.1％以上の次亜塩素酸ナトリウム溶液に10分間以上浸す ・90℃以上，1分間以上加熱

2）その他のウイルス

小児下痢症の原因である**ロタウイルス rotavirus** は，5歳くらいまでにほぼ全員が感染する．感染症法ではノロウイルスとともに感染性胃腸炎の原因ウイルスとして5類感染症（定点把握）に分類される．このウイルスはわが国では冬季に流行し，東南アジアなどでは乾季に流行することが知られている．

感染形態はノロウイルスと同じ糞口感染であり，毎年多くの感染者・発症者を出すにもかかわらず，明確に“食中毒”として報告されることがほとんどない．

D. その他

寄生虫による食中毒の報告も増えている．これには検査技術の向上や食嗜好性の変化などさまざまな要因が背景にあると考えられている．近年の寄生虫による食中毒では，ヒラメ（特に養殖）に寄生する**クドア** *Kudoa septempunctata*，馬に寄生するザルコシスティス *Sarcocystis fayeri* が報告されている．いずれも生の刺身で摂取することで一過性の嘔吐・下痢の症状が認められる．また，イカやサバなどの魚介類に幼虫の状態で寄生する**アニサキス**（*Anisakis simplex* など）は，2014（平成26）年から2018（平成30）年の間に患者数が増加している（表3-3）．アニサキスの幼虫が寄生した魚介類を生の状態（不十分な冷凍も含む）で食べると，胃腸障害，悪心，嘔吐，腹痛の症状が見られる．魚介類の加熱処理は確実な感染予防になるが，－20℃で24時間以上の冷凍処理すれば，アニサキス幼虫の感染性を低下できるとの報告がある．

コラム　食中毒患者の対処について

食中毒発生時には，基本的に激しい下痢を伴う．そのため，まずは水分補給をすることにより脱水を防ぐ必要がある．その1例として，WHO はコレラ治療用に**経口補液 oral rehydration solution**（**ORS**）の組成を提示している（表3-11）．そして，早く体の中から原因菌（物質）排出させるため，止瀉薬は用いないほうが良い．

また，流行，発生状況などから，ある程度原因菌を特定できる場合を除いて，抗菌剤の使用には慎重を要する．不適切な抗菌剤の使用は，副作用や耐性菌の出現だけでなく，偽膜性大腸炎や敗血症を引き起こすおそれがある．

表3-11　コレラ用の経口補液（ORS）の組成

添加物	濃度（%）
塩化ナトリウム	0.35
塩化カリウム	0.15
グルコース	2.05
炭酸水素ナトリウム	0.25

3-3　自然毒食中毒

動植物の中には毒成分をもつものがあり，これらの毒を総称して**自然毒**とよぶ．自然毒は，動植物が常に保持している成分，成長や季節的に特定の時期に産生する成分，そして食物連鎖により獲得する成分とさまざまである．この自然毒を含む食品由来の食中毒は，わが国では発生頻度こそ年に百件前後であるが，致命率は高い．代表的なものが，フグ毒と毒キノコの誤食による食中毒であり，それぞれ**動物性自然毒**と**植物性自然毒**による食中毒と分類される．

A.　動物性自然毒

陸上にもヘビやハチ，サソリなどの有毒動物が生息し，咬まれたり刺されたりする被害は多い．しかし，陸上の有毒動物を食品として摂取することにより食中毒が引き起こされることはまずない．食中毒に関与する動物性自然毒はすべて魚貝類由来であると考えてよい．

1) フグ毒

フグ科の魚類は，種類と部位によって毒性度の異なるフグ毒であるテトロドトキシン tetrodotoxin（図 3-3）をもつ．フグ毒は致命率が約 60% と高いのが特徴である．このフグ毒による食中毒は，主にフグを食用としているわが国と中国の一部で報告されている．そのため，わが国では適切な処理を行えば健康を損なうおそれがないと判断されるフグの種類と可食部位が定められている．一般に，肝臓や卵巣には高濃度のテトロドトキシンが蓄積されているので，これら有毒な部位は，都道府県知事が認めた者および施設に限って除去できる．

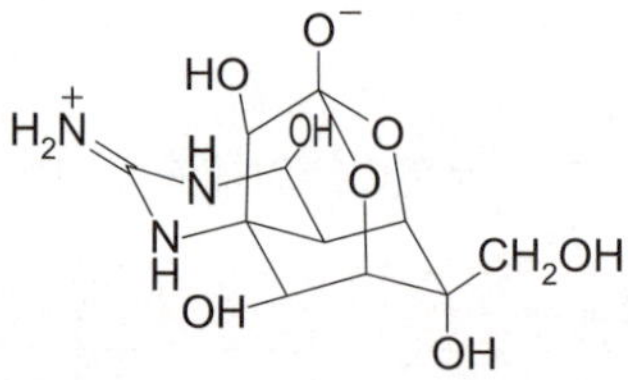

図 3-3　テトロドトキシン

テトロドトキシンは，もともと海洋細菌（*Vibrio* や *Pseudomonas* 属など）が産生し，それが食物連鎖により生物濃縮されてフグの体内に蓄積される．そのため，キンシバイ貝などのフグ以外の魚介類でもこの毒素をもつものが認められている．

この毒素による中毒症状は，摂取後およそ20分～3時間の間に現れる．症状は口唇や舌の痺れに始まり，4 段階の程度が知られているが，重症の場合は呼吸困難で死に至る．

テトロドトキシンは，水に不溶の塩基性物質であり，加熱や日光照射などではほとんど分解しない．テトロドトキシンは，体重 20 g のマウスを 30 分で死亡させる毒量を 1 マウス単位（MU）として定量され，規制値は 10 MU/g である．成人の最小致死量は 3000 MU 程度とされる．

テトロドトキシンは，神経線維や筋肉におけるナトリウムチャネルを介した細胞内へのナトリウムイオンの流入を阻害し，アセチルコリンの分泌を抑制することで，自律神経・運動神経の興奮伝達を抑制し，骨格筋・心筋の運動を麻痺させる．フグ毒に対する有効な治療法や解毒剤は開発されていないが，人工呼吸により呼吸を確保した上で適切な処置をすることで救命できることが知られている．

2) シガテラ毒

シガテラ毒による食中毒はわが国では主に沖縄県で発生している．これは熱帯，亜熱帯地域のサンゴ礁などに生息するフエダイやバラハタなどの有毒魚の筋肉や内臓を摂食することに起因する．有毒成分はシガトキシン ciguatoxin（図 3-4）であり，13 個のエーテル環が連結した梯子状の骨格を有する耐熱性の化合物である．シガテラ毒は，石灰藻など有毒渦鞭毛藻の付着した海藻を摂取する魚類に食物連鎖により生物的に濃縮される．

この毒素による中毒症状は，摂取後およそ1〜8時間で現れる．シガテラ毒による食中毒の主症状は**ドライアイスセンセーション dry–ice sensation**（物に触れるとドライアイスに触れたような疼痛を覚える温度感覚の異常）である．この発症メカニズムは，シガトキシンが神経節や筋肉おけるナトリウムチャネルを開放し，ナトリウムイオンの透過性を亢進させるため，神経伝達に異常をきたすことであり，2〜3週間で回復する．他に関節痛や嘔吐，下痢などが発症するが，致命率は低い．

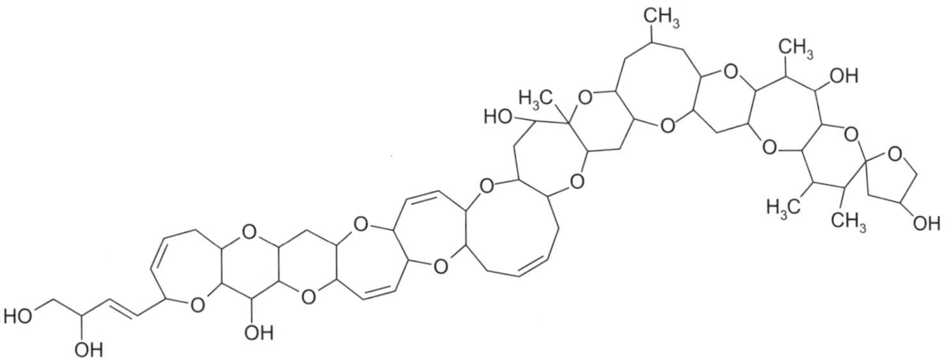

図 3-4　シガトキシン

3）貝　毒

① 麻痺性貝毒

麻痺性貝毒は，ムラサキイガイやアサリなどの二枚貝が赤潮などの有毒プランクトン（渦鞭毛藻のアレキサンドリウム属など）を捕食することに始まり，食物連鎖により**中腸腺**（内臓）に蓄積し，これを食することにより食中毒が引き起こされる．なお，この食中毒はわが国だけでなく，世界中で発生している．

麻痺性貝毒の主成分は，耐熱性で水溶性の**サキシトキシン saxitoxin** や**ゴニオトキシン gonyautoxin** 類であり，加熱調理で食中毒を予防することはできない（表3-12）．サキシトキシンは，テトロドトキシンと同様に，神経や筋肉における細胞内へのナトリウムイオンの流入を阻害することにより麻痺性の神経症状を引き起こし，その毒量はマウスを用いて求められる．

わが国では，麻痺性貝毒による食中毒を予防するため，定期的に有毒プランクトンの発生と貝類の毒性値をモニタリングしており，有毒貝類が市場に出回らないように規制が行われている．

② 下痢性貝毒

下痢性貝毒による食中毒は，ムラサキイガイやホタテガイなどの二枚貝が，麻痺性貝毒と同様に，赤潮などの有毒プランクトン（渦鞭毛藻のジノフィシス属など）の食物連鎖によって有毒成分を蓄積し，それを摂取することで引き起こされる．

表 3-12　代表的な貝毒

症状による分類	毒性本体の構造式・名称	蓄積する貝	原因プランクトンなど
麻痺性貝毒	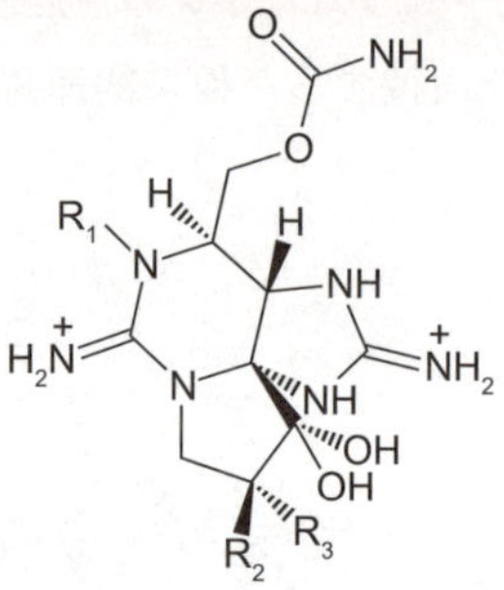 サキシトキシン $R_1=H, R_2=H, R_3=H$ ゴニオトキシン $R_1=OH, R_2=H, R_3=OSO_3^-$	二枚貝（ムラサキイガイ，アサリ，カキ等）	アレキサンドリウム属などの渦鞭毛藻
下痢性貝毒	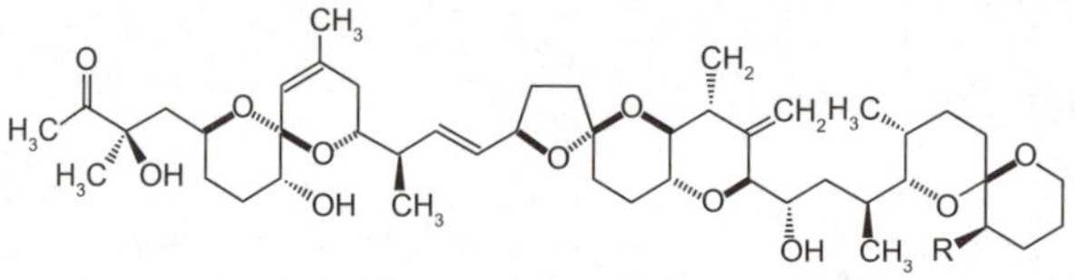 オカダ酸　$R=H$ ジノフィシストキシン 1 $R=CH_3$	二枚貝（ムラサキイガイ，ホタテガイ等）	ジノフィシス属などの渦鞭毛藻
記憶喪失性貝毒	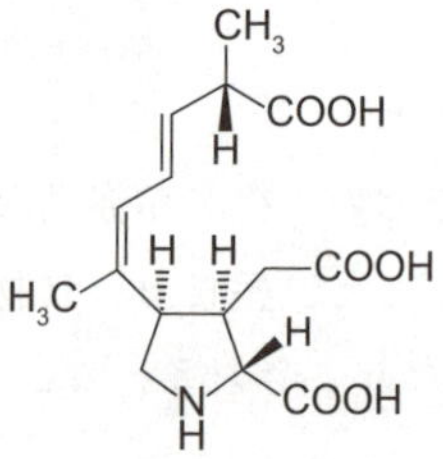 ドウモイ酸	二枚貝（ムラサキイガイ，ホタテガイ等）	珪藻類
神経性貝毒	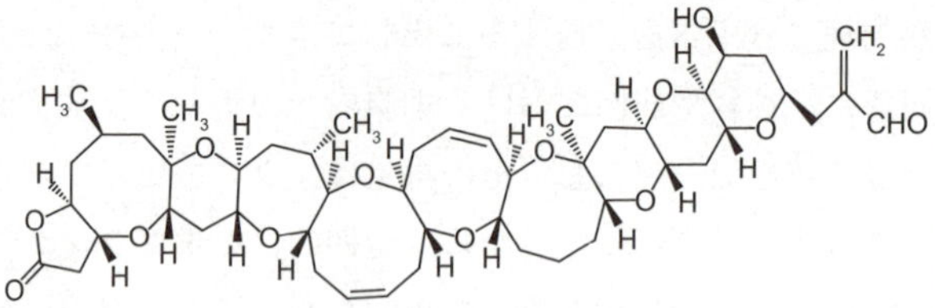 ブレベトキシン A	二枚貝（ミドリイガイ，マガキ等）	ジムノジニウム属などの渦鞭毛藻
その他（激しい頭痛，酩酊感）	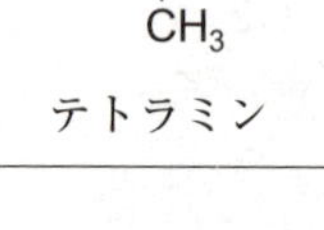 テトラミン	エゾバイ科巻貝（ツブ貝として市販） 唾液腺に局在	—

下痢性貝毒の主成分は，耐熱性で脂溶性のポリエーテル脂肪酸であるオカダ酸 okadaic acid とジノフィシストキシン dinophysistoxin 類である（表3-12）．なお，この毒素による食中毒は，麻痺性貝毒と同様に有毒貝類の出荷規制があるためほとんど報告されていない．

③ その他の貝毒

いずれも有毒なプランクトンを捕食した貝類が有毒成分を食物連鎖により生物濃縮し，これらを摂取することで食中毒が引き起こされる．いずれも発生頻度は非常に低い．代表的なその他の貝毒の特徴を表3-12に示した．

④ クロロフィル分解物

食品中に含まれるクロロフィル a から，光増感物質 photosensitizer であるフェオフォルバイド a　pheophorbide a やピロフェオフォルバイド a　pyropheophorbide a が生じることがある（表3-13）．

クロロフィル分解物は，春先のアワビの中腸腺や緑色野菜の漬物などに多く含まれることがある．これらクロロフィル分解物は，光を受けると酸素をエネルギー状態が高く不安定な一重項酸素 $^1O_2$ に変換することから，これらを多く含む食品を摂取した後に日光にあたると，光線過敏症（浮腫，瘙痒症状）を引き起こす．

表3-13　クロロフィル分解物

症　状	毒性本体の構造式・名称	含有する食品	原因プランクトンなど
光線過敏症	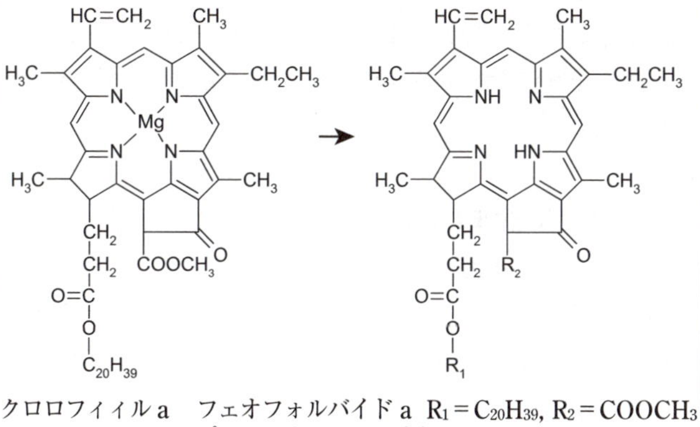 （構造式：クロロフィル a → フェオフォルバイド a / ピロフェオフォルバイド a） HC=CH2, CH3, H3C, CH2CH3, N, Mg, CH3, CH2, COOCH3, O, O=C, C20H39 → NH, HN, R2, R1 クロロフィィル a　フェオフォルバイド a　$R_1 = C_{20}H_{39}$, $R_2 = COOCH_3$ ピロフェオフォルバイド a　$R_1 = H$, $R_2 = H$	春先のアワビの中腸腺 緑色野菜の漬物	海藻類の葉緑素

4）　その他

アブラソコムツとバラムツ（いずれもすでに食品衛生法で販売禁止となっている深海魚）の筋肉中に多く含まれるワックス成分による下痢など，またイシナギの肝臓中に多く含まれるビタミン A の過剰摂取による頭痛などが報告されている．

B.　植物性自然毒

食中毒に関与する有毒植物は，キノコと高等植物に大別される．キノコは生物学的には植物ではなく菌類であるが，多くの消費者はキノコを植物の仲間であると思っている．そのため，混乱を避けるために，食中毒統計ではキノコは植物として扱われている．

1）キノコ毒

分類の仕方によって異なるが，毒キノコといわれるキノコ類は数十種類知られている．そのうち，わが国で発生する食中毒の大半は，ツキヨタケ（ヒラタケ，シイタケとして誤食）およびクサウラベニタケ（シメジとして誤食）によるもので，いずれも胃腸障害を起こす．この ① 胃腸障害型の食中毒以外にも，② コレラ様症状型，③ 神経障害（副交感神経の刺激および麻痺）型および ④ 幻覚様症状（脳症）型の食中毒を引き起こすキノコ毒がある（表 3-14）．

① 胃腸障害型

（i）**イルジン S illudinn S**（**ランプテロール**）：ツキヨタケに含まれ，摂取後 30 ～ 1 時間程度で嘔吐，下痢，腹痛などの症状を起こす．

（ii）**溶血性タンパク質**：クサウラベニタケに含まれ，消化器系中毒を起こす．単一物質が症状を引き起こすものではないと考えられている．

② コレラ様症状型

（i）**アマトキシン類**：**α-アマニチン α-amanitin** および **β-アマニチン β-amanitin** は耐熱性の二環状ペプチドであり，**タマゴテングタケ**，シロタマゴテングタケ，ドクツルタケなどから分離される．これらの毒素は RNA ポリメラーゼに作用し，RNA 合成を阻害することでコレラ様の非常に激しい水様性下痢を引き起こす．肝臓・腎臓障害も引き起こし，致命率が高い．

（ii）**ファロトキシン類**：**ファロイジン phalloidin** は，アマトキシンと類似した二環状ペプチドで，タマゴテングタケなどに含まれる．

③ 神経障害（副交感神経の刺激および麻痺）型

（i）**イボテン酸 ibotenic acid**：**ベニテングタケ**（タマゴタケとして誤食）に含まれ，消化器症状に引き続いてめまい，幻覚などの神経症状を引き起こす．中枢神経系において，**GABA 受容体**と結合して抑制作用を示す．

（ii）**ムスカリン muscarine**：ベニテングタケ，テングタケなどに含まれ，コリン作動性神経に作用する．症状は，発汗，縮瞳などであり，呼吸困難を引き起こすことがある．

（iii）**ムスカリジン muscaridine**：クサウラベニタケに含まれ，副交感神経を麻痺させ，アトロピン様の作用（散瞳，妄想など）を引き起こす．

（iv）**コプリン coprine**：**ホテイシメジ**に含まれ，アルデヒドデヒドロゲナーゼを阻害するため，アルコール飲料とともに摂取すると，顔面紅潮，嘔吐など**ジスルフィラム様症状**（嫌酒作用）を引き起こす．

④ 幻覚様症状（脳症）型

（i）シロシン psilocyn（サイロシン），シロシビン psilocybin（サイロシビン）：ワライタケやシビレタケに含まれるトリプタミン誘導体である．セロトニン serotonin と拮抗することで異常興奮や麻痺などの精神錯乱を引き起こす．これらの毒素を含むキノコは，いわゆるマジックマッシュルームとして2002（平成14）年から麻薬に指定されている．

表3-14　代表的なキノコ毒

症状による区分	毒性本体の構造式・名称	含有する毒キノコの例
胃腸障害型	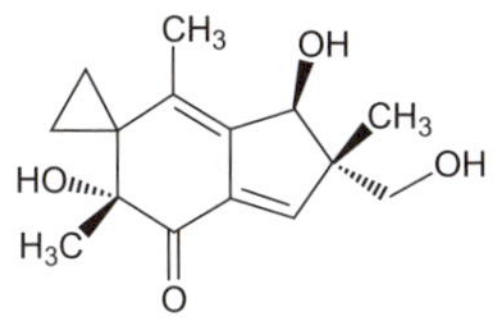 イルジンS（ランプテロール）	ツキヨタケ
	溶血性タンパク質 （単一物質ではない）	クサウラベニタケ
コレラ様症状型	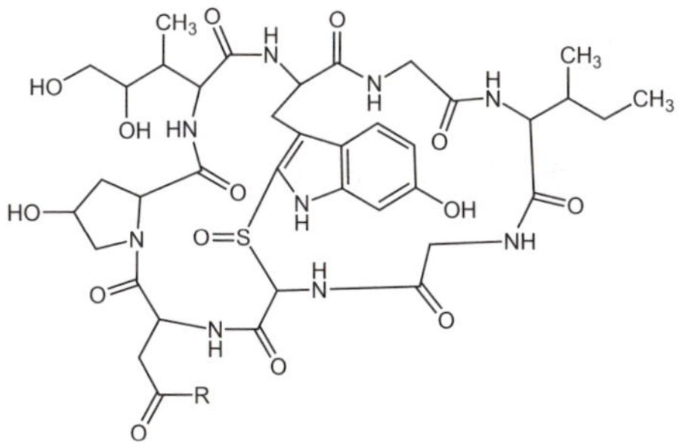 α-アマニチン $R=NH_2$ β-アマニチン $R=OH$	タマゴテングタケ シロタマゴテングタケ ドクツルタケ
	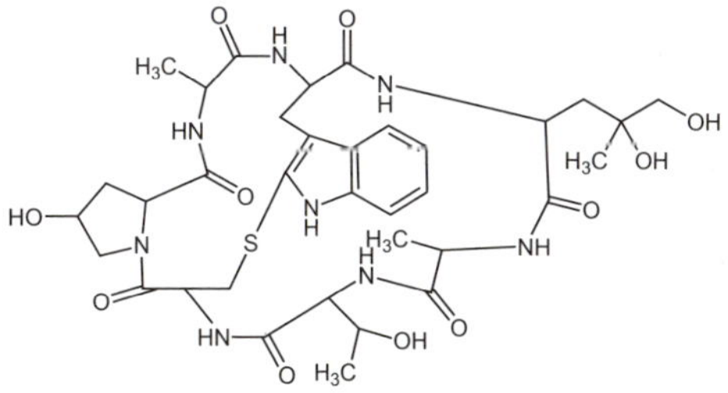 ファロイジン	タマゴテングタケ
神経障害型	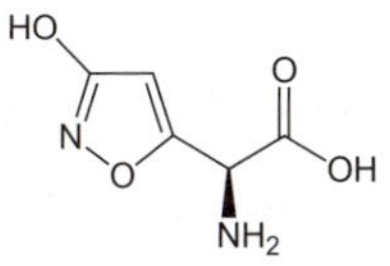 イボテン酸	ベニテングタケ

表 3-14　つづき

症状による区分	毒性本体の構造式・名称	含有する毒キノコの例
神経障害型	ムスカリン	ベニテングタケ テングタケ
	ムスカリジン	クサウラベニタケ
	コプリン	ホテイシメジ
幻覚様症状型 （脳症型）	シロシン（サイロシン）R= H シロシビン（サイロシビン）R= $-P(=O)(OH)-OH$	ワライタケ シビレタケ

コラム　毒キノコによる食中毒への対処

キノコを摂取することによる食中毒は多くの場合，キノコに含まれる中毒成分に加え，その類縁化合物やその他の成分が複合的に作用して中毒症状を発現する．そのため，対処が困難であるが，ムスカリン作用を抑制するために，硫酸アトロピンの静脈内投与が行われることがある．

2）　高等植物の有毒物質

① 青酸配糖体

数百種類以上の植物が主に種子に**青酸配糖体**を含むが，代表的なものに**青梅**がある．青酸配糖体自体には毒性がないが，それを含む植物由来あるいは摂取後の腸内細菌由来の酵素（β-グルコシダーゼ）により加水分解を受け，最終的に**シアン化水素 hydrogen cyanide** を産生することで毒性を示す（図 3-5）．シアン化水素は，ミトコンドリア中のシトクロム c オキシダーゼを阻害して，酸素欠乏から細胞・組織傷害を引き起こす．

（ i ）**アミグダリン amygdalin**：青梅，苦味アーモンドやアンズの種子に含まれる．

（ ii ）**ファゼオルナチン phaseolunatin**：五色豆，キャッサバ

O-Glc-Glc
CN
β-グルコシダーゼ
加水分解
O
H
＋ 2 Glucose ＋ HCN
シアン化水素
（青酸）
アミグダリン
ベンズアルデヒド

O-Glc
H_3C
CN
CH_3
β-グルコシダーゼ
加水分解
O
H_3C
CH_3
＋ Glucose ＋ HCN
シアン化水素
（青酸）
ファゼオルナチン
アセトン

図 3-5　アミグダリンとファゼオルナチンからのシアン化水素の発生

② アルカロイド

（ i ）**α-ソラニン α-solanine**，**α-チャコニン α-chaconine**：**ジャガイモ**の芽および未成熟緑色の果皮に含まれるステロイドアルカロイド配糖体である．アグリコンは共通の**ソラニジン solanidine** であり，それぞれ３位の位置に結合する３つの糖が異なる（表 3-15）．

　これらのアルカロイドは非特異的にコリンエステラーゼ choline esterase を阻害し，胃腸障害（嘔吐・下痢）などから重症化すると脳の浮腫を起こして，意識混濁や呼吸困難などを伴い死に至らせる．このような食中毒発生を防止するために，ジャガイモの発芽防止の目的で**放射線照射**（**コバルト 60**（^{60}**Co**）を線源とした **γ 線**）の使用が許可されている．

（ ii ）**アトロピン atropine**，**スコポラミン scopolamine**，**ヒヨスチアミン hyoscyamine**：**チョウセンアサガオ**類（根をゴボウとして誤食）や**ハシリドコロ**（葉をフキノトウとして誤食）に含まれるトロパンアルカロイドが，副交感神経遮断作用を有するため，散瞳や口渇を引き起こす．

（ iii ）**アコニチン aconitine**：**トリカブト**（山菜のニリンソウとして誤食）に含まれる猛毒のジテルペンアルカロイドである．細胞膜のナトリウムイオン透過性を異常亢進させる作用をもつ．症状は，口腔内の灼熱感や口唇のしびれに始まり，嘔吐・下痢，歩行困難などを起こし，大量に摂取すると呼吸困難から死に至る．

表 3-15　代表的なアルカロイド

アルカロイドの構造式・名称	含有植物
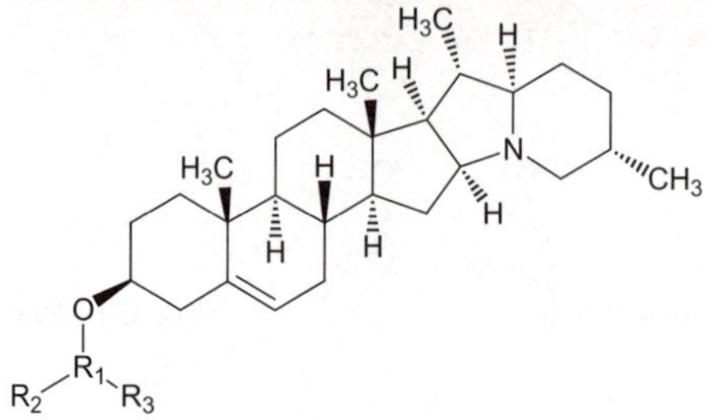 α–ソラニン R_1 = Galactose, R_2 = Glucose, R_3 = Rhamnose α–チャコニン R_1 = Glucose, R_2 = Rhamnose, R_3 = Rhamnose	ジャガイモ （芽および未成熟の緑色の果皮に含有）
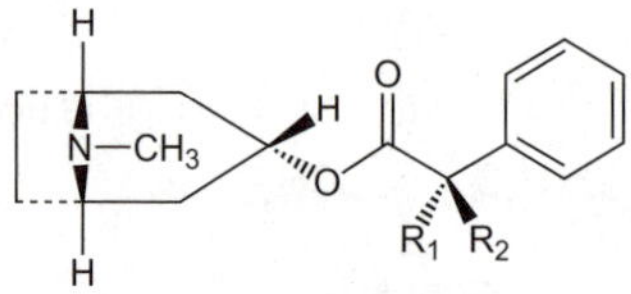 アトロピン（*dl*–ヒヨスチアミン） *l*–ヒヨスチアミン R_1 = CH_2OH, R_2 = H *d*–ヒヨスチアミン R_1 = H, R_2 = CH_2OH	チョウセンアサガオ ハシリドコロ
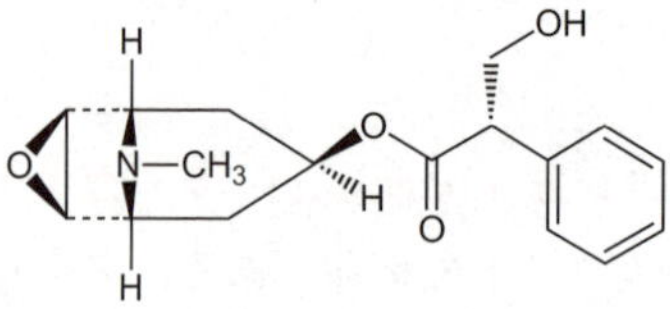 スコポラミン	
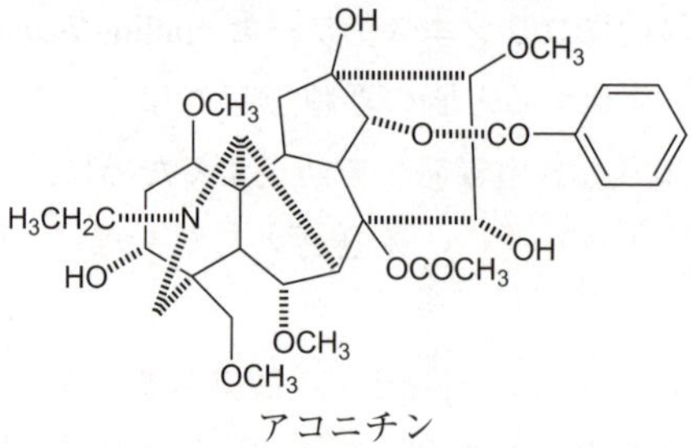 アコニチン	トリカブト

③ その他

（i）**サイカシン cycasine**：**ソテツ**の種子に含まれる配糖体で，腸内細菌の β–グルコシダーゼによって加水分解されることにより，発がん性（肝臓がんなど）を発現する．

（ii）**プタキロシド ptaquiloside**：**ワラビ**に含まれる配糖体である．自然分解して生じるアグリコンは強いアルキル化作用があり，発がん作用（胃がん）を示す．プタキロシドは酸，アルカリに対して不安定であるので，ワラビをアク抜きすることで分解，除去できる．

（iii）**サフロール safrole**：**サッサフラス**の根皮から得られるサッサフラス油の主成分である．CYP で代謝されることにより発がん性を示す．

（iv）**4-メトキシピリドキシン 4-methoxypyridoxine**：**ギンナン**に含まれる**4-メトキシピリドキシン**は，ビタミン B_6 の構造類似体である．そのため，ギンナンの過剰摂取（40粒以上）はビタミン B_6 欠乏症状を引き起こし，ビタミン B_6 が補酵素として機能する GABA 生合成が阻害されることにより，痙攣が生じた例が報告されている．特に小児のギンナン過剰摂取には注意する必要がある（p. 49 ビタミンの項参照）．

表 3-16　その他の植物由来自然毒

構造式・名称	健康被害	含有植物
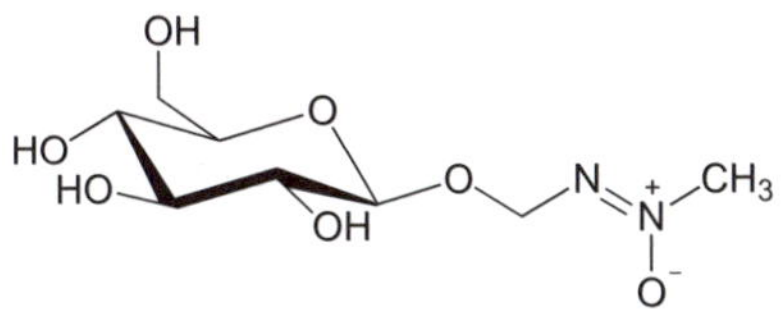 サイカシン	発がん（肝がん）	ソテツ（種子）
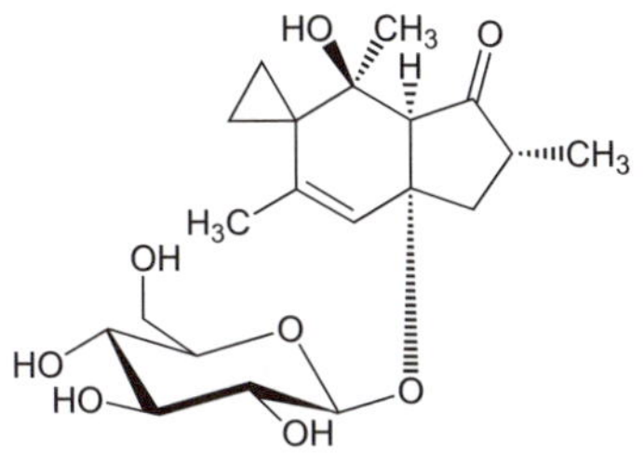 プタキロシド	発がん（胃がん）	ワラビ
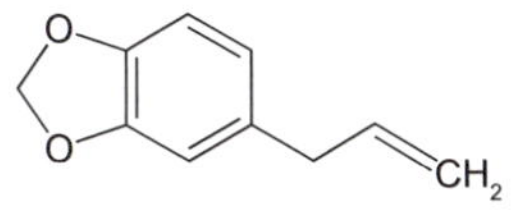 サフロール	発がん	サッサフラス（根茎）
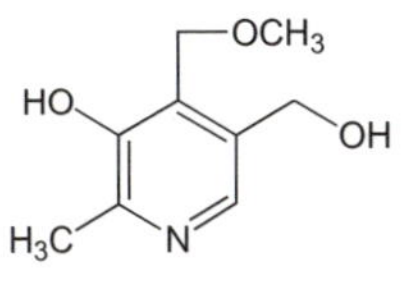 4-メトキシピリドキシン	ビタミン B_6 欠乏症 痙攣	ギンナン

◆ 確認問題 ◆

1）食中毒の原因物質は，感染症法で規定されている．
2）サルモネラ属菌による食中毒の発生は，年々増えている．
3）カンピロバクターによる食中毒は，冬季に多い傾向がある．
4）一般に，毒素型の食中毒は，食品の加熱により防ぐことができない．
5）ベロ毒素と志賀毒素は，生物学的に相同性が高い．
6）黄色ブドウ球菌は，真水中では溶菌しやすい．
7）ボツリヌス菌による食中毒は，食品の真空保存によって防ぐことができる．
8）コレラ毒素による代表的な症状は，溶血性尿毒症症候群である．
9）ノロウイルスによる食中毒の原因食品は，主にそれに汚染された鶏卵である．
10）消毒用アルコールは，ノロウイルスに対する効果が期待できない．
11）テトロドトキシンは，ステロイド骨格をもつ．
12）シガテラ毒は，麻痺性の貝毒の1つである．
13）ムスカリンによる食中毒に対処するため，アトロピンが用いられることがある．
14）青酸配糖体は，胃酸により分解を受けて毒性を示すようになる．
15）スコポラミンは，ベラドンナアルカロイドの1つである．

【確認問題解答】

1）×　食品衛生法．
2）×　腸炎ビブリオ菌と共に減少している．
3）×　夏場に多い．冬に多いのはノロウイルスによる食中毒．
4）○
5）○
6）×　好塩菌である腸炎ビブリオ菌の特性．黄色ブドウ球菌は耐塩菌．
7）×　酸素がない条件下で増殖する．
8）×　コレラの特徴は水様性の下痢．
9）×　カキなどの二枚貝の生食が原因．
10）○
11）×　図3-45参照．
12）×　有毒魚のもつ毒素．代表的な症状にドライアイスセンセーションがある．
13）○
14）×　β-グルコシダーゼにより加水分解されて毒性を発現する．
15）○

Chapter 4 食品汚染

私たちの生活環境には，非常に多くの化学物質が存在している．それらの中には，生活環境を汚染し，食品を介してヒトの健康障害を起こすものが存在する．**食品汚染 food contamination** とは，食品中にある一定量以上存在すると不都合と考えられる物質で，意図をもって添加された化学物質以外の物質が外部から混入することをいう．わが国における，食品汚染化学物質による代表的な食中毒としては，まず第二次世界大戦後に飲用アルコール類の不足から，エタノールの代わりに混入したメタノールによる中毒があげられる．そのほかに，**食品添加物公定書**が制定されるきっかけとなった亜ヒ酸混入缶入り粉ミルクによるヒ素中毒，またダイオキシン混入米ぬか油による**カネミ油症事件**がある．さらに，2008（平成 20）年，日本では毒性が強いため使用が禁止されている有機リン系農薬の**メタミドホス methamidophos** が中国産冷凍ギョウザから検出され，これは人為的なものであったため，国民の食の安全への信頼が大きく揺らいだ．

本章では，ヒトの健康障害を引き起こす原因となる，真菌類が産生する有害物質，残留農薬，食品汚染金属および有機化合物について解説する．

4-1 マイコトキシン

マイコトキシン mycotoxin とは，カビが産生する耐熱性を示す低分子化合物の二次代謝産物であり，ヒトや家畜に種々の疾病や病的障害を引き起こす有害物質である．カビは従属栄養生物であり，農産物を栄養源とすることから，食品摂取による健康障害を起こす原因となる．

マイコトキシンが最も発生しやすい条件は，カビが増殖しやすい環境であり，水分活性が 0.8

以上，pHが約6のときである．さらに，マイコトキシンは300種以上知られているが，そのほとんどは**コウジカビ**（*Aspergillus*属），**青カビ**（*Penicillium*属），**赤カビ**（*Fusarium*属）の3種類により産生されるものである．つまり，1種類の食品や飼料に複数のカビが増殖し，多種類のマイコトキシンが検出されることもあり，しばしば食品や飼料の複合汚染が認められる．このようなカビ毒による食中毒（**真菌食中毒**）は，いくつかの症状が重なって現れるが，それらは大きく肝臓毒，腎臓毒，神経毒および血液毒の4つに分類できる．

わが国のマイコトキシンによる食品汚染の規制としては，1971（昭和46）年から食品衛生法第6条第2項により，ピーナッツ（落花生）を含んだ食品におけるアフラトキシンB_1の基準値が規定されていた．しかし，ピーナッツにおける**アフラトキシン aflatoxin**による複合汚染の増加やアフラトキシンB_1よりアフラトキシンG_1の汚染濃度が高い事例が認められた．これを踏まえ，2011（平成23）年10月からアフラトキシンの基準は，落花生，アーモンド，ヘーゼルナッツ，ピスタチオについて，コーデックス規格と同様，アフラトキシンB_2，G_1およびG_2を含めた4種類のアフラトキシンを対象として，**総アフラトキシン**（アフラトキシンB_1，B_2，G_1，G_2の総和）としての規制に変更された．

4-1-1　肝臓毒

A.　アフラトキシン

主な産生菌：*Aspergillus flavus*，*Aspergillus parasiticus*

毒性ならびに中毒症：ヒトに対する急性肝炎，ライ症候群 Reye's syndrome，動物に対する肝障害，肝硬変，肝がん（ラット，サル，ニジマス）

汚染食品：ピーナッツおよびその他ナッツ類，トウモロコシ，綿実，乳，チーズ，肉類

規制値（日本）：食品衛生法により総アフラトキシンとして10 ppb（10 μg/kg）以下とされている．また，アフラトキシンB_1の代謝物であるアフラトキシンM_1に関して，2016（平成28）年からコーデックス規格と同様に，乳を対象食品とした基準値0.5 ppb（0.5 μg/kg）が制定された．

アフラトキシンB_1（表4-1）は，無色から淡黄色の結晶で，安定性が極めて高く，通常の加熱調理ではほとんど分解されない．紫外線照射下で強い蛍光を発し，Bグループのものは青色（Blue），Gグループのものは緑色（Green）を示すことから，命名およびそれらの検出にも利用されている．

アフラトキシンB_1は，ほとんどの動物種に対し，極めて強力な急性肝毒性を示すことがわかっており，肝細胞がんとの関連が指摘されている．特に，ヒトを対象とした疫学調査から，B型肝炎に罹患しているヒトにおいて，アフラトキシンB_1の摂取により，**肝細胞がん**が発生するリスクが高くなるといわれている．アフラトキシン類は20種類以上知られているが，発がん性の強さは，$G_2 < B_2 < G_1 < M_1 = B_1$である．国際がん研究機関 International Agency for Research

表 4-1　肝臓毒を持つマイコトキシン

アフラトキシン B_1	O O O O O OCH_3
ステリグマトシスチン	O OH O O O O OCH_3
オクラトキシン	COOR′ OH O CH_2–CH·NHCO– O CH_3 R オクラトキシン A（R＝Cl, R′＝H） B（R＝H, R′＝H） C（R＝Cl, R′＝C_2H_5）
アリストロキア酸	O OH NO_2 OCH_3
ルテオスカイリン	OH O OH H H OH CH_3 H OH O H O OH H_3C H HO H H OH O
シクロロチン	Cl HOH_2C Cl H HN N O O HN C_2H_5 O H O N N H O CH_2OH
イスランジトキシン	Cl HOH_2C Cl H HN N O O HN O O H HOH_2C HN N C_2H_5 O

on Cancer（IARC）では，「ヒトに対して発がん性がある物質（Group 1）」に分類している．

アフラトキシン類は代謝的活性化を受けて発がん性を示すことが知られている（図 4-1）．アフラトキシン B_1 は，ビスフラン環とクマリン誘導体が結合した構造であり，CYP によりビスフラン環の 2，3 位の二重結合のエポキシ化が起こる．生成したアフラトキシン B_1-8,9-エポキシドは，主にグルタチオン-*S*-トランスフェラーゼ glutathione-*S*-transferase による抱合を受けて排泄される．しかし，一部のアフラトキシン B_1-8,9-エポキシドは，非酵素的にカルボニウムイオン carbonium ion を生成し，DNA と不可逆的な共有結合を形成するため発がん性を示すと考えられている．

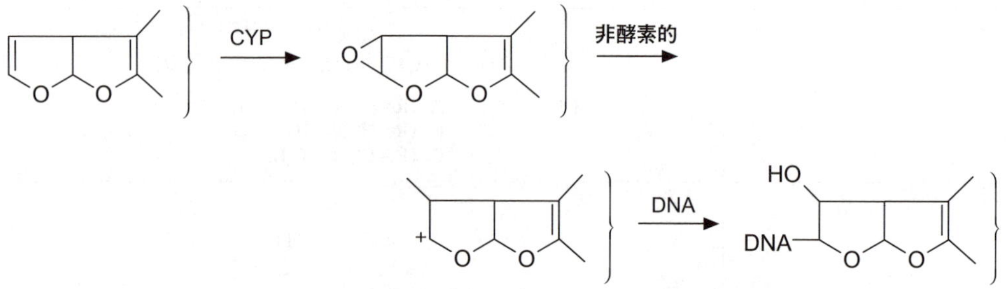

図 4-1　体内におけるアフラトキシンの代謝反応

B.　ステリグマトシスチン

主な産生菌：*Aspergillus versicolor*，*Aspergillus nidulans*

毒性ならびに中毒症：動物に対する肝障害，肝がん（ラット）

汚染食品：米，トウモロコシ，雑穀

規制値（日本）：規制なし

ステリグマトシスチン sterigmatocystin は，アフラトキシン B_1 の生合成における中間物質ともいわれている（表 4-1）．ラットやマウスに長期投与した場合，肝がんや肺がんを生じるが，その発がん性はアフラトキシンのそれの 250 分の 1 と推定されている．

ステリグマトシスチンは，ビスフラン環とキサントン誘導体が結合した構造でありアフラトキシン B_1 と同様，ヒトの体内で CYP によりビスフラン環の 2，3 位の二重結合がエポキシ化されると推定されている．わが国では，常温倉庫に長期間保存されて変質した穀類中から高頻度で検出されているが，中毒事例は報告されていない．

C.　オクラトキシン

主な産生菌：*Aspergillus ochraceus*, *Penicillium viridicatum*

毒性ならびに中毒症：動物に対する肝および腎障害，生殖障害，肝がん（マウス），肺腫瘍

汚染食品：麦類，トウモロコシ

規制値（日本）：規制なし

オクラトキシン ochratoxin には，オクラトキシン A，B，C，TA の4種類が知られている（表4-1）．オクラトキシン A は C に比べて毒性が強く，オクラトキシン B は主として肝臓と腎臓に障害を与え，特に腎臓障害としては，近位尿細管の壊死がある．また，細胞における DNA や RNA の合成を阻害することも知られている．その他の毒性としては，催奇形性，生殖毒性，神経毒性，発がん性，遺伝毒性などが報告されている．

1991（平成3）年に Fuchs らは，バルカン半島付近の風土病である**バルカン腎症**の原因物質がオクラトキシン A であると指摘した．しかし，昨今，**アリストロキア酸 aristolochic acid** を含有するハーブが原因であるとも報告されている．アリストロキア酸は，フェナントレン骨格をもつ芳香族カルボン酸であり，国際がん研究機関（IARC）は，「ヒトに対しておそらく発がん性がある物質（Group 2A）」に分類している．

D.　ルテオスカイリン

主な産生菌：*Penicillium islandicum*

毒性ならびに中毒症：ヒトに対する肝機能障害，肝硬変，肝がん

汚染食品：米など

基準値（日本）：規制なし

わが国では，第二次世界大戦中や戦後の食糧不足を解消するために政府は，海外から長期間米を輸入したが，表面が黄色に着色したコメ（黄変米）が混入していた．1948（昭和23）年に**ルテオスカイリン luteoskyrin** はイスランジア黄変米（エジプト産）から，イスランジトキシンおよびシクロクロロチンと共に検出された．ルテオスカイリンは，特徴的な「かご型構造」を有するビスアントラキノン系色素である（表4-1）．

東南アジア諸国の風土病として肝硬変の原因物質であるといわれている．近年，食品中の汚染はほとんど検出されていない．

E.　シクロクロロチンおよびイスランジトキシン

主な産生菌：*Penicillium islandicum*，*Penicillium rugulosum*
毒性ならびに中毒症：動物に対する肝硬変，肝がん（ラット）
汚染食品：米など
基準値（日本）：規制なし

1948（昭和 23）年に**シクロクロロチン cyclochlorotine** および**イスランジトキシン islanditoxin** は，ルテオスカイリンと共にイスランジア黄変米（エジプト産）から検出された．シクロクロロチンおよびイスランジトキシンは，含塩素環状ペプチドであり（表 4-1），相互に構成しているアミノ酸配列が異なるのみである．

これらの毒性として主に肝機能障害が知られており，長期曝露では肝硬変，肝がんを誘発する．

4-1-2　腎臓毒

A.　シトリニン

産生菌：*Penicillium citrinum*
毒性ならびに中毒症：ブタ，その他の動物に対する腎ネフローゼ
汚染食品：米など
基準値（日本）：規制なし

シトリニン citrinin（表 4-2）は，オクラトキシン A と同時に検出されることが多い．1951（昭和26）年にタイから輸入された米から検出され，シトリナム黄変米（タイ産）として知られている．

シトリニンは，近位尿細管の壊死や腎肥大を起こし，腎臓における水の再吸収機能の低下による尿量増大，尿糖，タンパク尿などを引き起こす（腎ネフローゼ）．

表 4-2　腎臓毒を持つマイコトキシン

シトリニン	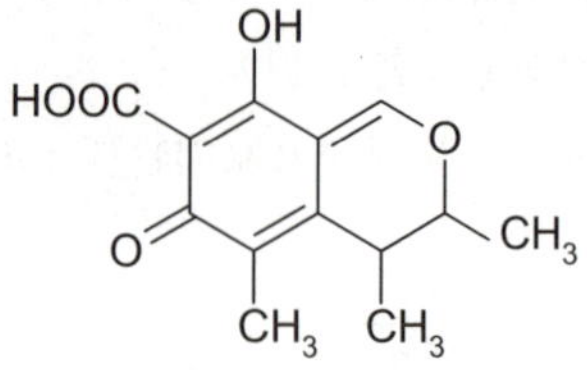

4-1-3　神経毒

A.　シトレオビリジン

主な産生菌：*Penicillium citreoviride*

毒性ならびに中毒症：ヒトに対する衝心脚気様症状などの中枢神経障害，動物に対する神経毒性

汚染食品：穀物，米など

基準値（日本）：規制なし

シトレオビリジン citreoviridin（表4-3）は，1940（昭和15）年に台湾から輸入したコメから検出され，トリシカリウム黄変米（台湾産）として知られている．

シトレオビリジンは神経毒を示し，呼吸困難，痙攣を引き起こす．

B.　パツリン

主な産生菌：*Penicillium patulum*，*Penicillium expansum*，*Aspergillus clavatus*

毒性ならびに中毒症：ウシに対する腎障害，急性胃腸炎（嘔吐，消化管出血，潰瘍），角質増殖症

汚染食品：麦芽根，小麦，リンゴジュース

基準値（日本）：食品衛生法に基づき，リンゴジュースおよび原料用リンゴ果汁において0.05 ppm（50 μg/kg）以下．なお，濃縮された原料用果汁については，濃縮した倍数の水で希釈したものに基準値が適用される．

パツリン patulin（表4-3）は，リンゴ果汁を汚染することで知られている．リンゴの収穫や包装時などに損傷を受けた部位から産生菌が侵入するとされており，不適切な貯蔵により産生する．特に，リンゴが台風で落下して傷がつき，土壌に落ちたものは，汚染リスクが高くなると考えられている．

パツリンの毒性としては，ラットに対し2年間パツリンを投与した結果，体重増加が抑制された．また，急性毒性として，消化管の充血，出血，潰瘍などを認めている．国際がん研究機関（IARC）では，「ヒトに対する発がん性については，分類できない物質（Group 3）」に分類される．

C.　エルゴタミン，エルゴメトリン，エルゴクリスチン

主な産生菌：*Claviceps purpurea*

毒性ならびに中毒症：ヒトに対する筋肉痙攣，血管平滑筋収縮作用による虚血性壊死

汚染食品：ライ麦，大麦，小麦

基準値（日本）：規制なし

表 4-3　神経毒を持つマイコトキシン

シトレオビリジン	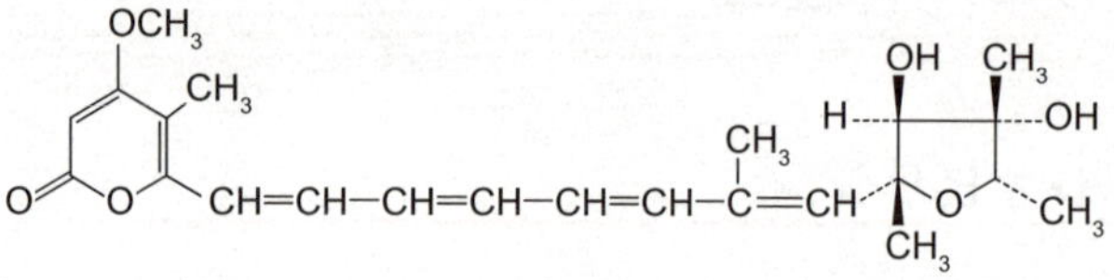 OCH_3　CH_3　O　O　CH=CH−CH=CH−CH=CH−$\overset{CH_3}{C}$=CH　OH　CH_3　H　OH　O　CH_3　CH_3
パツリン	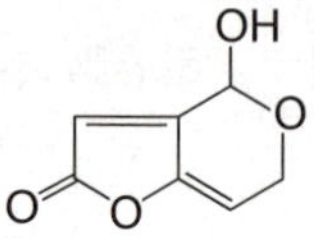 OH　O　O　O
エルゴタミン エルゴクリスチン エルゴメトリン	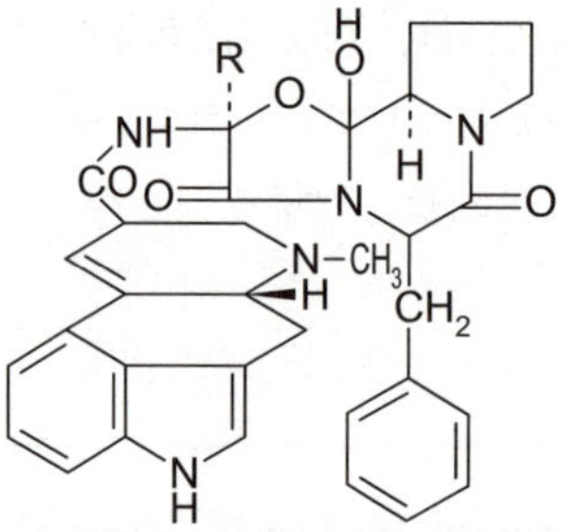 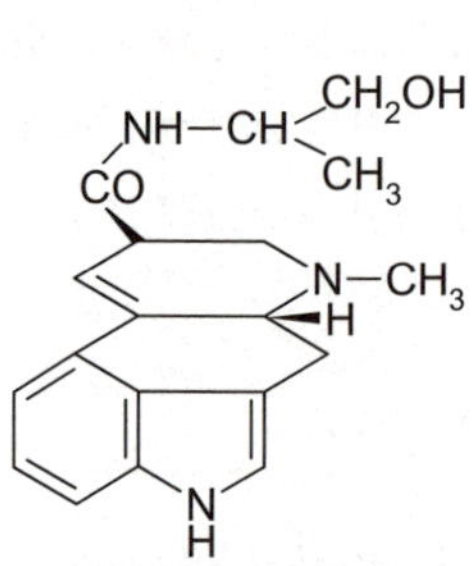 R　H　O　O　NH　CO　O　H　N　O　N　O　N−CH_3　H　CH_2　N　H NH−CH　CH_2OH　CH_3　CO　N−CH_3　H　N　H $R=CH_3$　エルゴタミン　　エルゴメトリン $R=-CH_3<^{CH_3}_{CH_3}$　エルゴクリスチン
LSD25	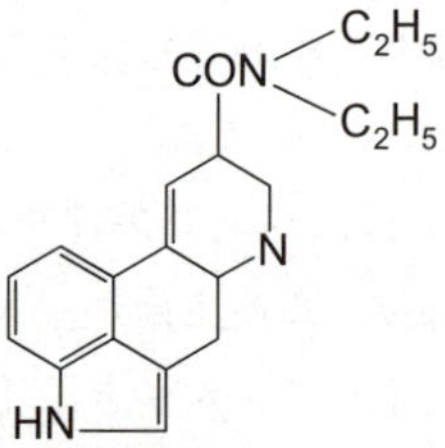 CON　C_2H_5　C_2H_5　N　HN
マルトリジン	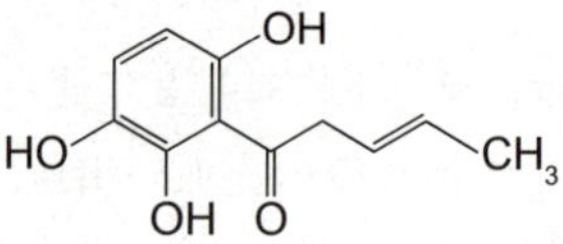 OH　HO　OH　O　CH_3

ライ麦，大麦，小麦の収穫時期に湿度が高くなると寄生する麦角菌が増殖する．麦角菌に感染した穀物には，穀粒の代わりに麦角とよばれる黒紫色の菌核が形成される．この中には，麦角アルカロイドである**エルゴタミン ergotamine**，**エルゴメトリン ergometrine**，**エルゴクリスチン ergocristine** などリゼルグ酸誘導体（表 4-3）が含まれる．中世ヨーロッパでは，汚染されたライ麦パンが原因となり，頻繁に麦角中毒が発生した．

エルゴタミンは，血管収縮作用をもち片頭痛治療薬として使われるが，心血管系への副作用がある．エルゴメトリンは，子宮平滑筋の収縮作用を有し，陣痛促進や分娩後の子宮出血抑制に用いられる．また，麦角アルカロイドの研究過程で，人工的に合成された幻覚剤として有名な**リゼルグ酸ジエチルアミド（LSD25）**が発見された．LSD25は，知覚や視覚領域を主とする障害により幻覚および陶酔感，逆に不安な抑うつをきたし，乱用により脳障害を発生させたり，自殺傾向を生じる場合などがある．

D.　マルトリジン

主な産生菌：*Ahlburg oryzae* var. *microsporus* Sakaguti et Yamada
汚染食品：麦角根
基準値（日本）：規制なし

1954年（昭和29年）わが国において乳牛約40頭が中毒死する事例があり，その原因物質はウシの餌の麦芽根に繁殖していたニホンコウジカビの変種が生成した**マルトリジン maltoryzine**（表4-3）であった．

マルトリジンの主たる毒性は，痙攣，筋肉麻痺であり，最終的に死に至る．

4-1-4　血液毒

A.　ニバレノール，フザレノン-X，T-2トキシン

主な産生菌：*Fusarium tricinctum*，*Fusarium graminearum*，*Fusarium solani*
毒性ならびに中毒症：ヒトに対する赤カビ中毒症（嘔吐，下痢），食中毒性無白血球症（ATA），動物に対する胃腸障害，臓器出血，造血機能障害
汚染食品：トウモロコシ，麦類，その他の穀物
基準値（日本）：小麦に含まれるデオキシニバレノールの暫定的な基準値は，1.1 ppm（1.1 mg/kg）以下とされている．

穀物の赤カビは，収穫時期に雨が多いと増殖する．わが国では，1950年代に赤カビが増殖した穀物を摂取したヒトや家畜において，急性中毒が発生した．その後，1970年にも香川県で中毒が発生し，これらの原因物質として**ニバレノール nivalenol**，**デオキシニバレノール deoxynivalenol**などの**トリコテセン系マイコトキシン**が発見された．

トリコテセン系マイコトキシンは，構造上の特徴によりA～C型の3つに分類され，表4-4に示すようにR_5位（C-8位）にカルボニル基を持つものがB型である．つまり，ニバレノール，デオキシニバレノールおよび**フザレノン-X fusarenon X**はB型トリコテセン，**T-2トキシン T-2 toxin**はA型トリコテセンに分類される．

毒性はデオキシニバレノール＜ニバレノール＜T-2 トキシンの順に強くなる．T-2 トキシンは，放射線による健康障害と同様，白血球数が300～700/mm^3にまで減少する**食中毒性無白血球症 alimentary toxic aleukia（ATA）**の原因物質と考えられている．*Fusarium* 属が産生する毒素は，国際がん研究機関（IARC）では「ヒトに対する発がん性については，分類できない物質（Group 3）」に分類される．

トリコテセン系マイコトキシンは，熱に安定であり，通常の加工や調理では分解されないため，産生後に除去することは困難であるので，農作物の生産段階での汚染防止対策が重要となる．

Fusarium graminearum または *Gibberella zera* が産生するマイコトキシンとしてレゾルシン誘導体の**ゼアラレノン zearalenone**（表 4-4）がある．ゼアラレノンは，**マクロライド系マイコトキシン**であり，しばしば食品や飼料においてトリコテセン系マイコトキシンとの複合汚染が認められる．エストロゲン様作用を有するため，主に子宮に対する毒性を示し，流産や子宮肥大などを起こす．

表 4-4　血液毒を持つマイコトキシン

<table>
<tr><td>トリコテセン系</td><td>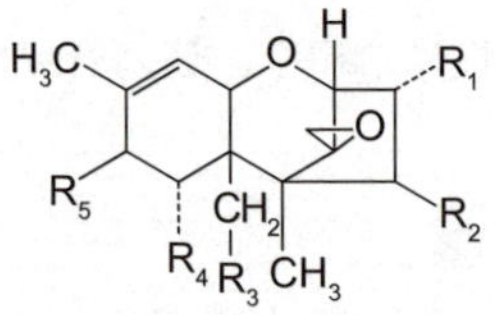

<table>
<tr><td></td><td>R_1</td><td>R_2</td><td>R_3</td><td>R_4</td><td>R_5</td></tr>
<tr><td>ニバレノール</td><td>OH</td><td>OH</td><td>OH</td><td>OH</td><td>O=</td></tr>
<tr><td>デオキシニバレノール</td><td>OH</td><td>H</td><td>OH</td><td>OH</td><td>O=</td></tr>
<tr><td>フザレノン-X</td><td>OH</td><td>$OCOCH_3$</td><td>OH</td><td>OH</td><td>O=</td></tr>
<tr><td>T-2トキシン</td><td>OH</td><td>$OCOCH_3$</td><td>$OCOCH_3$</td><td>H</td><td>$(CH_3)_2CHCH_2CO-$</td></tr>
</table></td></tr>
<tr><td>ゼアラレノン</td><td>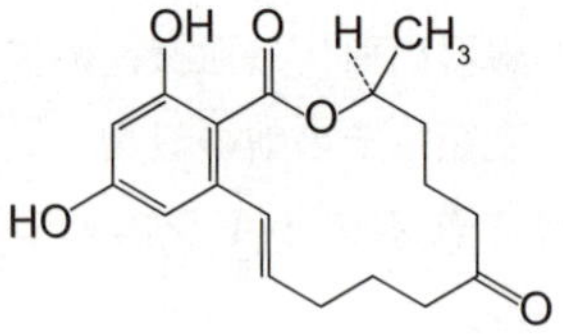
</td></tr>
</table>

◆ 確認問題 ◆

1）1 種類のカビが産生するマイコトキシンは，1 種類のみである．

2）マイコトキシンは熱に弱いので，加熱により食中毒が防止できる．

3）アフラトキシンは CYP によりエポキシ化され，発がん性を示す．

4）アフラトキシンは *Penicillium* 属のマイコトキシンである．

5）アフラトキシンにはB_1，B_2，G_1，G_2，M_1，M_2があるが，最も毒性が強いのは，アフラトキシンG_1である．
6）アフラトキシンの定量には，紫外可視吸収検出器が用いられる．
7）ステリグマトシスチン，オクラトキシンおよびT-2トキシンは，*Aspergillus*属のマイコトキシンである．
8）アフラトキシンの食品における基準値は，総アフラトキシンとして設定されている．
9）シクロクロロチンおよびイスランジトキシンは，*Fusarium*属のカビから産生される．
10）シトリニンは，神経毒の1つであり，呼吸困難，痙攣を引き起こす．
11）パツリンは，リンゴの収穫や包装時などに損傷を受けた部位から侵入し，汚染する．
12）エルゴメトリンは，*Fusarium*属のカビから産生され，子宮平滑筋の収縮作用を有する．
13）ニバレノールおよびデオキシニバレノールは，マクロライド系マイコトキシンである．
14）毒性はニバレノール＜デオキシニバレノール＜T-2トキシンの順に強くなる．
15）T-2トキシン中毒の主症状は，知覚や視覚領域を主とする障害による幻覚および陶酔感である．

確認問題解答

1）×　1種類のカビからは多数の種類のマイコトキシンが産生する．
2）×　マイコトキシンは熱に強く，通常の加熱により分解しない．
3）○　アフラトキシンは肝ミクロソームで，CYPによりエポキシ化された後，その一部が非酵素的にカルボニウムイオンに変換されて発がん性を示す．
4）×　アフラトキシンは*Aspergillus*属のマイコトキシンである．
5）×　最も毒性が強いのは，アフラトキシンB_1である．
6）×　アフラトキシンの定量には，蛍光検出器が用いられる．
7）×　T-2トキシンは，*Fusarium*属のマイコトキシンである．
8）○　総アフラトキシンとして，アフラトキシンB_1，B_2，G_1，G_2の総和として設定されている．
9）×　シクロクロロチンおよびイスランジトキシンは，*Penicillium*属のカビから産生される．
10）×　シトリニンは近位尿細管の壊死や腎肥大を起こす．
11）○　パツリンは食品衛生法に基づき，リンゴジュースおよび原料用リンゴ果汁において0.05 ppm（50 μg/kg）以下に規制値が設定されている．
12）×　エルゴメトリンは，*Claviceps*属のカビから産生され，子宮平滑筋の収縮作用を示す．
13）×　ニバレノールおよびデオキシニバレノールは，トリコテセン系マイコトキシンである．
14）×　毒性はデオキシニバレノール＜ニバレノール＜T-2トキシンの順に強くなる．
15）×　T-2トキシンは，食中毒性無白血球症の原因物質と考えられている．

4-2 残留農薬

わが国では，厚生労働省が食品衛生法により農薬残留基準を，農薬および農作物別に規定し，適合しなかったものについては，流通しないように規制されている．また，FAO/WHO 合同食品規格委員会およびその合同残留農薬会議における国際的な農薬の**許容一日摂取量（ADI）**（p. 156 食品添加物の項参照）に基づき，残留基準が設定されている．

従来の食品衛生法では，残留基準が設定されていない農薬などが食品から検出されても，その食品の販売を禁止するなどの措置を行うことができなかった．そこで食品中に残留する農薬などの従来の規制（ネガティブリスト制度）は，2003（平成 15）年の食品衛生法の改定に伴い，2006（平成 18）年に**ポジティブリスト制度**に変更された（図 4-2）．

ポジティブリスト制度は，すべての農薬などについて，残留基準を設定し，基準を超えて食品中に残留する場合には，その食品の販売などを禁止することを目的としている．この制度により残留基準が設定されていない無登録農薬が，**一定量（0.01 ppm）**を超えて食品に残留している場合には，規制対象となる．さらに，「食品，添加物等の規格基準」として，食品において「不検出」とされる農薬などの成分である物質（表 4-5）が定められている．

2008（平成 20）年，厚生労働省は，2004（平成 16）年度に実施された農産物中の残留農薬検査結果などについて公表した．その結果，検査数 2,439,341 件に対して残留農薬の基準値を超えた数は 65 件（0.01%），そのうち国産品 14 件（0.01%），そして輸入品 51 件（0.01%）であり，わが国で流通している農産物における農薬の残留濃度は，低いと報告されている．

表 4-5　食品において「不検出」とされる農薬等の成分である物質

品目名		
2, 4, 5-T	イプロニダゾール	オラキンドックス
カプタホール	カルバドックス	クマホス
クロラムフェニコール	クロスロン	クロルプロマジン
ジエチルスチルベストロール	ジメトリダゾール	ダミノジット
ニトロフラゾン	ニトロフラントイン	フラゾリドン
フラルタドン	プロファム	マラカイトグリーン
メトロニダゾール	ロニダゾール	

【ネガティブリスト制度】

農薬，飼料添加物および動物用医薬品
食品の成分に係る規格（残留濃度）が定められているもの
250 農薬，**33** 動物用医薬品などに残留基準を設定
残留基準を超えて農薬などが残留する食品の流通を禁止
食品の成分に係る規格（残留濃度）が定められていないもの
農薬などが残留していても基本的に流通の規制はない

【ポジティブリスト制度】

農薬，飼料添加物および動物用医薬品
食品の成分に係る規格（残留濃度）が定められているもの **811** 農薬など
農薬取締法に基づく基準，国際基準，欧米の基準などを踏まえた基準を設定
＋
登録などと同時の残留基準設定など残留基準設定の促進
残留基準を超えて農薬などが残留する食品の流通を禁止
食品の成分に係る規格（残留濃度）が定められていないもの
ヒトの健康を損なうおそれのない量として厚生労働大臣が一定量を告示
一定量（**0.01 ppm**）を超えて農薬などが残留する食品の販売などを禁止
厚生労働大臣が指定する物質 **65** 農薬など
ヒトの健康を損なうおそれのないことが明らかであるものを告示
ポジティブリスト制度対象外

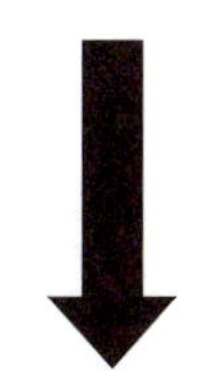

図 4-2　ネガティブリスト制度とポジティブリスト制度との比較

4-2-1　DDT（Dichloro-diphenyl-trichloroethane）

第二次世界大戦後，**DDT**（***p,p′*-ジクロロジフェニルトリクロロエタン dichloro-diphenyl-trichloroethane**）（図 4-3）は，1939（昭和 14）年にスイスで開発された有機塩素系農薬の殺虫剤であり，終戦後の衛生状態が悪い時期に，発疹チフスの媒介となるシラミの防除対策に用いられていた．

DDT はヒトに対する急性毒性は低いものの，環境中での残留性が高いことがわかり，1981（昭和 56）年には，「化学物質の審査及び製造等の規制に関する法律（化審法）」の第一種特定化学物質に指定され，すべての用途で製造，販売，使用が禁止された．さらに，2001（平成 13）年には，「残留性有機汚染物質（POPs）に関するストックホルム条約」において，**残留性有機汚染物質 persistent organic pollutants（POPs）**にも指定された．現在，国際がん研究機関（IARC）では「ヒトに対する発がん性については，発がん性があるかもしれない物質（Group 2B）」に分類されている．

DDT は脱塩化水素体の DDE に代謝され，体内蓄積性がさらに高まることが知られている．

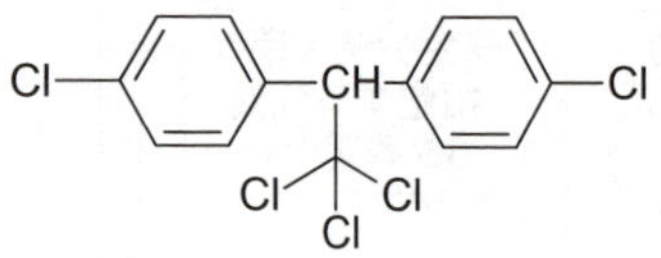

DDT 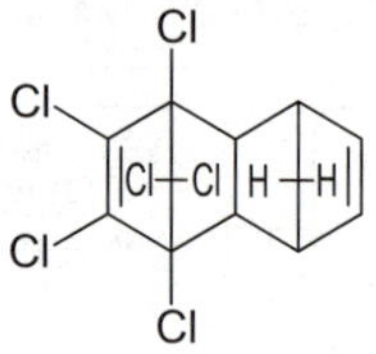　　アルドリン 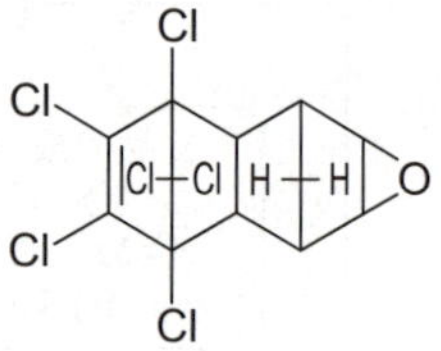　　ディルドリン

図 4-3　有機塩素系殺虫剤

コラム　残留性有機汚染物質 POPs

2001 年に残留性有機汚染物質（POPs）は，「残留性有機汚染物質（POPs）に関するストックホルム条約」において国際的に指定され，それらの特徴としては，【1】環境中で分解しにくい（難分解性），【2】食物連鎖などで生物の体内に濃縮しやすい（高蓄積性），【3】大気流，海流などにより長距離を移動して，極地などに蓄積しやすい（長距離移動性），【4】ヒトの健康や生態系に対して有害性がある（毒性），という性質があげられる．

4-2-2　BHC（Benzene hexachloride）

DDTに続いて大量に使用されるようになった農薬として有機塩素系農薬の**BHC**（**ベンゼンヘキサクロリド benzene hexachloride**）がある．BHCはHCH（ヘキサクロロヘキサン）と称されることも多く，DDTと同様，ヒトに対する急性毒性は低い．また，塩素の立体配置により7種類の異性体が存在するが，リンデンともよばれるγ-BHCは，殺虫効果が高い一方で残留性は低い．しかし，生産されたBHCには，殺虫効果が低く残留性の高いβ-BHCも含有されていた．そのため水田で使用されたBHCは稲わらにも大量に残留し，この稲わらを飼料とした乳牛の牛乳からBHCが検出され，大きな社会問題となった．

4-2-3　アルドリン

DDTやBHCと同様，**アルドリン aldrin**およびその代謝物である**ディルドリン dieldrin**と**エンドリン endrin**は，かつて用いられていた有機塩素系農薬である．**ドリン剤**ともよばれ，大量に使用されたが，1981（昭和56）年には化審法の第一種特定化学物質に指定された．また，**2,4-D**（**2,4-ジクロロフェノキシ酢酸 2,4-dichlorophenoxyacetic acid**）は，その製造過程で副産物としてダイオキシン類が生成することが明らかとなり，化審法の第一種特定化学物質に指定された．

4-2-4　ポストハーベスト農薬

わが国では収穫後農薬（ポストハーベスト農薬）は使用されていないが，諸外国において使用されている．代表的なものとしては，オルトフェニルフェノール，チアベンダゾール，ジフェニル， イマザリルなどの防かび剤があり，食品添加物に指定されており残存量の基準値が規定されている（p. 161 食品添加物の項参照）．

◆確認問題◆

1）ADIとは，ヒトが生涯にわたり毎日摂取しても健康上なんら有害な影響がないと想定される化学物質の許容一日摂取量のことである．

2）ポジティブリスト制度では，無登録農薬が0.10 ppmを超えて食品に残留している場合，規制対象となる．

3）無毒性量（NOAEL）とは，生体に有害な反応を起こさない最大の用量である．

4）DDTは「化学物質の審査及び製造等の規制に関する法律（化審法）」で第二種特定化学物質に指定されている．

5) α-BHC はリンデンともよばれ，殺虫効果が低く残留性は高い．
6) DDT は残留性有機汚染物質（POPs）に指定されている．
7) エンドリンの代謝物であるアルドリンおよびディルドリンは，過去に使用されていた有機塩素系農薬である．
8) 2,4,5-T を 0.005 ppm 含有する食品が輸入された場合，残留基準に適合している．
9) 2,4-D は，製造過程で副産物としてトリハロメタンが生成する

確認問題解答

1) ○ ADI とは，許容一日摂取量（mg/kg または mg/kg/ 日）のことである．
2) × 無登録農薬が 0.01 ppm を超えて食品に残留している場合，規制対象となる．
3) ○ 無毒性量（NOAEL）とは，生体に有害な反応を起こさない最大の用量である．
4) × DDT は，化審法で第一種特定化学物質に指定されている．
5) × γ-BHC はリンデンともよばれ，殺虫効果が高く残留性は低い．
6) ○ DDT は「残留性有機汚染物質（POPs）に関するストックホルム条約」により，残留性有機汚染物質（POPs）に指定されている．
7) × エンドリンおよびディルドリンは，アルドリンの代謝物である．
8) × 2,4,5-T を 0.005 ppm 含有する食品が輸入された場合，基準値は「不検出」とされているので販売は禁止される．
9) × 2,4-D は，製造過程で副産物としてダイオキシン類が生成する

4-3 動物用医薬品および飼料添加物

わが国では，家畜の飼料に用いられる抗菌剤は，動物用医薬品および飼料添加物に分類されており，前者は**薬機法**，後者は**飼料安全法**（飼料の安全性の確保及び品質の改善に関する法律）により規制される．

動物用医薬品とは，動物の病気の診断，治療または予防を目的として使用される医薬品である．例えば，治療に用いられる抗生物質や合成抗菌剤，解熱鎮痛剤，ワクチン，麻酔剤などが農林水産大臣による承認を受け，使用されている．

一方，飼料添加物とは，飼料の品質低下の防止，栄養成分やその他の有効成分の補給などを目的とし，飼料に添加や混和するものである．飼料安全法に基づき，農林水産大臣が指定する飼料添加物は，2019（令和元）年 5 月 31 日現在，155 種類の成分（表 4-6）が指定を受けており，それらは大きく以下の 3 つに分けられる．

表 4-6　飼料添加物一覧

農林水産省令で定められている用途	類　別	指定されている飼料添加物の種類
飼料の品質の低下の防止（17種）	抗酸化剤（3種）	エトキシキン，ジブチルヒドロキシトルエン，ブチルヒドロキシアニソール
	防かび剤（☆）（3種）	プロピオン酸，プロピオン酸カルシウム，プロピオン酸ナトリウム
	粘結剤（5種）	アルギン酸ナトリウム，カゼインナトリウム，カルボキシメチルセルロースナトリウム，プロピレングリコール，ポリアクリル酸ナトリウム
	乳化剤（5種）	グリセリン脂肪酸エステル，ショ糖脂肪酸エステル，ソルビタン脂肪酸エステル，ポリオキシエチレンソルビタン脂肪酸エステル，ポリオキシエチレングリセリン脂肪酸エステル
	調整剤（1種）	ギ酸
飼料の栄養成分その他の有効成分の補給（87種）	アミノ酸など（13種）	アミノ酢酸，DL-アラニン，L-アルギニン，塩酸L-リジン，L-グルタミン酸ナトリウム，タウリン，2-デアミノ-2-ヒドロキシメチオニン，DL-トリプトファン，L-トリプトファン，L-トレオニン，L-バリン，DL-メチオニン，硫酸L-リジン
	ビタミン（34種）	L-アスコルビン酸，L-アスコルビン酸カルシウム，L-アスコルビン酸ナトリウム，L-アスコルビン酸-2-リン酸エステルナトリウムカルシウム，L-アスコルビン酸-2-リン酸エステルマグネシウム，アセトメナフトン，イノシトール，塩酸ジベンゾイルチアミン，エルゴカルシフェロール，塩化コリン，塩酸チアミン，塩酸ピリドキシン，β-カロテン，コレカルシフェロール，酢酸 *dl*-α-トコフェロール，シアノコバラミン，硝酸チアミン，ニコチン酸，ニコチン酸アミド，パラアミノ安息香酸，D-パントテン酸カルシウム，DL-パントテン酸カルシウム，*d*-ビオチン，ビタミンA粉末，ビタミンA油，ビタミンD粉末，ビタミンD_3油，ビタミンE粉末，25-ヒドロキシコレカルシフェロール，メナジオン亜硫酸水素ジメチルピリミジノール，メナジオン亜硫酸水素ナトリウム，葉酸，リボフラビン，リボフラビン酪酸エステル
	ミネラル（39種）	塩化カリウム，クエン酸鉄，グルコン酸カルシウム，コハク酸クエン酸鉄ナトリウム，酸化マグネシウム，水酸化アルミニウム，炭酸亜鉛，炭酸コバルト，炭酸水素ナトリウム，炭酸マグネシウム，炭酸マンガン，2-デアミノ-2-ヒドロキシメチオニン亜鉛，DL-トレオニン鉄，乳酸カルシウム，フマル酸第一鉄，ペプチド亜鉛，ペプチド鉄，ペプチド銅，ペプチドマンガン，ヨウ化カリウム，ヨウ素酸カリウム，ヨウ素酸カルシウム，硫酸亜鉛（乾燥），硫酸亜鉛（結晶），硫酸亜鉛メチオニン，硫酸ナトリウム（乾燥），硫酸マグネシウム（乾燥），硫酸マグネシウム（結晶），硫酸コバルト（乾燥），硫酸コバルト（結晶），硫酸鉄（乾燥），硫酸銅（乾燥），硫酸銅（結晶），硫酸マンガン，リン酸一水素カリウム（乾燥），リン酸一水素ナトリウム（乾燥），リン酸二水素カリウム（乾燥），リン酸二水素ナトリウム（乾燥），リン酸二水素ナトリウム（結晶）
	色素（3種）	アスタキサンチン，β-アポ-8′-カロチン酸エチルエステル，カンタキサンチン

表 4-6　つづき

農林水産省令で定められている用途	類　別	指定されている飼料添加物の種類
飼料が含有している栄養成分の有効な利用の促進（53種）	合成抗菌剤（☆）（5種）	アンプロリウム・エトパベート，アンプロリウム・エトパベート・スルファキノキサリン，クエン酸モランテル，ナイカルバジン，ハロフジノンポリスチレンスルホン酸カルシウム
	抗生物質（☆★）（13種）	亜鉛バシトラシン，アビラマイシン，アルキルトリメチルアンモニウムカルシウムオキシテトラサイクリン，エンラマイシン，クロルテトラサイクリン，サリノマイシンナトリウム，センデュラマイシンナトリウム，ナラシン，ノシヘプタイド，ビコザマイシン，フラボフォスフォリポール，モネンシンナトリウム，ラサロシドナトリウム
	着香料（1種）	着香料（エステル類，エーテル類，ケトン類，脂肪酸類，脂肪族高級アルコール類，脂肪族高級アルデヒド類，脂肪族高級炭化水素類，テルペン系炭化水素類，フェノールエーテル類，フェノール類，芳香族アルコール類，芳香族アルデヒド類およびラクトン類のうち，1種または2種以上を有効成分として含有し，着香の目的で使用されるものをいう.）
	呈味料（1種）	サッカリンナトリウム
	酵素（12種）	アミラーゼ，アルカリ性プロテアーゼ，キシラナーゼ，キシラナーゼ・ペクチナーゼ複合酵素，β-グルカナーゼ，酸性プロテアーゼ，セルラーゼ，セルラーゼ・プロテアーゼ・ペクチナーゼ複合酵素，中性プロテアーゼ，フィターゼ，ラクターゼ，リパーゼ
	生菌剤（11種）	エンテロコッカス・フェカーリス，エンテロコッカス・フェシウム，クロストリジウム・ブチリカム，バチルス・コアグランス，バチルス・サブチルス，バチルス・セレウス，バチルス・バディウス，ビフィドバクテリウム・サーモフィラム，ビフィドバクテリウム・シュードロンガム，ラクトバチルス・アシドフィルス，ラクトバチルス・サリバリウス
	有機酸（4種）	ギ酸カルシウム，グルコン酸ナトリウム，二ギ酸カリウム，フマル酸
（合計155種）		

☆抗菌性物質製剤，★特定添加物

（1）　飼料の品質低下の防止：抗酸化剤，防かび剤，粘結剤，乳化剤，調整剤

（2）　飼料の栄養成分その他の有効成分の補給：アミノ酸，ビタミン，ミネラル，色素

（3）　飼料が含有している栄養成分の有効な利用の促進：合成抗菌剤，抗生物質，着香料，呈味料，酵素，生菌剤，有機酸

現在，飼料添加物のうち，抗菌性飼料添加物は，飼料が含有している栄養成分の有効な利用の促進を目的として5種類の合成抗菌剤と13種類の抗生物質が指定されている．合成抗菌剤や抗生物質の食用動物への使用に伴い，食品などを介して薬剤耐性菌がヒトの健康に影響を与える可能性があるため，WHOなどの国際機関は，ガイドラインの設定や勧告を発している．わが国においても，動物用医薬品および飼料添加物の薬剤耐性菌や動物性医薬品の承認・再審査に伴う食品

健康影響評価が，内閣府に設置されている食品安全委員会においてなされている．

◆ 確認問題 ◆

1）家畜の飼料に用いられている抗菌剤として動物用医薬品は，飼料安全法により規制されている．

2）家畜の飼料に用いられている抗菌剤として飼料添加物は，医薬品，医療機器等の品質，有効性及び安全性の確保等に関する法律（薬機法）により規制されている．

3）動物用医薬品および飼料添加物の薬剤耐性菌や動物性医薬品の承認・再審査に伴う食品健康影響評価は，厚生労働省においてなされている．

確認問題解答

1）×　家畜の飼料に用いられている抗菌剤として動物用医薬品は，医薬品，医療機器等の品質，有効性及び安全性の確保等に関する法律（薬機法）により規制されている．

2）×　家畜の飼料に用いられている抗菌剤として飼料添加物は，飼料の安全性の確保及び品質の改善に関する法律（飼料安全法）により規制されている．

3）×　食品健康影響評価は，内閣府の食品安全委員会において規制されている．

4-4　環境汚染物質

ヒトはこれまでに多くの化学物質を開発し，有効利用することで経済発展を遂げてきた．一方，これら化学物質の一部が原因となり，ヒトに対して健康障害を起こす場合があり，この原因を明らかにするとともに，その使用を禁止するなどの措置を講じてきた．ポリ塩化ビフェニル polychlorinated biphenyl（PCB）を原因とするカネミ油症事件やベトナム戦争で使用された枯葉剤中に含まれていたダイオキシンによってヒトの健康障害や土壌汚染が発生し，現在もそれらによる健康障害に苦しむ人々がいる．さらに，2011（平成 23）年 3 月に発生した東日本大震災において，福島第一原子力発電所での重大な事故による放射性物質の大気，海水および土壌への拡散など，これまでに経験したことのない事例もある．当初，食品汚染を防止する視点から，放射性物質に関する暫定的な基準値が設定されていたが，種々のデータを基に，2012（平成 24）年 4 月に新基準値が再度設定された．しかし，基準値の適正については，長期にわたる経験が最重要であり，今後も引き続き評価されることになると思われる．

コラム　カネミ油症事件と化審法

1968（昭和 43）年，鶏 40 万羽が変死する事故（ダーク油症事件）が発生し，その原因はカネミ倉庫社製のダーク油が添加された飼料であった．また同年，北九州で米ぬか油（ライスオイル）を摂取したヒトにおいて皮膚の黒褐色化や硬化，眼の充血，肝障害などが多発した．これがカネミ油症事件である．この事件の被害の届出は 14,000 名以上，認定患者は約 2,000 名であり，現在もなお多くの中毒患者が後遺症に苦しんでいる．これらの事件の原因は，通常の PCB による被害に比べて長期に及んでいることから，製造工程で熱媒体として使用されていた PCB が配管ミスのために米ぬか油に混入し，加熱により生成したダイオキシン類，特に，ポリ塩化ジベンゾフラン（PCDF）であると考えられている．

このようなカネミ油症事件を契機にして，1973 年「**化学物質の審査及び製造等の規制に関する法律（化審法）**」が公布され，1974 年に PCB が第一種特定化学物質の第 1 号に指定された．また，食品製造業者には「食品衛生管理者」を置くことを義務付けることが法令化された．

4-4-1　食品汚染有機化学物質

A.　ポリ塩化ビフェニル

PCB は，ビフェニルの数個の水素原子が塩素原子により置換された化合物の総称である（図 4-4）．熱に安定で，電気絶縁性が高く，耐薬品性にも優れていることから，高圧トランスやコンデンサーなどの電気機器の絶縁油，加熱や冷却用の熱媒体，潤滑油，可塑剤など，非常に幅広い分野に用いられていた．しかし，環境中に拡散した PCB は，食物連鎖による食品汚染が問題となり，1974（昭和 49）年，化審法により第一種特定化学物質に指定され，製造，輸入，使用が禁止された．

ヒトに対して高毒性・高蓄積性を示す化学物質であり，がん，黒皮症などの皮膚障害およびホルモン異常を引き起こすことが知られている．特に，2, 2′, 6, 6′ 位（*o*-位）に塩素原子が 0 または 1 個しか含まれず，2 個のベンゼン環が平面構造となりうる PCB は，他の PCB に比べ毒性が強く，**コプラナー PCB coplanar PCB（Co-PCB）**といわれ，ダイオキシン類として取り扱われている．

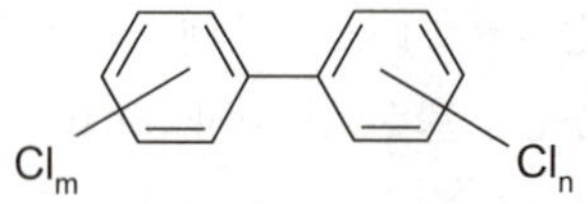

Cl_m　Cl_n

図 4-4　PCB

わが国では，環境中のPCBについて，水，魚類，貝類，鳥類などの汚染が継続的にモニタリングされている．1972（昭和47）年に製造が中止され，また，使用が禁止されているにもかかわらず，魚類や貝類における検出濃度はほぼ横ばいである．PCBは2001（平成13）年に，ディルドリン，アルドリン，DDTなどと同様，「残留性有機汚染物質（POPs）に関するストックホルム条約」において，残留性有機汚染物質（POPs）に指定された．

1972（昭和47）年，わが国におけるPCBによる食品汚染とこれを取りまく社会情勢が，放置できない現状にあったため，暫定的にヒトの許容一日摂取量（ADI）が，5 μg/kg/日と算出された．また，食品中のPCBの暫定的規制値は，表4-7の通り設定されている．

表4-7　食品中のPCBの暫定的規制値

遠洋沖合魚介類（可食部）	0.5 ppm
内海内湾（内水面を含む）魚介類（可食部）	3 ppm
牛乳（全乳中）	0.1 ppm
乳製品（全量中）	1 ppm
育児用粉乳（全量中）	0.2 ppm
肉類（全量中）	0.5 ppm
卵類（全量中）	0.2 ppm
容器包装	5 ppm

B.　ダイオキシン類

ダイオキシン類特別措置法における**ダイオキシン類 dioxins and dioxin-like compounds**とは，**ポリ塩化ジベンゾ-*p*-ジオキシン polychlorinated dibenzo-*p*-dioxin（PCDD）**，**ポリ塩化ジベンゾフラン polychlorinated dibenzofuran（PCDF）**，**Co-PCB**のことである．ダイオキシンは，低温でのごみ焼却により発生することから非意図的生成物の1つとしてあげることができる．

ダイオキシン類のうち最も毒性が強い物質は，**2,3,7,8-テトラクロロジベンゾ-*p*-ジオキシン 2,3,7,8-tetrachlorodibenzo-*p*-dioxin（2,3,7,8-TCDD）**である．したがって，毒性評価には2,3,7,8-TCDDに対する各ダイオキシン類の**毒性等価係数 toxicity equivalency factor（TEF）**が定められている．さらに，ヒトが一生涯にわたり摂取しても健康に対する有害な影響が現れないと判断される体重1 kgあたりの1日あたり摂取量として，**耐容一日摂取量 tolerable daily intake（TDI）**が世界保健機関（WHO）や各国において科学的知見に基づき設定されている（図4-5）．WHOでは，TDIは1～4 pgTEQ/kg/日とし，4 pgTEQ/kg/日を当面の最大耐容摂取量，究極的な目標としては摂取量を1 pgTEQ/kg/日未満に削減することが適当であるとした．これ

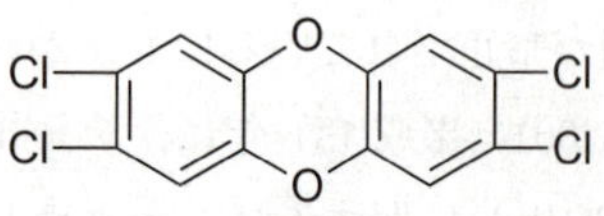

2, 3, 7, 8-TCDD
TEF 1.0

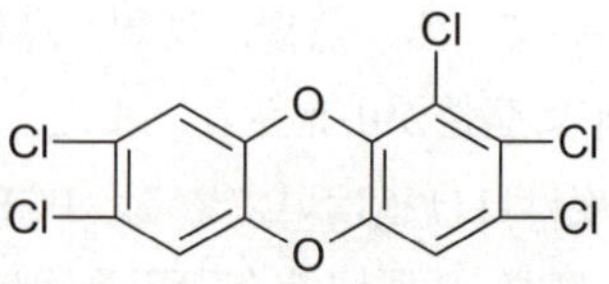

1, 2, 3, 7, 8-penta-CDD
TEF 1.0

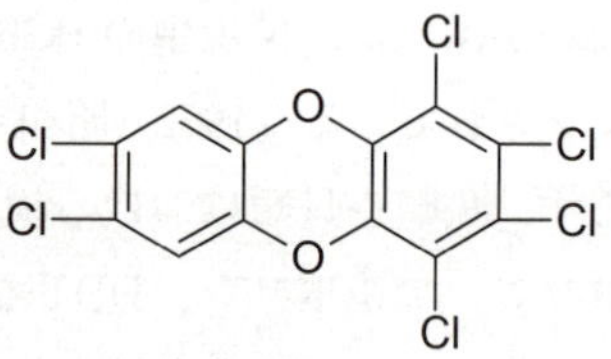

1, 2, 3, 4, 7, 8-hexa-CDD
TEF 0.1

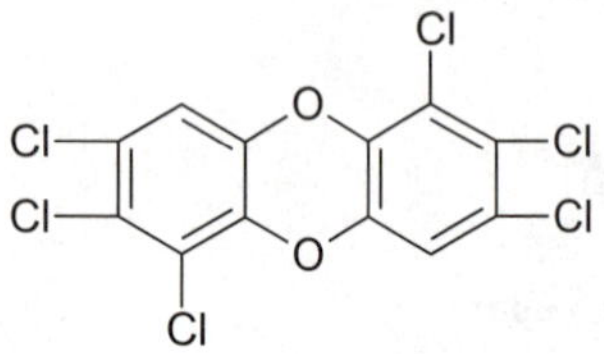

1, 2, 3, 6, 7, 8-hexa-CDD
TEF 0.1

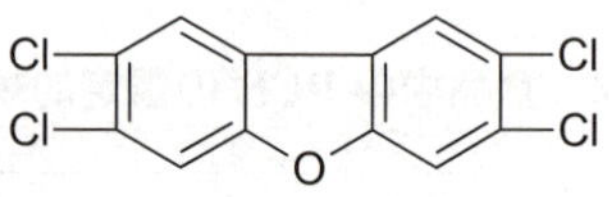

2, 3, 7, 8-TCDF
TEF 0.5

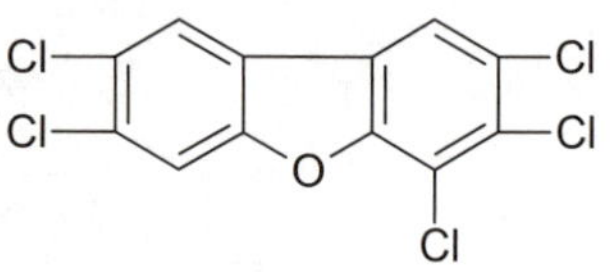

2, 3, 4, 7, 8-penta-CDF
TEF 0.5

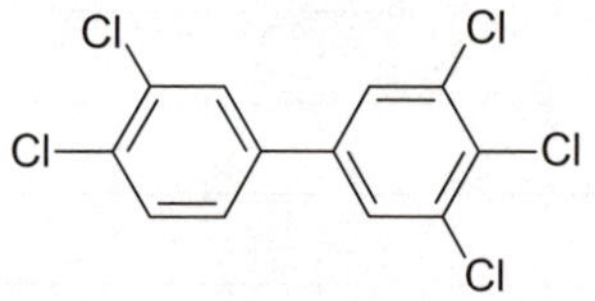

3, 4, 5, 3′, 4′-penta-CB
TEF 0.1

図 4-5　代表的なダイオキシン類と TEF

を踏まえ，わが国の TDI は当面 4 pgTEQ/kg/日とされている．なお，**TEQ** は，**2,3,7,8-TCDD 毒性等量**である．

ヒトはダイオキシン類を主に魚介類から摂取しており，次いで肉，卵，そして乳・乳製品からも微量ながら摂取している．ダイオキシン類は，脂溶性が高いため生体に取り込まれると肝臓や脂肪組織に蓄積される．ダイオキシン類の毒性としては，発がん性，肝毒性，生殖毒性，生殖器系への影響などが知られている．そのうち発がん作用の発現は，**アリール炭化水素受容体 aryl-hydrocarbon receptor**（**AhR**）との結合による．また，ダイオキシン類は，他の発がん物質のプロモーターとしてはたらくと報告されている．さらに，ダイオキシン類は，母乳中に分泌されるので，新生児へ移行する可能性があるため，次世代への影響が懸念される．

食品の安全を脅かす問題や事故を防止するためにトータルダイエットスタディによる調査がなされている．トータルダイエットスタディは，摂取量を推定する方法の1つであり，対象は広範囲の食品とされ，加工・調理の影響なども考慮される．その方法としては，マーケットバスケット方式と陰膳方式がある（p. 157 食品添加物の項参照）．

2017（平成29）年度のトータルダイエットスタディによる食品からのダイオキシン類の一日摂取量は，0.65 pgTEQ/kg bw/日（0.21～1.77 pgTEQ/kg bw/日）と推定されており，日本における耐容一日摂取量（TDI）4 pgTEQ/kg bw/日より低いことが明らかになっている．

C.　ヘキサクロロベンゼン

ヘキサクロロベンゼン hexachlorobenzene（HCB）はベンゼンに6個の塩素が置換した構造であり（図4-6），1945（昭和20）年から小麦の殺菌剤として使用されていたが，アメリカでは1966（昭和41）年に禁止された．

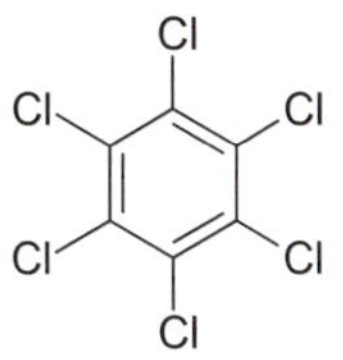

Cl
Cl　Cl
Cl　Cl
Cl

図4-6　ヘキサクロロベンゼン

殺菌剤として使用されはじめた頃から，さまざまな食品を摂取することで毒性が現れるようになり，動物実験では，肝臓，腎臓などにがんの発生を認めている．国際がん研究機関（IARC）は，「ヒトに対する発がん性については，発がん性があるかもしれない物質（Group 2B）」に分類している．また，HCBは，化審法の第一種特定化学物質に指定されており，ストックホルム条約における残留性有機汚染物質（POPs）にも指定されている．さらに，HCBは胎盤を通して胎児へ移行し死産となること，母乳へも移行することが報告されている．

D. トリクロロエチレンおよびテトラクロロエチレン

トリクロロエチレン trichloroethylene およびテトラクロロエチレン tetrachloroethylene は，それぞれエチレンの水素原子のうち3および4個が，塩素原子に置換したものである（図4-7）．

トリクロロエチレン　　テトラクロロエチレン

図4-7　トリクロロエチレンおよびテトラクロロエチレン

トリクロロエチレンやテトラクロロエチレンは，1920年代食品工業において，植物油や香辛料からの香料の抽出などに広範に使用された．その後，半導体産業やドライクリーニングにおける洗浄剤として利用されていたが，1984（昭和61）年に兵庫県太子町において，トリクロロエチレンによる土壌汚染および地下水汚染が明らかとなった．その後，各国において水質汚濁ならびに土壌汚染に係る環境基準が設定された．

ヒトへの健康障害としては，吸入による中枢神経抑制作用，腎がん，生殖機能障害などを引き起こす可能性が知られている．わが国では，化審法の第二種特定化学物質に指定されており，国際がん研究機関（IARC）は，「ヒトに対する発がん性については，おそらく発がん性を持つ物質（Group 2A）」に分類している．

トリクロロエチレンは代謝的活性化を受けて発がん性を示す（図4-8）．トリクロロエチレンはCYPによりエポキシ化されてトリクロロエチレンオキシドとなり，DNAと不可逆的な共有結合を形成するため，発がん性を示すと考えられている．

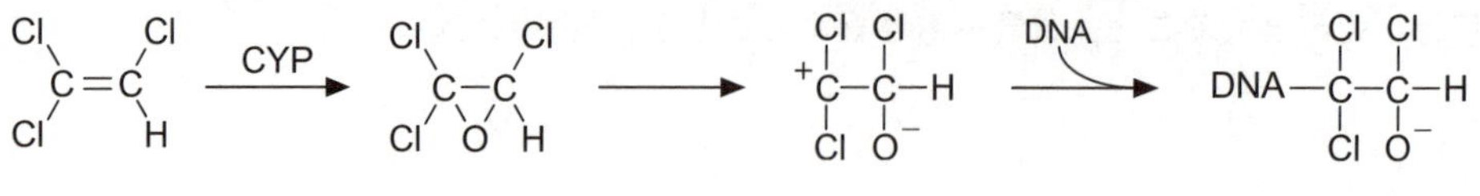

図4-8　トリクロロエチレンの代謝

4-4-2　食品汚染金属

わが国は，これまでに重金属による多くの公害を経験している．例えば，有機水銀による公害としては，1950 ～ 1960 年代に熊本県水俣湾および新潟県阿賀野川流域において発生した水俣病があげられる．さらに，亜鉛の精錬過程で産出されるカドミウムは，公害で問題になる以前に大量に放出され土壌に蓄積したため，日本国内の土壌は広くカドミウムに汚染されており，食品がカドミウム汚染を受けやすい状況にある．

ヒ素によるヒトの健康被害は世界中で認められる．特に，バングラデシュにおける飲料水のヒ素汚染問題は深刻な状況であり，3,000 万人以上の人々が基準値を満たしていない井戸水を飲み続けなければならない状況にある．2001（平成 13）年，バングラデシュ政府によると，慢性ヒ素中毒患者の数は約 10,000 人である．わが国では，宮崎県で「土呂久砒素公害」が発生し，その原因としては，亜ヒ酸の製造時のヒ素の粉塵などによる汚染と考えられている．

A.　水　銀

水銀 mercury には，金属水銀，無機水銀および有機水銀の 3 種類の形態があり，それぞれ異なった動態を示すことが知られている．

1）　金属水銀

金属水銀は揮発するため，肺から吸収されやすく肺障害を起こす．また，金属水銀は体内で Hg^{2+} に酸化されるが，酸化されなかったものは脂溶性が高いため，血液脳関門 blood-brain barrier を通過し，脳内へ移行して中枢神経障害を起こす．

2）　無機水銀

無機水銀は，微生物によりメチルコバラミンが関与する代謝経路を介してメチル水銀へと変換される．また，メチル水銀は微生物の体内で，金属水銀にも変換される．無機水銀は，血液脳関門を通過できないため，中枢神経障害は起こさないが，過剰な無機水銀は，腎機能障害を引き起こす．これは，腎臓において無機水銀の解毒に関わるメタロチオネインが飽和し，その解毒機構が破綻するためである．

3） 有機水銀

有機水銀には，メチル水銀やフェニル水銀がある．メチル水銀は1956（昭和31）年熊本県水俣湾周辺で発生した**水俣病**，1964（昭和39）年新潟県阿賀野川下流で発生した**第二水俣病**の原因物質である．主として，求心性視野狭窄，言語障害，運動失調などの**ハンター・ラッセル症候群 Hunter-Russell syndrome** を症状とする．

このような中枢毒性は，摂取されたメチル水銀がシステインと複合体を形成し，血液脳関門を通過して脳内に蓄積することに起因する．これは，メチル水銀とシステインとの複合体がメチオニンと類似した構造であるため，血液脳関門に存在するアミノ酸運送系に誤認識されて，脳内に取り込まれることによるとされている．

メチル水銀は脂溶性が高く，生物濃縮により魚介類に蓄積されるが，一般的には魚介類中の濃度は低く，健康障害を起こさない．しかし，一部の魚介類は，食物連鎖を通じて，他の魚介類と比較して水銀濃度が高いものもある．例えば，マグロはメチル水銀を高濃度に蓄積している．しかし，マグロを摂取してもメチル水銀中毒が起きないのは，マグロに多量のセレン（Se）が共存し，セレン化水銀となって毒性が減弱されるためと考えられている．

厚生労働省は，妊婦において水銀過剰摂取に注意する必要があると指摘しており，食品中の水銀の暫定的規制値が設定されている．この暫定的規制値は，マグロ類などの適用外の魚介類があるが，総水銀が0.4 ppm，メチル水銀が0.3 ppm以下に設定されている．

コラム　水俣病とメチル水銀

1956（昭和31）年，熊本県水俣市で発生が確認された水俣病は四大公害病の1つであり，英語ではMinamata diseaseといわれる．その後，1965（昭和40）年に新潟県阿賀野川下流域で，水俣病と同じ事例が発生し，第二水俣病または新潟水俣病とよばれる．原因物質は容易に確定されなかった．それは1958（昭和33）年当時，水銀は原因物質として疑われておらず，さらに，有機水銀の正確な含有量を測定するための分析技術がなかったためである．水俣病の原因物質がメチル水銀であると断定されたのは，1968（昭和43）年であった．

B. ス　ズ

1） 有機スズ

ビス（トリブチル）スズオキシド bis(tri-*n*-butyltin)oxide（TBTO）（図4-9）は，船底などへのフジツボなどの付着防止を目的として船底塗料や漁網の防汚剤，さらに農業用殺菌剤に使用されていた．したがって，有機スズ化合物はほぼ100%が魚介類の摂食を通して体内に取り込まれる．TBTOの慢性毒性として，実験動物における体重減少，貧血，肝障害などがあり，さらに，フジツボに対して雌の雄化を起こす**内分泌かく乱物質**の1つであることが明らかとなった．

このため，1990（平成2）年に化審法の第一種特定化学物質に指定され，製造，輸入および使用が禁止された．また，2001（平成12）年に国際海事機関が船底塗料としての使用を禁止，2008（平成20）年にTBTOを船底塗料として使用した船の航行を全面的に禁止した．また，TBTO以外の7種類のトリブチルスズ化合物および13種類のトリフェニルスズ化合物は，化審法の第二種特定化学物質に指定されている．

$$
\begin{array}{ccccc}
 & C_4H_9 & & C_4H_9 & \\
 & | & & | & \\
H_9C_4- & Sn & -O- & Sn & -C_4H_9 \\
 & | & & | & \\
 & C_4H_9 & & C_4H_9 &
\end{array}
$$

図4-9　ビス（トリブチル）スズオキシド

2）　無機スズ

無機スズの経口摂取による腸管吸収率は低く，便中や尿中へ排泄される．急性中毒の症状としては，下痢，嘔吐，頭痛などである．

わが国では，スズによる食中毒として，亜硝酸イオンを含有した未熟トマトを原料としたトマトジュースおよび地下水を使用したかんきつジュースによる事例が発生している．通常，缶の内側の塗装に用いられているスズは，一定量以上溶出しない．しかし，缶の中に亜硝酸イオンを含有する食品や酸性の食品があり，さらに開封により空気に長時間接触した場合にはスズの溶出量が増大する．これは，缶の溶液中に存在する亜硝酸イオンにより缶塗装から溶出したスズがキレートされ，遊離スズ濃度が低下するため，缶塗装からのスズの溶出が促進されることによる．そのため食品衛生法において，食品中のスズの規格基準が清涼飲料水，ミネラルウォーター類，リンゴの搾汁および搾汁された果汁のみを原料とするものに対して150 ppm以下と規定されている．

一方，缶詰用金属缶の材料としては，ブリキ（スズめっき鉄），TFS（tin-free steel，スズめっきではなくクロムを用いた鉄），アルミニウムなどが用いられており，これら金属から溶出する可能性のある有害金属としてヒ素，カドミウムおよび鉛が規制されている．

C.　カドミウム

カドミウム cadmium は，1940～1950年代に富山県神通川流域で発生したわが国の四大公害病の1つである**イタイイタイ病**の主な原因物質である．さらに，1966（昭和41）年に東京都において，うどんを食べた後にカドミウム摂食に起因した食中毒が発生したが，その原因は，うどん加工時にめっきからうどんに混入したカドミウムであった．

食品由来のカドミウムの多くは，穀類，特に米に由来する．カドミウムは，腸粘膜から吸収され，その大部分が粘膜内でチオネインタンパク質と結合し，メタロチオネインとして肝臓と腎臓に蓄積され解毒される．一方，過剰または長時間カドミウムに曝露された場合，急性中毒として悪心，嘔吐，下痢，腹痛などの消化器症状，慢性中毒として腎障害や腎性の骨軟化症が発症する．

厚生労働省は，2011（平成23）年2月食品衛生法に基づく米のカドミウムの規格基準を「玄米で1.0 ppm未満」から「玄米及び精米で0.4 ppm以下」に改正した．また，食品中のカドミウムの規格基準として，清涼飲料水，ミネラルウォーター類，リンゴの搾汁および搾汁された果汁のみを原料とするものにおいて「検出せず」となっている．

コラム　カドミウムによる腎障害

カドミウムへの慢性的な曝露は，腎臓の近位尿細管機能異常を起こすため，腎臓におけるカルシウムの再吸収能が低下し，体外にカルシウムが排泄される．そのため，骨軟化症などを発症するカドミウムによる慢性中毒時には，尿中にβ_2-ミクログロブリンやレチノール結合タンパク質などが検出されるため，その曝露指標となる．

D. ヒ　素

わが国では，1955（昭和30）年に岡山などで**ヒ素ミルク中毒事件**が発生した．これはミルク製造時に乳質安定剤として用いたリン酸水素二ナトリウムが工業用規格であったため，不純物としてヒ素 arsenic を含んでおり，このヒ素が混入したミルクを飲んだ乳幼児が，衰弱死や肝臓肥大を起こしたという，歴史上類をみない食中毒事件である．最終的な患者数は12,000人以上，そのうち130人が死亡するという大惨事となった．この事件をきっかけに食品添加物公定書が作成され，食品添加物の規格基準（成分規格，使用基準，保存基準など）が制定された．さらに，1973（昭和48）年に宮崎県土呂久地区において慢性ヒ素中毒症が発生し，公害事例として認定されている．

無機ヒ素には**ヒ酸 arsenic acid**（5価）と**亜ヒ酸 arsenous acid**（3価）があり，毒性は3価の方が強い．亜ヒ酸は生体内でメチル化され，メチルアルソン酸 methylarsonic acid やジメチルアルシン酸 dimethylarsinic acid などの有機ヒ素化合物となり尿中に排泄される．

海産食品は高濃度のヒ素を含有し，有機ヒ素として存在する．例えば，ヒジキなどの海藻中などには**アルセノシュガー化合物**（ジメチルヒ素と糖が結合した化合物）が，エビなどの甲殻類には高度に代謝された**アルセノベタイン arsenobetaine** が存在する．しかし，有機ヒ素化合物の毒性は，亜ヒ酸（3価）の100～300分の1と低いため問題はない．

ヒ素の急性中毒としては，消化管障害（コレラ様症状），皮膚炎，筋肉障害，中枢神経症などが知られている．ヒ素の慢性中毒で最も重要なものとして**ヒ素白斑黒皮症**という皮膚症状があり，全身の皮膚に黒い色素沈着が生じ，さらに白い脱色素斑も生じる．また，下痢，便秘，肝障害，肺がんなども引き起こすことが知られている．

食品衛生法によるヒ素の規格基準は，清涼飲料水，ミネラルウォーター類，リンゴの搾汁および搾汁された果汁のみを原料とするものについて「検出せず」とされている．

コラム　ヒ素中毒

無機ヒ素は，毛髪や爪での含有量が高くなるため毛髪中のヒ素含量や爪のミース線がその曝露の診断に用いられる．ヒ素の解毒剤には，ジメルカプロールが用いられ，その解毒機構は，ジメルカプロールのSH基とヒ素が錯体を形成することによる．

E.　鉛

鉛 lead による中毒は無機鉛と有機鉛で大きく異なる．無機鉛はヘムの合成過程中で5-アミノレブリン酸脱水酵素 5-aminolevulinic acid dehydratase，コプロポルフィリノーゲン酸化酵素 coproporphyrinogen oxidase およびフェロキラターゼ ferrochelatase を阻害し，**ポルフィリン porphyrin** の代謝異常による貧血を起こす．また，中毒により腹痛などの消化器症状（腹部疝痛）を起こすこともある．一方，有機鉛は，血液脳関門を通過するため脳内に蓄積し，中枢神経障害を起こす．

摂取する鉛の大部分は穀類に由来する．また，陶磁器製品には，種々の着色顔料などが使用されており，有害金属である鉛やカドミウムを含むものがあるため，低い焼成温度で製造された製品の中には，それらの溶出が認められることがある．

食品衛生法による鉛の規格基準は，清涼飲料水，ミネラルウォーター類，リンゴの搾汁および搾汁された果汁のみを原料とするものにおいて「検出せず」となっている．一方，器具もしくは容器包装の食品に接触する部分の製造または修理に用いるハンダでは，鉛を0.2%以上含有してはならないとされている．さらに，2012（平成24）年4月に厚生労働省は，食品用器具および容器包装における再生紙の使用に関する指針を通達し，古紙において鉛の濃度は低いものの，検出率が高いことを注意喚起している．

F.　クロム

クロム chromium には3価クロムと6価クロムがあり，その毒性は6価の方が強い（p. 71 微量元素の項参照）．

6価クロムは，ミストに含まれる場合，肺などから吸収され臓器に取り込まれるが，最終的に糞尿中へ排泄される．6価クロム中毒として，蒸気の吸引による**鼻中隔穿孔**が知られているが，食品衛生上の事件は発生していない．

G. フッ素

フッ素 fluorine は微量では虫歯の予防に有効であるが，高濃度（1 mg/L 以上）で含まれる水を長時間摂取すると斑状歯となる．2012（平成 24）年に食品安全委員会は，清涼飲料水の規格基準の改正に係る化学物質として，飲料水中のフッ化物イオンの発がん性に関する疫学調査に関する報告書を提出している．その中で，ヒトにおける発がん性に関しては，エビデンスが得られなかったため，アメリカにおける 12 〜 14 歳の子供 5,800 人を対象に実施された疫学調査を基に，耐容一日摂取量を 0.05 mg/kg/日と算出している（p. 72 微量金属の項参照）．

4-4-3 放射性物質

自然放射線による被曝の大部分は，宇宙線，地殻放射線，体内に存在する放射性同位元素からの放射線によるものである．この放射線による年間被曝約 2.4 mSv のうち，約 0.35 mSv は ^{40}K に起因するとされている．環境中に存在する放射性物質の中で，食品として問題となるのは，① フォールアウトにより汚染された野菜などの食品，② 汚染された魚介類，海藻類の食物連鎖により生物濃縮された食品である．わが国では，農産物や飲料水などについてさまざまな安全基準を規定しているが，国内で生産された食品中の放射性物質に関する食品衛生法上の規制はなかった．しかし，2011（平成 23）年 3 月に発生した宮城県沖を震源とするマグニチュード 9.0 の大地震は，死者・行方不明者 2 万人を超える大惨事となるとともに，大津波が原因となった福島第一原子力発電所における事故により，放射性物質が環境中に拡散したため，放射性物質による食品汚染が問題となり，その規制値の設定が急がれた．

2011（平成 23）年 9 および 11 月，東京都，宮城県，福島県で食品による被曝線量が調査され，年間 0.002 〜 0.02 mSv 程度であったと厚生労働省は報告した．しかし，ヒトへの健康を最優先し，2011（平成 23）年 3 月 17 日から暫定規制値を適用し，食品からの被曝量は「年間 5 mSv 以下」とした．その後，さらに長期的な安全性確保の観点において，2012（平成 24）年 4 月 1 日から新たな基準値を設定し，放射性ストロンチウムなどを含めて食品からの被曝量は「年間 1 mSv 以下」に引き下げた．この基準は，食品の国際規格を作成しているコーデックス委員会の指標と同様であり，国際規格にも準拠したものである．放射性セシウムの暫定基準値は厳しい新基準値へと変更された（図 4-10）．

新基準値設定に関する考え方をまとめると以下のようになる．①「一般食品」の基準値：年齢および性別などにより区分すると13～18歳男性において被曝線量の限度値が120 Bq/kgと最小となるが，それを下回る100 Bq/kgに設定されている．②「乳児用食品」と「牛乳」の基準値：子供は放射線への感受性が高いと考えられることから，独立の区分とし，「一般食品」の半分の50 Bq/kgとされている．③「飲料水」の基準値：すべてのヒトが摂取することから，WHOの基準と同様，10 Bq/kgとされている．

放射性セシウムの暫定規制値

食品群	規制値（単位：Bq/kg）
野菜類	500
穀　類	
肉・卵・魚・その他	
牛乳・乳製品	200
飲料水	200

⇨

放射性セシウムの新基準値

食品群	規制値（単位：Bq/kg）
一般食品	100
乳児用食品	50
牛　乳	50
飲料水	10

図4-10　放射性セシウムの暫定規制値と新基準値

コラム　放射性物質による食品汚染

放射性物質による食品汚染に関する新基準値では，福島第一原発事故で放出された放射性核種のうち，セシウム134，セシウム137，ストロンチウム90，プルトニウム，ルテニウム106が考慮されている．セシウムと他の放射性核種の比率を用いて，すべてを含めても被曝線量が，1 mSvを超えないように基準値が設定されている．

製造または加工食品は，原材料のみでなく，製造，加工された状態でも一般食品の基準値を満たすこととされている．ただし，実際に食べる状態を考慮して基準値が適用される．

①乾燥されたきのこ類，海藻類，魚介類，野菜など原材料を乾燥させ，水で戻されて食される物：食用の実態を踏まえ，原材料の状態と食べる状態で一般食品の基準値が適用される．②茶，米油などの原料から抽出して飲用する物：原材料と飲用される状態で形態が大きく異なることから，原材料の状態では基準値の適用としない．

◆確認問題◆

1）コプラナーPCBは，ダイオキシン類の1つである．

2）PCBはストックホルム条約において，残留性有機汚染物質（POPs）に指定されていない．

3）PCBはカネミ油症事件の原因物質であり，体内でダイオキシンへと代謝される．

4）ダイオキシン類の毒性評価には 2,3,7,8－TCDD に対する許容一日摂取量（ADI）が定められている．
5）ダイオキシン類の発がん作用の発現メカニズムは，アリール炭化水素受容体との結合による．
6）ヘキサクロロベンゼン（HCB）は胎盤を通過せず，母乳へも移行しない．
7）メチル水銀は脂溶性が高く，生物濃縮により魚介類に高濃度に蓄積されている．
8）食品中のカドミウムの規格基準として，玄米および精米で「検出せず」となっている．
9）器具もしくは容器包装の食品に接触する部分の製造または修理に用いるハンダでは，鉛が検出されてはならないとされている．
10）放射性セシウムによる一般食品の暫定基準値としては，10 Bq/kg に設定されている．

確認問題解答

1）○　ダイオキシン類とは，ポリ塩化ジベンゾ−パラ−ジオキシン（PCDD），ポリ塩化ジベンゾフラン（PCDF），コプラナーポリ塩化ビフェニル（Co−PCB）のことである．
2）×　PCB は残留性有機汚染物質（POPs）に指定されている．
3）×　PCB はカネミ油症事件の原因物質であり，加熱によりダイオキシンを生成する．
4）×　ダイオキシン類の毒性評価には 2,3,7,8－TCDD に対する毒性等価係数（TEF）が定められている．
5）○　ダイオキシン類は，アリール炭化水素受容体と結合することが知られている．
6）×　HCB は胎盤を通して胎児へ移行し死産となること，母乳へも移行することが知られている．
7）○　メチル水銀は脂溶性が高く，生物濃縮により魚介類，特にマグロに高濃度に蓄積されている．
8）×　清涼飲料水，ミネラルウォーター類，リンゴの搾汁および搾汁された果汁のみを原料とするものにおいて「検出せず」となっている．
9）×　鉛は 0.2％以上含有してはならないとされている．
10）×　放射性セシウムによる一般食品の暫定基準値としては，100 Bq/kg に設定されている．

4-5　器具・容器包装由来の食品汚染物質

食品衛生法第 18 条において，「厚生労働大臣は，公衆衛生の見地から，薬事・食品衛生審議会の意見を聴いて販売の用に供し，若しくは営業上使用する器具若しくは容器包装若しくはこれらの原材料につき規格を定め，またはこれらの製造方法につき基準を定めることができる.」とされている．

食品は厳重な管理下で製造・加工されたとしても，容器包装で食品汚染が起こる場合がある．特に，廃棄物を減量し循環型社会を目指すことを目的として，「容器包装に係る分別収集及び再商品化の促進等に関する法律（容器包装リサイクル法）」が2000（平成12）年に完全施行され，容器包装廃棄物の排出抑制，分別収集，リサイクルなどが推進されて以来，消費者の食品の包装容器に関する関心は高くなっている．

このような中，近年，安価であるが危険性が高いリサイクル製品の流通が懸念されている．食品用器具・容器包装の規格基準および製品を使用する際には，「ガラス，陶磁器，ホウロウ引き製品」，「プラスチック製品」，「ゴム製品」および「金属缶」に材質別の規格基準が定められている．さらに，乳および乳製品の容器包装については別の規格基準がある．

4-5-1　有機スズ化合物

わが国において，トリブチルスズ化合物およびトリフェニルスズ化合物の家庭用品への使用は，1978（昭和53）年に「有害物質を含有する家庭用品の規制に関する法律」で禁止されている（p. 232 食品汚染金属の項参照）.

ジブチルスズ化合物は，食品用のラップに用いられているポリ塩化ビニル樹脂の加熱分解を抑制するための安定剤として添加されている．このようなジブチルスズ化合物が食品中に移行する可能性があり，ジブチルスズ化合物の中には動物実験において毒性が認められているものがある．

4-5-2　可塑剤

可塑剤 plasticizer（plasticise）とは，ポリ塩化ビニル樹脂の硬さを変化させるために添加される化学物質である．代表的なものとして**フタル酸ビス 2-エチルヘキシル bis(2-ethylhexyl) phthalate（DEHP）**がある．DEHP は，カテーテル，気管チューブ，輸液および血液バッグなどの医療機器にも使用されており，溶液中などに溶出することで患者が曝露される可能性があるが，有効性の方が優ると考えられており，現在でも用いられている．2011（平成23）年中国では，インスタントラーメンなどの食品から検出され，問題となった．

DEHP（表4-8）は，加水分解されフタル酸モノエチルヘキシル mono(2-ethylhexyl)phthalate を経てフタル酸へと代謝される．また，動物実験では生殖異常を起こす内分泌かく乱物質であると報告されているが，ヒトでは証明されていない．

表 4-8　食品汚染を起こす代表的な内分泌かく乱物質

フタル酸ビス 2-エチルヘキシル（DEHP）	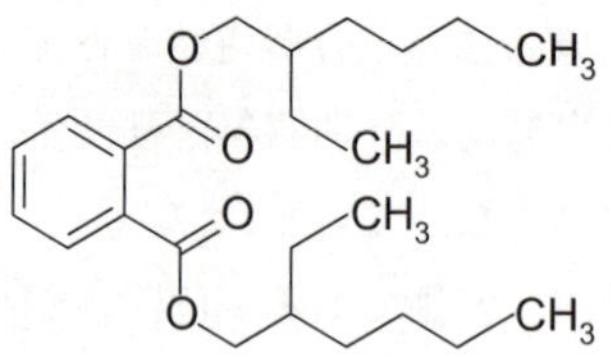 O, CH_3, O, CH_3, O, CH_3, O, CH_3
ビスフェノール A	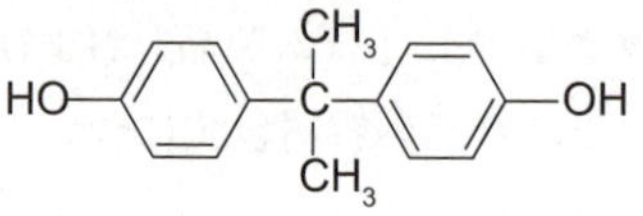 CH_3, HO, C, OH, CH_3
4-ノニルフェノール	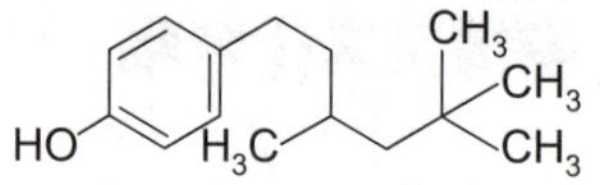 CH_3, CH_3, HO, H_3C, CH_3

わが国では，油脂，脂肪性食品を含有する食品の器具および容器包装ならびに乳幼児が口にする可能性のあるおもちゃには，DEHP を含有するポリ塩化ビニルを主成分とする合成樹脂を用いてはならないとされている．しかし，製造途中の混入は認められているため，食品衛生法施行規則第 78 条に規定するすべてのおもちゃの可塑化された材料からなる部分について，DEHP，**フタル酸ジ-*n*-ブチル dibuthyl phthalate**（**DBP**），**フタル酸ベンジルブチル buthyl benzyl phthalate**（**BBP**）の含有率は 0.1% を超えてはならないとされている．

4-5-3　ビスフェノール A

ビスフェノール A bisphenol A（表 4-8）は，ポリカーボネート，エポキシ樹脂などの原料として添加されている．ポリカーボネートは食器などに，エポキシ樹脂は金属缶の内面塗料などに使用されており，これらを加熱するとビスフェノール A が食品に移行する可能性が考えられている．

ビスフェノール A は，内分泌かく乱物質として注目されており，生殖器に対して影響するという報告もあるが，詳細は明らかでないため，現在，食品安全委員会において食品健康影響評価が行われている．食品衛生法では，ポリカーボネート製器具および容器・包装からのビスフェノール A の溶出試験の規格基準を 2.5 μg/mL（2.5 ppm）以下としている．

4-5-4　スチレン

スチレン styrene は，カップラーメンの容器に使われるポリスチレンの原料である．ポリスチレンにはその製造の際の副反応生成物として微量のスチレンダイマーやスチレントリマーなどが混入しているため，それらが油脂に移行することが知られている．特に，使い捨て弁当容器などを電子レンジで加熱すると移行量がさらに増加するとされている．

スチレン類は過去に内分泌かく乱物質として問題となったが，スチレンダイマーやスチレントリマーの曝露によるヒト健康障害に関する報告はない．さらに，ほ乳動物を用いた多くの実験でも，スチレンダイマーおよびトリマーのエストロゲン様活性は基本的には否定されている．

4-5-5　ノニルフェノール

ノニルフェノール nonylphenol は，プラスチックとゴムに添加された酸化防止剤や帯電防止剤の分解物であり，食品用器具・容器包装，手袋などに残存する．そのためこれら製品から脂溶性の高いノニルフェノールが脂肪性食品に移行する可能性が考えられる．環境中におけるノニルフェノールとしては，ノニルフェノールとして直接排出されたものと，非イオン界面活性剤のノニルフェノールエトキシレートの分解により生成したものがあげられる．

ノニルフェノールは，フェノールに炭素が9個の分岐したアルキル基が結合した構造（表4-8）であり，1998（平成10）年に「**環境ホルモン戦略画 SPEED '98**」における内分泌かく乱物質の1つとして注目された．

現在，環境省は，水生生物の保全に係る水質環境基準の追加項目としてノニルフェノールを検討しており，水質目標値として淡水域（河川・湖沼）の4つの類型で0.6～2 μg/L，海域の2つの類型で0.7～1 μg/Lとする予定である．

◆ 確認問題 ◆

1）ジブチルスズ化合物は，ポリ塩化ビニル樹脂の加熱分解を抑制するための安定剤として添加されている．
2）フタル酸ビス2-エチルヘキシル（DEHP）は，食器や医療機器に使用されたことがない．
3）ポリカーボネート製器具および容器・包装からのビスフェノールAの溶出試験の規格基準として検出されてはならないとされている．
4）ノニルフェノールは，イオン性の界面活性剤の分解により生成する．

確認問題解答

1）○　ラップなどのポリ塩化ビニル樹脂の安定剤として添加されている．

2）×　DEHP は，食器やカテーテル，気管チューブ，輸液および血液バッグなどの医療機器にも使用されていた，

3）×　ポリカーボネート製器具および容器・包装からのビスフェノール A の溶出試験の規格基準は 2.5 μg/mL（2.5 ppm）以下とされている．

4）×　ノニルフェノールは，非イオン性の界面活性剤の分解により生成する．

参考文献

1) 平山晃久編：考える衛生薬学，廣川書店
2) 福井昭三，平山晃久編：国家試験対策 衛生薬学，廣川書店
3) 佐藤政男，中川靖一，川嶋洋一，鍛冶利幸著：衛生薬学，南江堂
4) 第一出版編集部編：日本人の食事摂取基準［2015年版］，第一出版
5) 日本薬学会編：衛生試験法・要説2005年度版，金原出版
6) 那須正夫，和田啓爾編：食品衛生学，南江堂
7) 今堀和友，山川民夫監修：生化学辞典 第4版，東京化学同人
8) 化学と薬学の教室 No. 152，廣川書店
9) 西島正弘，後藤直正，増澤俊幸，河村好章編：薬学領域の病原微生物学・感染症学・化学療法学 第2版，廣川書店
10) 大沢基保，福井哲也，永沼章編：新 衛生化学・公衆衛生学，南江堂
11) 薬学ゼミナール編：薬剤師国家試験対策参考書4 衛生［2012］，薬学ゼミナール
12) 厚生労働省ホームページ「食中毒事件一覧速報」http://www.mhlw.go.jp/topics/syokuchu/04.html
13) 厚生労働省ホームページ「自然毒のリスクプロファイル作成を目指した調査研究」厚生労働科学研究（食品の安心・安全確保推進研究事業）塩見一雄，長島裕二，荒川修，近藤一成，佐竹元吉作 http://www.mhlw.go.jp/topics/syokuchu/poison/
14) 厚生労働省ホームページ「牛海綿状脳症について（BSE）」http://www.mhlw.go.jp/seisakunitsuite/bunya/kenkou_iryou/shokuhin/bse/index.html
15) 厚生労働統計協会：国民の指標増刊　国民衛生の動向
16) 中村丁次他編：食生活と栄養の百科事典，丸善
17) 管理栄養士国家試験教科研究会編：管理栄養士受験講座　食べ物と健康Ⅱ，第一出版
18) 日本食品衛生学会編：食品安全の事典，朝倉書店
19) 小久保彌太郎他：改定食品の安全性を創るHACCP，日本食品衛生協会
20) 厚生労働省生活局食品保健課長：乳肉衛生課長，総合衛生管理製造過程の承認とHACCPシステムについて，衛食第262号，衛乳第240号，平成8年10月22日
21) 厚生労働省医薬局長，食品衛生法等の一部改正する法律（平成15年法律第55号）及び健康増進法の一部を改正する法律（平成15年法律第56号）の施行について，医薬発第0530001号，平成15年5月30日
22) 谷村顕雄，棚元憲一監修：食品添加物公定書解説書 第8版，廣川書店
23) 糸川嘉則編：毒性試験講座16．食品，食品添加物，地人書館
24) 河崎裕美他：マーケットバスケット方式による食品添加物の1日摂取量の推定（2006-2008年度），日食化誌，**18**，150-162，2011
25) 日本食品衛生学会編：食品・食品添加物等の規格基準（抄），食衛誌，**52**，J-140～J-184，2012
26) 日本薬学会編：衛生試験法・注解2010，金原出版
27) http://www.fukushihoken.metro.tokyo.jp/shokuhin/
28) http://www.mhlw.go.jp/topics/bukyoku/iyaku/syokuten/gaiyo.html

29）鈴木孝昌，小原有弘，ラマダン・アリ，菊池　裕，本間正充，林　真：バルカン腎症の原因物質としてのアリストロキア酸およびオクラトキシンA，日本環境変異原学会大会要旨集（38），140，2009-11-06
30）Fuchs, R. *et al.* (1991) Human Exposure to Ochratoxin A : in Mycotoxins, Endemic Nephropathy and Urinary Tract Tumors (Castegnaro, M. *et al.* eds.), International Agency for Research Cancer, Lyon, p. 131-135
31）佐谷戸安好監修（2010）最新公衆衛生学 第5版，廣川書店
32）真鍋　勝（1990）マイコトキシン，食糧，**29**，1-36
33）東京都福祉保健局 HP（http://www.fukushihoken.metro.tokyo.jp/shokuhin/hyouka/）
34）厚生労働省 HP（http://www.mhlw.go.jp/）
35）環境省 HP（http://www.env.go.jp/）
36）日本薬学会編（2008）スタンダード薬学シリーズ5，健康と環境，東京化学同人
37）日本薬学会編（2016）スタンダード薬学シリーズII 5，健康と環境，東京化学同人
38）杉浦紳一編著（2005）症例から学ぶ輸液療法―基礎と臨床応用，じほう
39）日本静脈経腸栄養学会編（2008）やさしく学ぶための輸液・栄養の第一歩（第二版），大塚製薬工場
40）厚生労働統計協会，国民の指標増刊　国民衛生の動向
41）中村丁次他編集，食生活と栄養の百科事典，丸善.
42）管理栄養士国家試験教科研究会編，管理栄養士受験講座　食べ物と健康II，第一出版
43）日本食品衛生学会編集，食品安全の事典，朝倉書店
44）小久保彌太郎他，改定食品の安全性を創る HACCP，日本食品衛生協会
45）厚生労働省生活局食品保健課長，乳肉衛生課長，総合衛生管理製造過程の承認と HACCP システムについて，衛食第262号，衛乳第240号，平成8年10月22日
46）公益社団法人日本食品衛生協会ホームページ http://www.n-shokuei.jp/eisei/haccp_sec01.html
47）公益社団法人日本食品衛生協会ホームページ http://www.n-shokuei.jp/eisei/haccp_sec05.html
48）厚生労働省医薬局長，食品衛生法等の一部改正する法律（平成15年法律第55号）及び健康増進法の一部を改正する法律（平成15年法律第56号）の施行について，医薬発第0530001号，平成15年5月30日
49）厚生労働省，消費者庁，食品添加物公定　第9版，https://www.mhlw.go.jp/stf/seisakunitsuite/bunya/kenkou_iryou/shokuhin/syokuten/kouteisho9e.html
50）内閣府食品安全委員会，食品の安全性に関する用語集　http://www.fsc.go.jp/yougoshu.html
51）内閣府令第十号　食品表示基準　https://www.caa.go.jp/policies/policy/food_labeling/food_labeling_act/pdf/food_labeling_act_190425_0001.pdf
52）糸川嘉則編集，毒性試験講座16　食品，食品添加物，地人書館
53）平成28年　薬事・食品衛生審議会食品衛生分科会添加物部会報告
54）平成29年　薬事・食品衛生審議会食品衛生分科会添加物部会報告
55）平成30年　薬事・食品衛生審議会食品衛生分科会添加物部会報告
56）公益社団法人日本食品衛生学会，食品・食品添加物等の規格基準（抄），https://www.bunken.org/shokuhineisei/services/pass.php?fl=planning.html
57）日本薬学会編，衛生試験法・注解　2015，金原出版
58）東京都福祉保健局，「食品衛生の窓」http://www.fukushihoken.metro.tokyo.jp/shokuhin/

59) 厚生労働省　食品添加物　http://www.mhlw.go.jp/topics/bukyoku/iyaku/syokuten/gaiyo.html
60) 電子政府の総合窓口，食品衛生法，https://elaws.e-gov.go.jp/search/elawsSearch/elaws_search/lsg0500/detail?lawId=322AC0000000233
61) 電子政府の総合窓口，食品安全基本法，https://elaws.e-gov.go.jp/search/elawsSearch/elaws_search/lsg0500/detail?lawId=415AC0000000048
62) 電子政府の総合窓口，食品表示法，https://elaws.e-gov.go.jp/search/elawsSearch/elaws_search/lsg0500/detail?lawId=425AC0000000070
63) 電子政府の総合窓口，医薬品，医療機器等の品質，有効性及び安全性の確保等に関する法律，https://elaws.e-gov.go.jp/search/elawsSearch/elaws_search/lsg0500/detail?lawId=335AC0000000145
64) 電子政府の総合窓口，健康増進法，https://elaws.e-gov.go.jp/search/elawsSearch/elaws_search/lsg0500/detail?lawId=414AC0000000103

日本語索引

ア

亜鉛　69
亜塩素酸ナトリウム　161, 171
青梅　202
青カビ　208
赤カビ　208
アグマチン　111
アクリルアミド　125
アクロレイン　119
アコニチン　203
アサリ　197
アジア型　188
アシッドレッド　167
亜硝酸　124
亜硝酸イオン　233
亜硝酸ナトリウム　170
アシルキャリアタンパク質　52
アスコルビン酸　118
L-アスコルビン酸　58, 163
アスパラギン　22, 125
アスパラギン酸　22
アスパルテーム　172
アセスルファムカリウム　173
アセチル CoA　19, 52
アセチル CoA カルボキシラーゼ　53
アセト酢酸エチル　176
アセトン尿症　19
アゾキシストロビン　162
アゾ色素　166
アデノシルコバラミン　57
アトウォーター係数　74
アドレナリン　137
アトロピン　203
アナフィラキシー　136
アナフィラキシー性　136
アニサキス　182, 194
アニスアルデヒド　176
亜ヒ酸　234
アビジン　53
アフラトキシン　208
アフラトキシン M_1　208
アポレチノールタンパク質　35
アマトキシン類　200
アマドリ転移化合物　116
アマランス　166
アミグダリン　203
アミノカルボニル反応　116
アミノ基転移酵素　25
アミノ酸インバランス　102
アミノ酸価　30
アミノ酸スコア　30
アミノ酸の桶　30
アミノ酸評点パターン　30
アミノ酸プール　25
アミノ酸輸送系　24
アミノペプチダーゼ　23
5-アミノレブリン酸合成酵素　49
5-アミノレブリン酸脱水酵素　235
アミロース　3
アミロペクチン　3
アラキドン酸　12
アラニン　22
アリストロキア酸　211
亜硫酸水素ナトリウム　171
亜硫酸ナトリウム　171
アリール炭化水素受容体　228
アルカジエナール　121
アルカリホスファターゼ　67, 69
アルカロイド　203
アルギニン　22
アルギニン分解酵素　70
アルキル化剤　123
アルキルラジカル　119
アルケナール　121
アルセノシュガー化合物　234
アルセノベタイン　234
アルデヒドデヒドロゲナーゼ　200
アルドリン　220, 221
アルブミン　22
アルミニウムレーキ　165
アルラレッド AC　166
アレルギー様症状　113
アレルギー様食中毒　112, 113, 136
アレルゲン　136
アンギオテンシン変換酵素阻害剤　145
安全係数　156
安息香酸　160
安定剤　176
アンモニア　26, 112, 113
α-アマニチン　200
α-アミノ酸　21
α-アミラーゼ　5
α-ケトグルタル酸デヒドロゲナーゼ　46
α-ケト酸　25, 112
α-ソラニン　203
α-チャコニン　203
α 毒素　189
α-トコフェロール　40
α-ヒドロキシ酸　112
α-リノレン酸　12
Aspergillus 属　208
IgE 抗体　136
RNA ポリメラーゼ　200

イ

イオン飲料　46
イーストフード　176
イスランジトキシン　212
イソニアジド　49, 113
イソニコチン酸ヒドラジド　49
イソプレン　20
イソマルターゼ　5
イソロイシン　21, 25
イタイイタイ病　233
一塩基多型　114
Ⅰ型アレルギー　136
一重項酸素 $^1O_2$　199

一炭素単位転移反応　54
1マウス単位　196
胃腸障害型　200
一般飲食物添加物　153
遺伝子組換え作物　148
遺伝子組換え食品　148
遺伝子組換え食品添加物　148
遺伝子組換え食品の検知法　150
遺伝子組換え食品の表示　150
イボテン酸　200
イマザリル　221
医薬品　106
医療機器等の品質　106
イルジンS　200
インジゴイド色素　167
インジゴカルミン　167
インドール　114
ε-アミノ基　117

ウ

ウイルス性食中毒　182, 184, 193
ウイルソン病　69
ウェルシュ菌　189
ウェルニッケ脳症　46
牛海綿状脳症　130, 138

エ

エイコサペンタエン酸　13
栄養機能　1
栄養機能食品　143, 146
栄養強化剤　177
栄養強化食品　177
栄養サポートチーム　101
栄養スクリーニング　101
栄養素　1
栄養調査　90
栄養療法　101
栄養療法と投与経路のアルゴリズム　102
エキソペプチダーゼ　24
エステル型保存料　159
エチレンジアミン四酢酸二ナトリウム　164
エーテル抽出法　77
エネルギー産生栄養素バランス　83
エネルギー収支バランス　81
エピペン®　137
エラスターゼ　23
エリスロシン　166
エリソルビン酸　58, 163
エルゴカルシフェロール　38
エルゴクリスチン　214
エルゴステロール　14, 38
エルゴタミン　214
エルゴメトリン　214
エルシニア・エンテロコリチカ菌　187
エルトール型　188
塩化カリウム　174
塩化カリウム製剤　168
塩素　67
延長酵素　19
エンテロトキシン　189, 190, 191
エンド型酵素　5
エンドサイトーシス　58
エンドペプチダーゼ　22
エンドリン　221
AGE産物　117
AGE受容体　117
ELISA法　150
FAO/WHO合同食品添加物専門家会議　159

オ

黄色蛍光　47
黄色ブドウ球菌　184, 186, 191
オカダ酸　199
オキサロ酢酸　19
2-オキソグルタル酸　25
オキソ酸　25
オクラトキシン　211
オステオカルシン　42
主な多糖類　4
主な単糖類　4
主な二糖類　4
オルトキノン体　116
オルトフェニルフェノール　162, 221
オルニチン　26
オルニチンサイクル　26
ω炭素　13
O多糖　188
O111株　190
O157株　190

カ

壊血病　58
開始反応　119
解糖系　10
楓糖尿病　60
化学的試験　115
化学的評価法　30
化学伝達物質　136
化学物質の審査及び製造等の規制に関する法律（化審法）　226
核内受容体　40
陰膳方式　157, 228
加工助剤　157
過酸化脂質　122
過酸化水素　161, 171
過酸化物価　121, 122
ガス壊疽　189
カゼインカルシウム　65
カゼインドデカペプチド　145
可塑剤　239
カダベリン　111
カタラーゼ　68
脚気　44, 46
活性型ビタミンD　39
活性メチレン基　119
克山病　70
カドミウム　233
神奈川現象　188
神奈川陽性株　188
カネミ油症事件と化審法　226
カフェイン　175
芽胞　189, 192, 193
ガムベース　176
ガラクトース　3
カラメル　169

カラメル化反応　118
カリウム　66
カルシウム　65, 145
カルシウム結合タンパク質　39
カルシトニン　39, 65
カルシフェロール　38
カルバモイルリン酸　26
カルボキシペプチダーゼ　23, 69
カルボキシラーゼ　53
カルボニウムイオン　210
カルボニル価　121
カルボニル化合物　119, 121
カロテノイド　35
カロリー　74
感覚機能　1
感覚的試験　115
肝機能不全　26
環境ホルモン戦略画 SPEED '98　241
管腔内消化　5
還元剤　161
還元性漂白剤　171
肝細胞がん　208
肝性脳症　26
感染型　185
感染症法　182, 185
感染侵入型　186
感染性胃腸炎　185
感染性プリオン病　138
感染毒素型　186
カンゾウ抽出物　173
肝臓毒　208
含窒素複素環化合物　123
カンピロバクター　184
カンピロバクター・ジェジュニ/コリ菌　187
甘味料　172
γ-アミノ酪酸　49
γ-カルボキシ化反応　42
γ線　203

キ

危害分析　132
規格基準型食品　146
規格基準型特定保健用食品　145
キサンツレン酸　50
キサンツレン酸尿症　50, 60
キサンテン色素　166
キシリトール　173
基礎代謝　79
基礎代謝基準値　79
基礎代謝量　79
既存添加物　153
キチン　7
キトサン　7
機能性表示食品　143, 148
キノコ毒　200
揮発性塩基窒素　112
キモトリプシン　23
客観的栄養評価　102
キャリーオーバー　157
吸収窒素量　29
急性アルコール症　53
狂牛病　138
許可証票　142
許可表示内容　144
魚臭症候群　114
巨赤芽球性貧血　54, 57, 72, 60
許容一日摂取量　156, 218
キロミクロン　16
キロミクロンレムナント　16
金属水銀　231
金属封鎖剤　161
ギンナン　205
GABA 受容体　200
GABA 生合成　205

ク

5′-グアニル酸二ナトリウム　174
グアヤク脂　164
クエン酸　175
クエン酸イソプロピル　164
クエン酸回路　10
クサウラベニタケ　200
クドア　182, 194
組換え DNA 技術応用食品　148
苦味料　175
グリコーゲン　5
グリココール酸　21
グリシダミド　125
グリシン　22
グリセミック・インデックス　6
グリチルリチン酸　173
グルコース　3
グルコース耐性因子　71
グルコン酸カリウム　174
グルタチオンペルオキシダーゼ　70
グルタミン　22
グルタミン酸　22, 123
グルタミン酸デヒドロゲナーゼ　26
L-グルタミン酸ナトリウム　174
くる病　38, 40, 65
クレチン症　69
クロム　71, 235
クロロフィル a　199
クロロフィル分解物　199
クワシオルコル　28
CRISPER/Cas9 システム　150

ケ

経管栄養法　102
経口栄養法　102
経口感染症　182, 185
経口補液　195
経腸栄養剤　106
経腸栄養法　102, 106
経鼻法　106
経瘻孔法　106
血液凝固阻害薬　43
血液毒　215
血液脳関門　231
2-ケトグルタル酸　25
ケト原性アミノ酸　27
ケトン症　19
ケトン体　19
ゲノム編集技術応用食品　150
ゲノム編集技術応用添加物　151
ゲノム編集食品　150

下痢性貝毒　197
ゲル化剤　176
ゲルトネル菌　186
幻覚様症状型　200
健康食品　142
健康増進法　131, 142
限定分解　24

コ

コアグラーゼ　191
好塩基球　136
抗原　136
抗原-抗体反応　136
コウジカビ　208
甲状腺腫　69
甲状腺ホルモン　69
合成系着色料　165, 168
光線過敏症　199
酵素的褐変反応　116
高度さらし粉　161
抗ヒスタミン剤　113
高密度リポタンパク質　17
香料　176
高リン酸食品　65
コエンザイムA　52
小型球形ウイルス　193
呼吸商　78
国際食品規格　134
国民健康　90
五大栄養素　1
骨芽細胞　39
骨吸収　39
骨形成　39
骨粗しょう症　40, 65, 145
骨軟化症　40, 65, 234
コーデックス委員会　134
コーデックス規格　134
ゴニオトキシン　197
コハク酸一ナトリウム　174
コバラミン　56
コバルト　72
コバルト60　203
コプラナーPCB　226
コプリン　200
コプロポルフィリノーゲン酸化酵素　235
個別許可型　142
コラーゲン　21, 59
コリンエステラーゼ　203
コルサコフ症候群　46
コール酸　20
コレカルシフェロール　38
コレステロール　14
コレステロール逆輸送系　17
コレステロール輸送担体　16
コレラ　185
コレラ菌　186, 188
コレラ毒素　188
コレラ様症状型　200
コンドロイチン硫酸　4
Codex委員会　134

サ

サイカシン　204
催奇形性　38
細菌性食中毒　182, 184, 185
最大無作用量　156
在宅中心静脈栄養法　107
サイロシビン　201
サイロシン　201
サキシトキシン　197
サッカリン　172
殺菌料　160
サッサフラス　205
サフロール　205
ザルコシスティス　194
サルモネラ属菌　184, 186
酸価　121, 122
3価クロム　71, 235
酸化性漂白剤　171
酸型保存料　159
酸化防止剤　58, 161
サンセットイエローFCF　167
三大栄養素　1
三二酸化鉄　169
酸敗　119
酸味料　175
残留性有機汚染物質　220, 227, 229
残留農薬　218

シ

次亜塩素酸水　161
次亜塩素酸ナトリウム　161
ジアシルグリセロール　13
シアノコバラミン　57
シアン化水素　202
紫外線　115
紫外線B波　39
シガテラ毒　196
シガトキシン　196
志賀毒素　191
ジカルボニル化合物　116
ジクマロール　43
シクロクロロチン　212
p,p'-ジクロロジフェニルトリクロロエタン　220
2,4-ジクロロフェノキシ酢酸　221
2,3-ジケトグロン酸　118
脂質　12
システイン　22
ジスルフィラム様症状（嫌酒作用）　200
11-シス-レチナール　35
9-シス-レチノイン酸　37
自然毒　195
自然放射線　236
シッフ塩基　49, 116
疾病リスク低減表示　145
指定添加物　153
ジテルペンアルカロイド　203
自動酸化　119
シトクロムcオキシダーゼ　68
シトステロール　14
シトリニン　212
シトレオビリジン　213
ジノフィシストキシン　199
1α,25-ジヒドロキシコレカルシフェロール　39
シビレタケ　201
ジフェニル　162, 221
ジフェンヒドラミン　113
ジブチルスズ化合物　239
ジブチルヒドロキシトルエン

163
ジペプチダーゼ 23
ジペプチド 23
脂肪酸 12
脂肪酸の二重結合量 122
ジメチルアミン 124, 170, 171
ジメチルアルシン酸 234
ジメチルニトロソアミン 124, 170, 171
ジメルカプロール 235
ジャガイモ 125, 115, 203
終結反応 119
シュウ酸 65
自由水 111
終末糖化産物 117
重要管理点 132
主観的包括的評価 101
L-酒石酸 175
主要元素 62
主要食品別摂取量 97
準主要元素 62
消化態経腸栄養剤 106
条件付き特定保健用食品 143
硝酸ナトリウム 170
脂溶性ビタミン 35
小児下痢症 194
消費者庁 131
消費者庁長官 142, 148
正味タンパク質利用率 29
静脈栄養法 104
静脈角 16
除去食療法 136
食塩 66
食事誘発性熱産生 79
食中毒 181
食中毒性無白血球症 216
食中毒発生状況 183
食品安全委員会 131
食品安全基本法 130
食品衛生監視員 132
食品衛生管理者 132, 158
食品衛生推進員 132
食品衛生法 130
食品汚染 207
食品汚染金属 71
食品成分 1
食品添加物 153
食品添加物公定書 154, 158, 234
食品添加物の試験法 178
食品内毒素型 185, 186, 191
食品表示法 131
植物ステロール 14
植物性自然毒 200
植物性食品 97
食物アレルギー 136
食物依存性運動誘発アナフィラキシー 137
食物繊維 7
食用黄色4号 167
食用黄色5号 167
食用青色1号 167
食用青色2号 167
食用赤色2号 166
食用赤色3号 166
食用赤色40号 166
食用赤色102号 166
食用赤色104号 166
食用赤色105号 166
食用赤色106号 167
食用タール色素 165
食用緑色3号 167
飼料安全法 222
飼料添加物 222
シロシビン 201
シロシン 201
真菌食中毒 208
神経管閉鎖障害 54, 145
神経障害型 200
神経毒 213
新生児ビタミンK欠乏性出血症 42
腎臓毒 212
身体活動レベル 83
シンバイオティクス 8
Gla化 42

ス

膵エステラーゼ 15
水銀 231
推奨量 87
推定エネルギー必要量 83
推定平均必要量 87
水分活性 111, 207
水様性下痢 188, 200
水溶性食物繊維 7
水溶性ビタミン 35
スカトール 114
スクラーゼ 5
スクラロース 173
スクロース 3
スクワレン 20
スコポラミン 203
スチレン 241
ステビア 173
ステリグマトシスチン 210
ステロイド 20
ステロール 14
ストレッカー分解 118
スーパーオキシドジスムターゼ 68
スポーツドリンク 46

セ

ゼアラレノン 216
制限アミノ酸 30
青酸配糖体 202
生体内毒素型 186
静的栄養指標 102
生物価 28
生物学的評価法 28
赤痢 185
赤痢菌 191
セミミクロケルダール法 76
ゼラチン 22
セリン 22
セルロース 7
セルロプラスミン 68
セレウス菌 186, 193
セレギリン 113
セレノシステイン 70
セレノメチオニン 70
セレン 70, 232
先天性甲状腺機能不全 69
全トランス-レチナール 35

ソ

総アフラトキシン 208
増粘剤 176

即時型過敏症　136
粗脂肪量　78
粗タンパク質量　76
ソックスレー法　77
ソテツ　204
ソラニジン　203
D-ソルビトール　173
ソルビン酸　160
ゾンネ赤痢菌　191

タ

第一制限アミノ酸　30
第一種特定化学物質　220, 226, 229, 233
ダイオキシン類　227
ダイオキシン類特別措置法　227
代謝水　63
耐糖因子　71
耐糖能　172
耐糖能低下　71
体内保留窒素量　29
第二種特定化学物質　230, 233
第二水俣病　232
耐容一日摂取量　227
耐容上限量　87
タウロコール酸　21
多環芳香族炭化水素　124
脱水素酵素　51
タートラジン　167
タマゴテングタケ　200
炭酸脱水酵素　69
単純多糖類　4
タンニン　67
タンパク質　21
タンパク質の栄養価　28

チ

チアベンダゾール　162, 221
チアミン　44
チアミンピロリン酸　45
チオクロム　44
チオバルビツール酸価　121
窒素係数　76
窒素出納　28
窒素比　108
窒素平衡　28
チモーゲン　24
着色料　165
中心静脈栄養　46
中心静脈栄養法　104
中性脂肪　12
中腸腺　197
腸炎ビブリオ　184
腸炎ビブリオ菌　187
腸管凝集性大腸菌　191
腸管出血性大腸菌　190
腸管出血性大腸菌感染症　185
腸管侵入性大腸菌　191
腸管毒素　190
腸管毒素原性大腸菌　190
腸管病原性大腸菌　190
チョウセンアサガオ　203
腸チフス　185, 187
超低密度リポタンパク質　17
腸内細菌　8
腸内細菌叢　8, 172
調味料　174
チラミン　111, 112, 113
チロキシン　70
チロシナーゼ　68
チロシン　22, 112

ツ

ツキヨタケ　200

テ

テアニン　174
定点把握疾患　185
低密度リポタンパク質　17
ディルドリン　220, 221
デオキシコール酸　20
デオキシニバレノール　215
鉄　67
鉄クロロフィリンナトリウム　169
テトラクロロエチレン　230
2,3,7,8-テトラクロロジベンゾ-*p*-ジオキシン　227
5,6,7,8-テトラヒドロ葉酸　54
テトロドトキシン　196
デヒドロアスコルビン酸　118
7-デヒドロコレステロール　38
デヒドロ酢酸ナトリウム　160
デプレニル　113
天然香料　153
天然色素　168
デンプン　3
T-2 トキシン　215
TCA サイクル　10

ト

銅　68
糖化ヘモグロビン　117
銅クロロフィリンナトリウム　169
銅クロロフィル　169
糖原性アミノ酸　27
糖質　3
糖新生　27
動的栄養指標　102
動物ステロール　14
動物性自然毒　195
動物性食品　97
動物用医薬品　222
豆腐用凝固剤　177
毒性等価係数　227
毒性等量　228
特定危険部位　139
特定原材料　136
特定保健用食品　142, 143, 144
特別用途食品　141, 142
ドコサヘキサエン酸　13
トコフェロール　40
dl-*α*-トコフェロール　164
トータルダイエットスタディ　228
ドーパミン　59
ドライアイスセンセーション　197
トランス型不飽和脂肪酸　125

トランス酸 125
トランス脂肪酸 125
トランスフェリン 67
トリアシルグリセロール 13
トリカブト 203
トリクロロエチレン 230
トリコテセン系マイコトキシン 215
トリフェニルメタン色素 167
トリプシン 23
トリプタミン 111
トリプトファン 21, 123
トリペプチド 23
トリメチルアミン 114
トリメチルアミンオキシド 114
トリメチルアミン尿症 114
トリメトプリム 56
トリヨードサイロニン 70
ドリン剤 221
トレオニン 21
トレハロース 3
トロパンアルカロイド 203

ナ

ナイアシン 50
ナイアシンアミド 50
内因子 57
内分泌かく乱物質 232, 239, 241
ナグビブリオ 188
納豆 43
ナトリウム 66
ナリンジン 175

ニ

二価金属イオントランスポータ 1 68
二級アミン 124, 170
ニコチンアミド 50
ニコチンアミドアデニンジヌクレオチド 51
ニコチンアミドアデニンジヌクレオチドリン酸 51
ニコチン酸 50
ニコチン酸アミド 50
二酸化硫黄 171
二酸化チタン 169
二次感染 182
二重標識水法 83
N-ニトロソ化合物 124
1-ニトロピレン 124
ニバレノール 215
日本食品標準成分表 75
日本人の栄養摂取状況 90
日本人の食事摂取基準 81
乳化剤 176
乳酸 175
乳酸アシドーシス 46
乳児ボツリヌス症 192
乳糖不耐症 5
ニューコクシン 166
尿素 25
尿素サイクル 26
尿中窒素量 29

ネ

ネオテーム 173
ネガティブリスト制度 156

ノ

濃厚流動食 106
脳内圧亢進 38
ノニルフェノール 241
ノルアドレナリン 59, 112
ノルビキシンカリウム 169
ノロウイルス 184, 185, 193

ハ

バイオフィルム 191
敗血症 187
パーキンソン病 70
バクテリアルトランスロケーション 104
破骨細胞 39
ハシリドコロ 203
発育ビタミン 47
麦角アルカロイド 214
発がん性 124
発酵 110
発色剤 170
パツリン 213
パラオキシ安息香酸イソブチル 160
パラチフス 185
パラチフスA菌 187
パラトルモン 65
バリン 21, 25
バルカン腎症 211
半消化態経腸栄養剤 106
斑状歯 72, 236
ハンター・ラッセル症候群 232
パントテン酸 52
ハンドリング 149

ヒ

ヒアルロン酸 4
ビオチン 53
d-ビオチン 53
光増感物質 199
非酵素的褐変反応 116
ヒ酸 234
ビス（トリブチル）スズオキシド 232
ヒスタミン 111, 113, 136
ヒスチジン 21, 111
ヒストン 22
ビスフェノールA 240
微生物学的試験 115
ヒ素 234
ヒ素白斑黒皮症 235
ヒ素ミルク中毒事件 234
ビタミン 35
ビタミンA 35, 199
ビタミンB_1 44
ビタミンB_2 47
ビタミンB_6 25, 49, 205
ビタミンB_{12} 56, 72
ビタミンC 58, 67, 124, 170, 171
ビタミンD 38, 65
ビタミンD_2 38
ビタミンD_3 38
ビタミンD結合タンパク質 38

ビタミンD不応性くる病　60
ビタミンE　40
ビタミンK　42
ビタミンK_1　42
ビタミンK_2　42
ビタミンK依存性凝固因子　42
ビタミンKエポキシドレダクターゼ　43
ビタミンKレダクターゼ　43
ビタミン依存症　60
ビタミン様化合物　60
非タンパク質カロリー　108
非タンパク質呼吸商　78
鼻中隔穿孔　236
必須アミノ酸　21
必須脂肪酸　12
1人事例　184
ヒドロキシアパタイト　63, 65, 66
4-ヒドロキシノネナール　119
ヒドロキシプロリン　59
ヒドロキソコバラミン　57
ヒドロコルチゾン　137
ヒドロペルオキシド　119, 121
非ヘム鉄　67
肥満細胞　136
病原性大腸菌　189
漂白剤　171
ヒヨスチアミン　203
ピラジン類　118
ピリドキサミン　49
ピリドキサミンリン酸　49
ピリドキサール　49
ピリドキサールリン酸　49
ピリドキシン　49
ピルビン酸カルボキシラーゼ　53, 70
ピルビン酸デヒドロゲナーゼ　46
ピロフェオフォルバイドa　199
PCR法　150
PDCAサイクル　90

フ

ファストグリーンFCF　167
ファゼオルナチン　203
ファロイジン　200
ファロトキシン類　200
フィチン酸　65, 67
フィロキノン　42
フェオフォルバイドa　199
フェニルアラニン　21
L-フェニルアラニン化合物　172
フェニルケトン尿症　172
フェニル水銀　232
フェノール性連鎖停止剤　161
フェリチン　67
フェリ鉄　67
フェロキラターゼ　235
フェロ鉄　67
フェロポーチン　68
フェロレダクターゼ　68
不可逆的窒素損失量　29
不可避尿　63
不感蒸泄　63
不揮発性塩基窒素　111
副甲状腺ホルモン　39, 65
複合多糖類　4
フグ毒　196
フザレノン-X　215
プタキロシド　204
フタル酸ジ-*n*-ブチル　240
フタル酸ビス2-エチルヘキシル　239
フタル酸ベンジルブチル　240
プチアリン　5
ブチルヒドロキシアニソール　164
フッ素　72, 236
物理的仕事量ジュール　74
プテロイルグルタミン酸　54
プテロイルモノグルタミン酸　145
腐敗　110
腐敗アミン　111
腐敗細菌　110
不飽和脂肪酸　12
不溶性食物繊維　7
フラビンアデニンジヌクレオチド　47
フラビンモノヌクレオチド　47
プリオンタンパク質　138
プリオン病　138
ブリリアントブルーFCF　167
フルクトース　3
フルジオキソニル　162
プレバイオティクス　8
フロキシン　166
ブロッコリー　43
プロテオース　22
プロトロンビン　42
プロバイオティクス　8
プロピオン酸　160
プロビタミンA　35
プロビタミンD　38
プロビタミンD_3　39
プロリン　22
糞口感染　193, 194
分枝アミノ酸　25
分別生産流通管理　149
*Fusarium*属　208

ヘ

ヘキサクロロベンゼン　229
ペクチン　7, 126
ヘテロサイクリックアミン　123
ベニテングタケ　200
ヘファスチン　68
ペプシン　22
ペプチド輸送担体　24
ペプトン　22
ヘムオキシゲナーゼ　68
ヘム鉄　67
ヘムトランスポータ　68
ヘモグロビン　67
ヘモジデリン　67
ペラグラ皮膚炎　50
ペルオキシラジカル　119
ベロ毒素　190
変異型クロイツフェルト・ヤコ

ブ病　138
変異原性　123, 125
変質　110
ベンゼンヘキサクロリド　221
ベンゾ [*a*] アントラセン　124
ベンゾ [*a*] ピレン　124
1, 4-ペンタジエン構造　12
変敗　110
β-アマニチン　200
β-カロテン　35, 169
β 酸化　18
Penicillium 属　208

ホ

防かび剤　161
放射性セシウムの暫定規制値と新基準値　237
放射性物質　236
放射線　115
放射線照射　203
防ばい剤　161
飽和脂肪酸　12
保健機能食品　141, 143
保健機能食品制度　142
保健機能成分　142
ポジティブリスト制度　154, 218
ポストハーベスト農薬　161, 221
ホスホパンテテイン　52
補足効果　30
保存料　159
ホタテガイ　197
ボツリヌス菌　192
ボツリヌス症　185
ボツリヌス毒素　192
ホテイシメジ　200
ポリ塩化ジベンゾ-*p*-ジオキシン　227
ポリ塩化ジベンゾフラン　227
ポリ塩化ビフェニル　225
ポリフェノールオキシダーゼ　116
ポリフェノール化合物　116
ポルフィリン　235
ポルフィリン生合成系　49
ボンブ熱量計　3, 74

マ

マイコトキシン　207
膜消化　5, 24
マグネシウム　67
マクロライド系マイコトキシン　216
マーケットバスケット方式　157, 228
マジックマッシュルーム　201
末梢静脈栄養法　104
麻痺性貝毒　197
マラスムス　28
マルターゼ　5
マルトース　3
マルトリジン　215
マレイン酸クロルフェニラミン　113
マロンアルデヒド　119, 121
マロンジアルデヒド　119
マンガン　70
慢性アルコール症　53

ミ

味覚障害　69
水　63
水俣病　232
ミネラル　62

ム

無機質　62
無機水銀　231
無機スズ　233
無機ヒ素　234
虫歯　72
ムスカリジン　200
ムスカリン　200
無毒性量　156
無脳症　54
ムラサキイガイ　197, 197

メ

メイラード反応　116, 125
メタノール　126
メタロチオネイン　68, 231, 234
メチオニン　21
メチオニン合成酵素　57
メチシリン耐性黄色ブドウ球菌　192
メチルアルソン酸　234
メチルコバラミン　57
メチル水銀　232
メチルマロニル CoA イソメラーゼ　57
メチルマロニル CoA ムターゼ　57
メチルマロン酸　58
4-メトキシピリドキシン　205
メトトレキサート　56
メナキノン　42
メバロン酸　20
メープルシロップ尿症　60
目安量　87
メラニン色素　116
メラノイジン　117
メルカプタン　113
メンケス病　69

モ

目標量　87
没食子酸プロピル　164
モノアシルグリセロール　13
モノアミンオキシダーゼ　68, 112
モリブデン　71
モリブドプテリン　71

ヤ

薬機法　106, 130
夜盲症　38

ユ

有機水銀　232
有機スズ　232
有効性及び安全性の確保等に関する法律　106
誘導期　119
遊離アルデヒド量　121
遊離基捕捉型酸化防止剤　161
遊離脂肪酸　121
輸液処方設計　108

ヨ

溶血環　188
溶血性タンパク質　200
溶血性尿毒症症候群　190
葉酸　54, 145
葉酸拮抗剤　56
ヨウ素　69
ヨウ素価　122
抑うつ症　60

ラ

ラクターゼ　5
ラクターゼ欠損症　5
ラクトース　3
ラクトース不耐症　5
ラテラルフロー法　150
ラノステロール　20
卵白障害　53
ランプテロール　200

リ

リグニン　7
リシン　21
リスクアセスメント　131
リスクアナリシス　131
リスク管理　131
リスクコミュニケーション　131
リスク評価　131
リスク分析　131
リスクマネージメント　131
リゼルグ酸ジエチルアミド　215
リゼルグ酸誘導体　214
リノール酸　12
リポタンパク質リパーゼ　16
リボフラビン　47, 169
リボフラビンリン酸エステルナトリウム　168
硫化水素　113
硫酸アトロピン　202
硫酸第一鉄　170
旅行者下痢症　184
リン　66
リンゴ　213

ル

ルテオスカイリン　211
ルミフラビン　47

レ

レゾルシン誘導体　216
レチナール　35
レチノイド　35
レチノイン酸　35
レチノール　35
連鎖反応　119

ロ

ロイシン　21, 25
ローズベンガル　166
ロタウイルス　194
6価クロム　71, 235
ロドプシン　35

ワ

ワックス　13, 199
ワライタケ　201
ワラビ　204
ワルファリン　43

外国語索引

A

acceptable daily intake 156
acesulfame potassium 173
acetyl CoA 19
aconitine 203
acrolein 119
acrylamide 125
acyl carrier protein 52
adenosylcobalamin 57
adequate intake 87
ADI 156, 218
advanced glycation endproduct 117
agmatine 111
AhR 228
AI 87
alanine 22
alanine aminotransferase 49
albumin 22
aldrin 221
alimentary toxic aleukia 216
alkadienal 121
alkaline phosphatase 67
alkenal 121
alkylradical 119
all-*trans*-retinal 35
ALT 49
α-amanitin 200
β-amanitin 200
γ-aminobutyric acid 49
5-aminolevulinic acid dehydratase 235
aminopeptidase 23
ammonia 26
amygdalin 203
α-amylase 5
amylopectin 3
amylose 3
Anisakis simplex 194
anisaldehyde 176
arachidonic acid 12
arginase 70
arginine 22
aristolochic acid 211
arsenic 234
arsenic acid 234
arsenobetaine 234
arsenous acid 234
arylhydrocarbon receptor 228
L-ascorbic acid 58, 163
asparagine 22
aspartame 172
aspartate aminotransferase 49
aspartic acid 22
AST 49
ATP7A 69
atropine 203
Atwater's factor 74
autooxidation 119
avidin 53
Aw 111
azoxystrobin 162

B

Bacillus cereus 193
bacterial translocation 104
basal metabolism 79
BCAA 25
benzene hexachloride 221
benzo [*a*] anthracene 124
benzo [*a*] pyrene 124
benzoic acid 160
beriberi 44
beta oxidation 18
BHC 221
biofilm 191
biological value 28
biotin 53
bis (2-ethylhexyl) phthalate 239
bis (tri-*n*-butyltin) oxide 232
bisphenol A 240
blood-brain barrier 231
BM 79
BMI 81
body mass index 81
botulinum toxin 192
bound water 111
branched chain amino acid 25
BSE 138
buthyl benzyl phthalate 240
butylated hydroxyanisole 164
butylated hydroxytoluene 163

C

cadaverine 111
cadmium 233
caffeine 175
cal 74
calciferol 38
calcitonin 39
calcium 65
calcium binding protein 39
calorie 74
Campylobacter jejuni/coli 187
caramel 169
carbamoyl phosphate 26
carbohydrate 3
carbonate dehydratase 69
carbonium ion 210
carboxylase 53
carboxypeptidase 23
β-carotene 35, 169
carotenoid 35
catalase 68
CBP 39
cellulose 7
ceruloplasmin 68
α-chaconine 203
chilomicron remnant 16
chitin 7
chitosan 7
chlorine 67
cholecarciferol 39

cholera toxin 188
cholic acid 20
choline esterase 203
chromium 71, 235
chylomicron 16
chymotrypsin 23
ciguatoxin 196
citreoviridin 213
citric acid 175
citrinin 212
Clostridium botulinum 192
Clostridium perfringens 189
^{60}Co 203
CoA 52
cobalamin 56
cobalt 72
coenzyme A 52
collagen 21
Co-PCB 226, 227
coplanar PCB 226
copper 68
copper chlorophyll 169
coprine 200
coproporphyrinogen oxidase 235
cretinism 69
cyanocobalamin 57
cycasine 204
cyclochlorotine 212
CYP2A6 124
CYP2E1 124, 125
cysteine 22
cytochrome c oxidase 68

D

2,4-D 221
DDT 220
DEHP 239
7-dehydrocholesterol 38
deoxycholic acid 20
deoxynivalenol 215
deterioration 110
DG 87
DHA 13
7-DHC 38
diacylglycerol 13
dibuthyl phthalate 240
dichloro-diphenyl-trichloro-ethane 220
2,4-dichlorophenoxyacetic acid 221
dicoumarol 43
dieldrin 221
diet induced thermogenesis 79
dietary fiber 7
dietary reference intakes for Japanese 81
1α,25-dihydroxycolecarciferol 39
dimethylamine 124
dimethylarsinic acid 234
dimethylnitrosamine 124
dinophysistoxin 199
dioxins and dioxin-like compounds 227
dipeptidase 23
dipeptide 23
diphenyl 162
disodium 5′-guanylate 174
disodium 5′-inoshinate 174
disodium ethylenediaminete-traacetate 164
DIT 79
divalent metal transporter 1 68
DMT1 68
docosahexaenoic acid 13
dopamine 59
dry-ice sensation 197

E

EAEC 191
EAR 87
EER 83
EHEC 190
eicosapentaenoic acid 13
EIEC 191
elastase 23
elongase 19
EN 102
endocytosis 58
endopeptidase 22
endrin 221
enteral nutrition 102
EPA 13
EPEC 190
ergocarciferol 38
ergocristine 214
ergometrine 214
ergosterol 14
ergotamine 214
erysorbic acid 58
erythorbic acid 163
Escherichia coli 189
esterase 15
estimated average requirement 87
estimated energy requirement 83
ETEC 190
ethyl acetoacetate 176
exopeptidase 24

F

FAD 47
fat soluble vitamin 35
fatty acid 12
fermentation 110
ferritin 67
ferrochelatase 235
ferrous sulfate 170
flavinadenine dinucleotide 47
flavinmononucleotide 47
fludioxonil 162
fluorine 72, 236
FMN 47
folate 54
folic acid 54
food allergy 136
food contamination 207
food-dependent exercise-induced anaphylaxis 137
free water 111
fructose 3
fusarenon X 215

G

GABA 49

galactose 3
gelatin 22
glucose 3
glucose transporter 5 6
Glu-P-1 123
Glu-P-2 123
GLUT2 6
GLUT4 10
GLUT5 6
glutamate dehydrogenase 26
glutamic acid 22
glutamine 22
glutathion peroxidase 70
glycemic index 6
glycidamide 125
glycine 22
glycocholic acid 21
glycogen 5
glycolysis 10
glycyrrhiziic acid 173
gonyautoxin 197
guaiac resin 164

H

HACCP 132
Hazard Analysis and Critical Control Point 132
HbA1c 117
HCB 229
HDL 17
hemolytic uremic syndrome (HUS) 190
hemosiderin 67
heterocyclic amine 123
hexachlorobenzene 229
high density lipoprotein 17
histidine 21
histone 22
home parenteral nutrition 107
HPN 107
Hunter-Russell syndrome 232
hydrogen cyanide 202
hydrogen peroxide 171
hydroperoxide 119
hydroxocobalamin 57
hydroxyapatite 63
4-hydroxynonenal 119
hydroxyproline 59
hyoscyamine 203
hypochlorous acid water 161

I

ibotenic acid 200
identity preserved 149
IDL 17
illudinn S 200
imazalil 162
immediate hypersensitivity 136
intermediate density lipoprotein 17
intrinsic factor 57
iodine 69
IP 149
iron 67
iron sesquioxide 169
islanditoxin 212
isobutyl *p*-hydroxybenzoate 160
isoleucine 21
isomaltase 5
isoniazid 49
isoprene 20
isopropyl citrate 164

J

J 74

K

Keshan disease 70
2-ketoglutaric acid 25
Korsakoff 46
Kudoa septempunctata 194
kwashiorkor 28

L

lactase 5
lactic acid 175
lactose 3
lanosterol 20
LDL 17
leucine 21
L-glutamic acid 174
licorice extract 173
lignin 7
linoleic acid 12
α-linolenic acid 12
lipid 12
low density lipoprotein 17
LSD25 215
L-tartaric acid 175
lumiflavin 47
luteoskyrin 211
lysine 21

M

magnesium 67
Maillard reaction 116
malonaldehyde 119
maltase 5
maltoryzine 215
maltose 3
manganese 70
MAO 113
marasmus 28
megaloblastic anemia 54
MeIQ 123
melanin 116
melanoidin 117
menaquinone 42
mercury 231
methallothionein 68
methanol 126
methicillin-resistant *Staphylococcus aureus* (MRSA) 192
methionine 21
methionine synthase 57
methotrexate 56
methoxypyridoxine4 205
methylarsonic acid 234
methylcobalamin 57
methylmalonic acid 58

methylmalonyl-CoA isomerase 57
methylmalonyl-CoA mutase 57
mevalonic acid 20
mineral 62
Mn-SOD 70
molybdenum 71
molybdopterin 71
monoacylglycerol 13
monoamine oxidase 68
monosodium succinate 174
MU 196
muscaridine 200
muscarine 200
mycotoxin 207

N

N 108
NaCl 66
NAD^+ 51
$NADP^+$ 51
naringin 175
neotame 173
neural tube defect 54
neutral fat 12
niacin 50
nicotinamide 50
nicotinamide adenine dinucleotide 51
nicotinamide adenine dinucleotide phosphate 51
nicotinic acid 50
nitrogen 108
nitrogen balance 28
nitrogen equilibrium 28
1-nitropyrene 124
nivalenol 215
no observed adverse effect level 156
NOAEL 156
non protein calorie 108
non-protein RQ 78
nonylphenol 241
noradrenalin 59
Norovirus 193
NPC 108
NPRQ 78
NST 101
nutrient 1
nutrition support team 101
nutrition therapy 101

O

O1 188
O139 188
objective data assessment 102
ochratoxin 211
ODA 102
okadaic acid 199
o-phenylphenol 162
oral rehydration solution (ORS) 195
ornithine 26
osteocalcin 42
osteomalacia 40
osteoporosis 40
oxalic acid 65
oxaloacetic acid 19
2-oxoglutaric acid 25

P

PAH 124
PAL 83
pantothenic acid 52
parathyroid hormone 39
parenteral nutrition 104
patulin 213
PCB 225, 226
PCDD 227
PCDF 227
pectin 7, 126
pellagra 50
pepsin 22
PEPT1 24
peptone 22
peripheral parenteral nutrition 104
peroxyradical 119
persistent organic pollutants 220
phalloidin 200
phaseolunatin 203
phenylalanine 21
phenylketonuria 172
pheophorbide a 199
phosphopantethein 52
phosphorus 66
photosensitizer 199
phylloquinone 42
physical activity level 83
phytic acid 65
plasticise 239
plasticizer 239
PLP 49
PN 104
polychlorinated biphenyl 225
polychlorinated dibenzofuran 227
polychlorinated dibenzo-*p*-dioxin 227
polycyclic aromatic hydrocarbon 124
polyphenol oxidase 116
POPs 220, 227, 229
porphyrin 235
potassium 66
potassium chloride 174
potassium gluconate 174
potassium norbixin 169
povine spongiform encephalopathy 138
PPN 104
prebiotics 8
probiotics 8
proline 22
propionoic acid 160
propyl gallate 164
protein 21
proteose 22
prothrombin 42
provitamin A 35
provitamin D 38
PrP^{sc} 138
psilocybin 201
psilocyn 201
ptaquiloside 204
PTH 39
ptyalin 5

putrefaction 110
pyridoxal 49
pyridoxal phosphate 49
pyridoxamine 49
pyridoxamine phosphate 49
pyridoxine 49
pyropheophorbide a 199
pyruvate carboxylase 70

R

rancidity 119
RDA 87
recommended dietary allowance 87
respiratory quotient 78
retinal 35
retinoic acid 35
retinoid 35
retinol 35
rhodopsin 35
riboflavin 47
riboflavin 169
rickets 38
rotavirus 194
RQ 78

S

saccharin 172
safrole 205
Salmonella enterica serovar Enteritidis 186
Salmonella enterica serovar Paratyphi A 187
Salmonella enterica serovar Typhi 187
Sarcocystis fayeri 194
saturated fatty acid 12
saxitoxin 197
scopolamine 203
scurvy 58
selenium 70
selenocysteine 70
selenomethionine 70
semimicro Kjeldahl method 76
sepsis 187
serine 22
SGA 101
SGLT1 6
Shiff base 49
Shiga toxin 191
Shigella dysenteriae 191
Shigella sonnei 191
single nucleotide polymorphism 114
sitosterol 14
SNP 114
SOD 68
sodium 66
sodium chlorite 161, 171
sodium copper chlorophyllin 169
sodium dehydroacetate 160
sodium hydrogen sulfite 171
sodium hypochlorite 161
sodium nitrate 170
sodium nitrite 170
sodium sulfite 171
sodium-dependent glucose transporter 1 6
solanidine 203
α-solanine 203
sorbic acid 160
D-sorbitol 173
Soxhlet 77
specific risk material 139
spoilage 110
squalene 20
SRSV 193
Staphylococcus aureus 191
starch 3
sterigmatocystin 210
steroid 20
sterol 14
stevia 173
Strecker degradation 118
styrene 241
subjective global assessment 101
sucralose 173
sucrase 5
sucrose 3
superoxide dismutase 68
synbiotics 8

T

T-2 toxin 215
tannin 67
taurocholic acid 21
TBA 121
TBTO 232
2,3,7,8-TCDD 227, 228
TDI 227
teanine 174
TEF 227
tentative dietary goal for preventing life-style related diseases 87
TEQ 228
2,3,7,8-tetrachlorodibenzo-*p*-dioxin 227
tetrachloroethylene 230
tetrahydrofolate 54
tetrodotoxin 196
THF 54
thiabendazole 162
thiamine 44
thiamine pyrophosphate 45
thiobarbituric acid 121
threonine 21
titanium dioxide 169
TMA 114
TMAO 114
tocopherol 40
dl-α-tocopherol 164
tolerable daily intake 227
tolerable upper intake level 87
total parenteral nutrition 104
toxicity equivalency factor 227
TPN 104
TPP 45
trans-fatty acid 125
transferrin 67
trehalose 3
triacylglycerol 13
tricarboxylic acid cycle 10
trichloroethylene 230

trimethoprim 56
trimethylamine 114
trimethylamine oxide 114
trimethylaminurea 114
tripeptide 23
Trp-P-1 123
Trp-P-2 123
trypsin 23
tryptamine 111
tryptophan 21
tyramine 111
tyrosinase 68
tyrosine 22

U

UL 87
unsaturated fatty acid 12
urea 25
urea cycle 26
UV-B 39

V

valine 21
variant Creutzfelt-Jacob disease 138
vCJD 138
Verotoxin 190
very low density lipoprotein 17
Vibrio cholera 188
Vibrio cholerae 188
Vibrio parahaemolyticus 187
vitamin 35
vitamin D receptor 40
VLDL 17

W

warfarin 43
water 63
water activity 111
water soluble vitamin 35
wax 13
Wernicke 46
Wilson 69

X

xanthurenic acid 50
xylitol 173

Y

Yersinia enterocolitica 187

Z

zearalenone 216
zinc 69
zymogen 24